身だしなみの確認

利用者にかかわる前に，自分自身のこころとからだが整っているかどうかを確認しよう。きちんと目をあわせて名乗り，笑顔であいさつをするところから利用者との関係が築かれます。

体調

- ☑食事はしっかりとったか。
- ☑発熱や咳など，風邪の症状はないか。
- ☑傷口などは保護してあるか。

表情

- ☑笑顔になっているか。
- ☑鏡を見て口角を少し上げてみよう。

心理状態

- ☑気持ちが仕事に集中しているか。

耳

- ☑アクセサリーははずしているか。

化粧

- ☑濃すぎないか。
- ☑化粧品，制汗剤などのにおいはきつくないか。

口

- ☑歯をみがいたか。
- ☑口臭はないか。

服装

- ☑上着の袖口は広がりすぎていないか。
- ☑上着の裾は長すぎないか，短かすぎないか。
- ☑胸元は開きすぎていないか。
- ☑ズボンの裾は引きずっていないか。
- ☑派手すぎないか。
- ☑からだのラインが目立ちすぎていないか。
- ☑汚れやいやなにおいはないか。
- ☑動きやすいか。

髪型

- ☑髪が顔にかかって邪魔にならないか。
- ☑髪が長い場合は，まとめているか。
- ☑ピンは危なくないか。
- ☑不自然な色に染めていないか。

手元，爪

- ☑時計やアクセサリーははずしているか。
- ☑爪は伸びていないか。
- ☑マニキュアは落としてあるか。

靴

- ☑サイズは適しているか。
- ☑靴底はすべりやすくないか。
- ☑汚れていないか。
- ☑靴ひもはしっかり結べているか。
- ☑ヒールがなく，歩くときに大きな音がしないか。
- ☑歩きやすいか。

ボディメカニクスの応用

◆ボディメカニクスとは…

骨格や筋肉などの相互関係で起こる身体の動きのメカニズムです。ボディメカニクスを応用することで，利用者・介助者双方の負担を少なくすることができます。

①支持基底面積を広くとり，重心位置を低くする

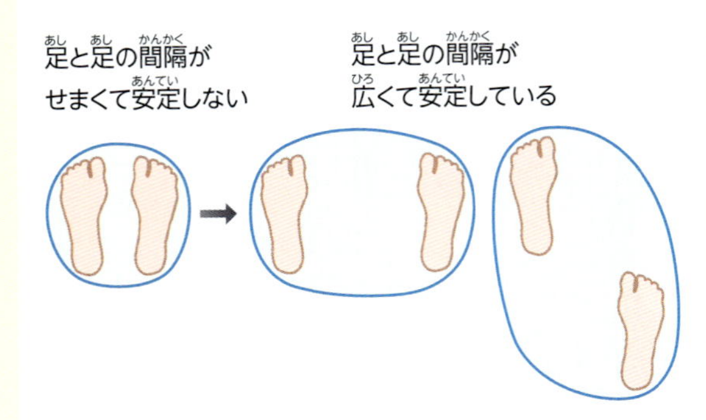

介助者が足を前後・左右に開き支持基底面積を広くすることで，立位姿勢の安定性を高めます。また，重心位置を低くすることで，身体がより安定します。

②介助する側とされる側の重心位置を近づける

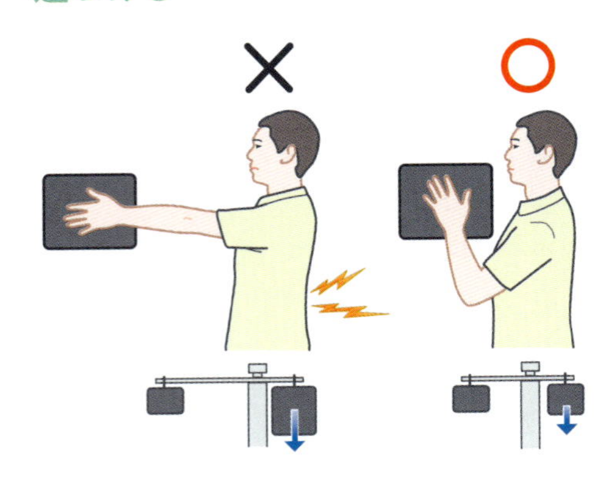

介助者と利用者双方の重心を近づけることで，移動の方向性がぶれずに一方向に大きな力がはたらくため，より小さい力での介助が可能になります。

③より大きな筋群を利用する

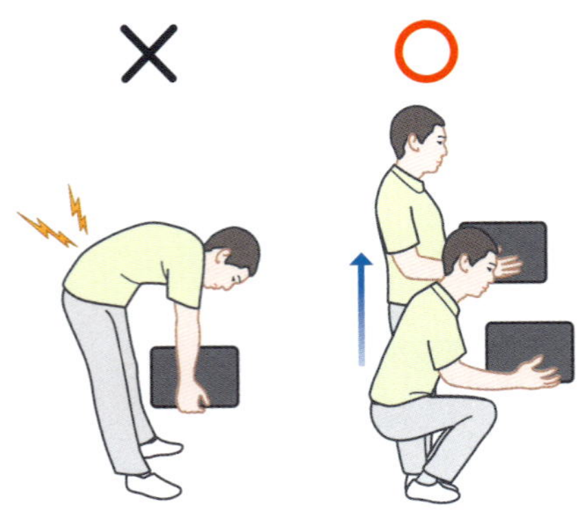

腕や手先だけではなく，腹筋・背筋・大腿四頭筋・大殿筋・大胸筋などの大きな筋肉を同時に使うことで，１つの筋肉にかかる負荷が小さくなり，介助者の腰痛などを防ぐことができます。

④利用者の身体を小さくまとめる

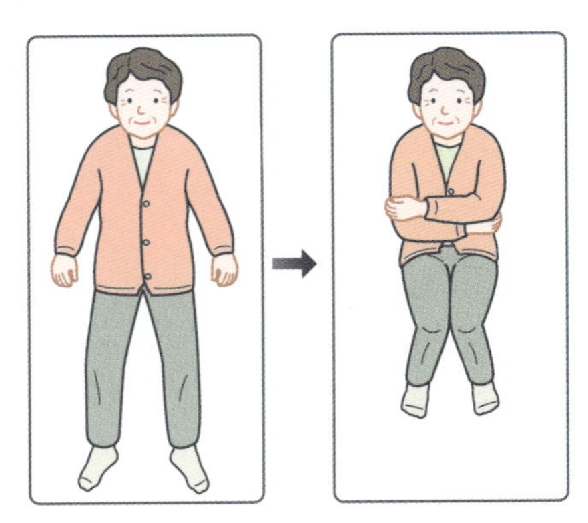

利用者の腕や足を組んだり，膝を立てたりして，身体を小さくまとめます。摩擦面が減少し，利用者の身体を小さな力で回転させることができます。

⑤「押す」よりも手前に「引く」

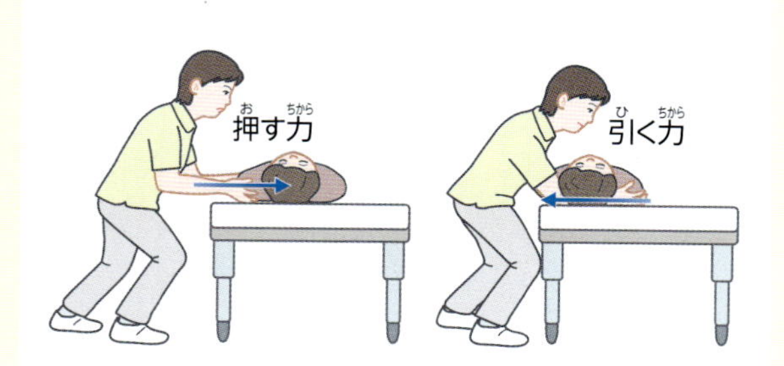

ベッド上で移動するときは，押すよりも引くほうが，移動の方向性がぶれずに一方向に大きな力がはたらくため，より小さな力で介助できます。

⑥重心の移動は水平に行う

介助者は足を広げて立ち，下肢の動きを中心に水平に動くことで，安定して移動できます。

⑦介助者は身体をねじらず，骨盤と肩を平行に保つ

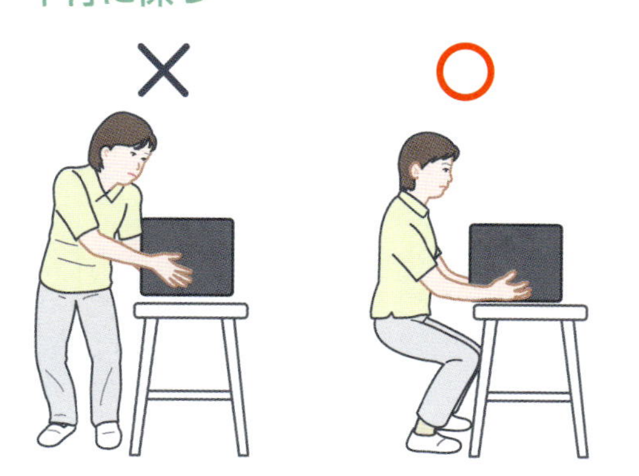

身体をねじると，重心がぐらついて不安定になります。また，腰部への負担が大きくなり，腰痛の原因にもなります。介助者は，骨盤と肩が常に同じ方向を向くようにすると，身体をねじらずに姿勢が安定します。

⑧てこの原理を応用する

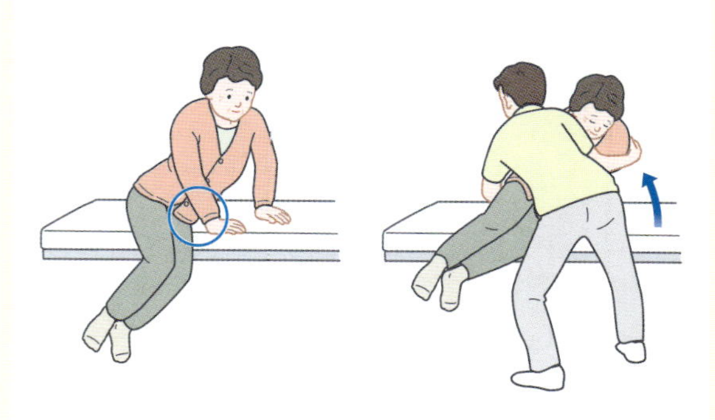

てこの原理を応用すると，小さな力を大きな力に変えることができます。利用者は腰を支点にし，肘や手のひらを力点にして起き上がります。介助する場合は，利用者の腰が支点となり，肩甲骨付近を力点にして起こします。

おもな姿勢

座位　端座位

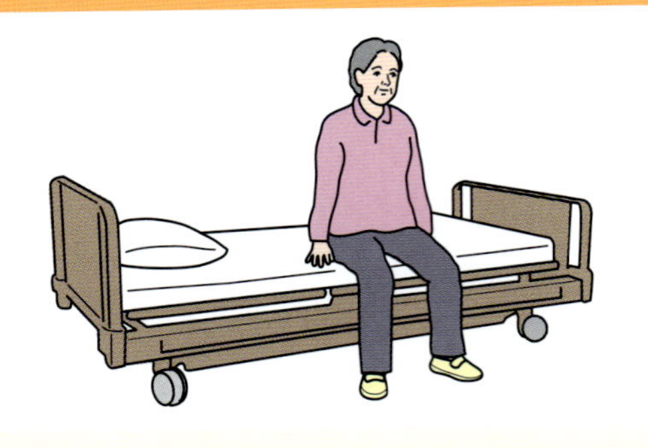

椅座位

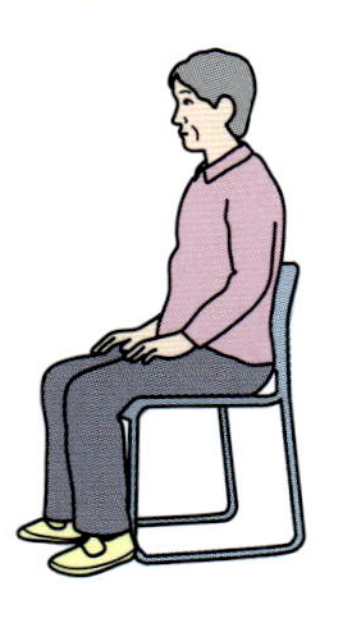

長座位（足を伸ばし上体を 90 度起こす）

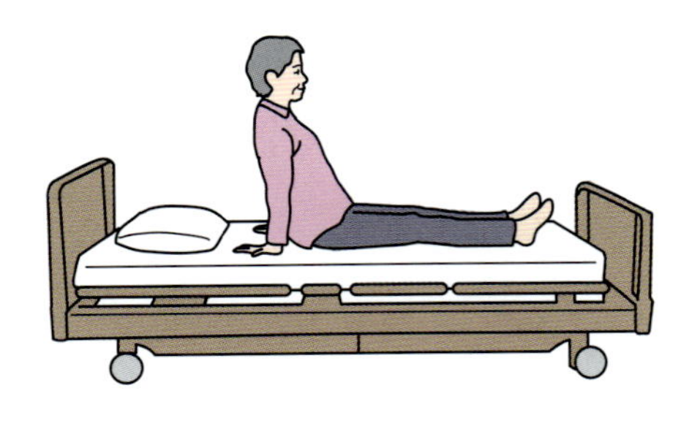

半座位／ファーラー位（上体を 15 ～ 45 度起こす）

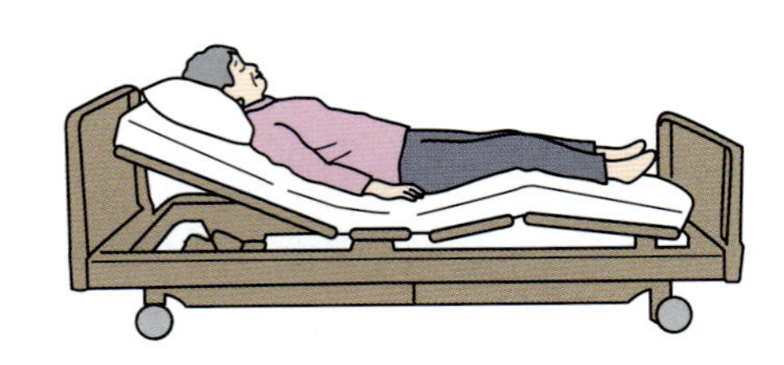

臥位　仰臥位（仰向け）

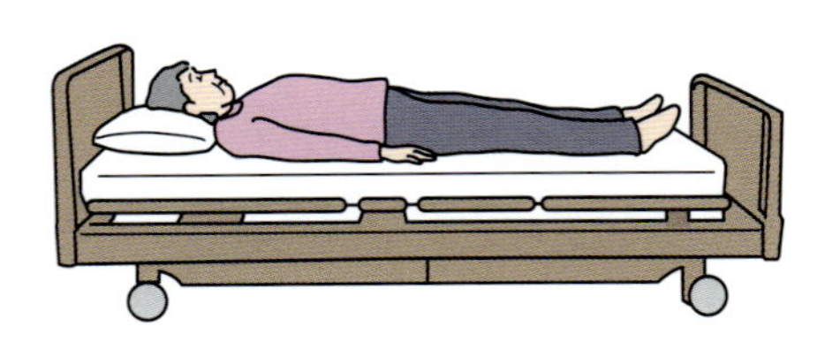

側臥位（右側臥位）

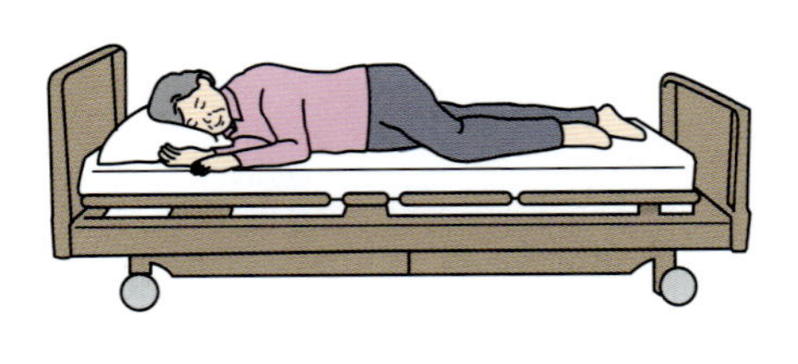

腹臥位（うつ伏せ）

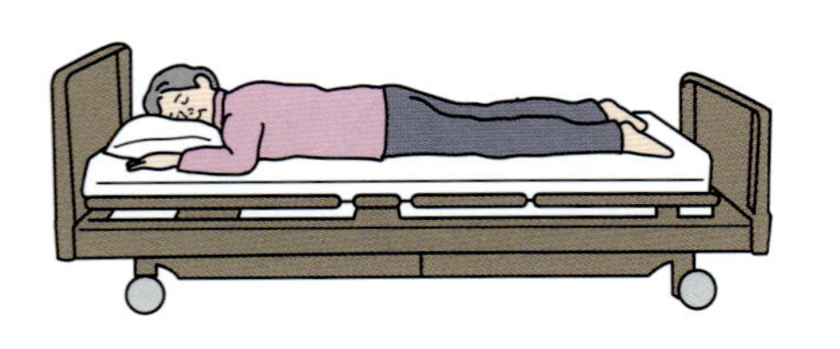

立位

最新

介護福祉士養成講座 6

編集 介護福祉士養成講座編集委員会

生活支援技術Ⅰ

第2版

中央法規

『最新 介護福祉士養成講座』初版刊行にあたって

1987（昭和62）年に「社会福祉士及び介護福祉士法」が制定され、介護福祉職の国家資格である介護福祉士が誕生してから30年以上が経ちました。2018（平成30）年11月末現在、資格取得者（登録者）は162万3974人に達し、施設・在宅を問わず地域における介護の中核をになう存在として厚い信頼をえています。

近年では、世界に類を見ないスピードで進む高齢化に対応する日本の介護サービスは国際的にも注目を集めており、アジアをはじめとする海外諸国から知識と技術を学びに来る学生が増えています。

もともと介護福祉士が生まれた背景には、戦後の高度経済成長にともなう日本社会の構造的な変化がありました。資格誕生から今日にいたるまでのあいだも社会は絶えず変化を続けており、介護福祉士に求められる役割と期待はますます大きくなっています。そのような背景のもと、今後さらに複雑化・多様化・高度化していく介護ニーズに対応できる介護福祉士を育成するために、2018（平成30）年に10年ぶりに養成カリキュラムの見直しが行われました。

当編集委員会は、資格制度が誕生した当初から、介護福祉士養成のためのテキスト『介護福祉士養成講座』を刊行してきました。福祉関係八法の改正、社会福祉法や介護保険法の施行など、時代の動きに対応して、適宜記述内容の見直しや全面改訂を行ってきました。そして今般、本講座を新たなカリキュラムに対応した内容に刷新するべく『最新 介護福祉士養成講座』として刊行することになりました。

『最新 介護福祉士養成講座』の特徴としては、次の事項があげられます。

① 介護福祉士養成のための標準的なテキストとして国の示したカリキュラムに対応
② 現場に出たあとでも立ち返ることができ、専門性の向上に役立つ
③ 講座全体として科目同士の関連性も見える
④ 平易な表現や読みがなにより、日本人学生と外国人留学生がともに学べる
⑤ オールカラー（11巻、15巻）、ＡＲ（拡張現実：６巻、７巻、15巻）の採用などビジュアル面への配慮

本講座が新しい時代にふさわしい介護福祉士の養成に役立ち、さらには本講座を学んだ方々が広く介護福祉の世界をリードする人材へと成長されることを願ってやみません。

2019（平成31）年３月

介護福祉士養成講座編集委員会

はじめに

「生活支援技術」は、尊厳の保持や自立支援、生活の豊かさの観点から、本人主体の生活が継続できるよう、根拠にもとづいた介護実践を行うための知識・技術を学習する科目です。養成カリキュラムでは「教育に含むべき事項」として11項目があげられていますが、本講座では「応急手当」と「災害時における生活支援」を含む13項目を2冊に分けて解説しています。

本書『生活支援技術Ⅰ』は、「生活支援の理解」「居住環境の整備」「自立に向けた移動の介護」「福祉用具の意義」「自立に向けた家事の介護」「応急手当の知識と技術」「災害時における生活支援」の全7章で構成しています。

第1章「生活支援の理解」では、介護福祉士が行う生活支援の意義と目的、ＩＣＦおよび利用者主体の視点、利用者の生活を多角的に支えるためのチームアプローチのあり方などを学びます。第2章「居住環境の整備」では、住まいの役割と機能、加齢と生活空間、快適な室内環境のあり方などを解説しています。第3章「自立に向けた移動の介護」では、生活行為の基本となる「移動」を取り上げています。自立した移動の一連の流れを理解したうえで、移動・移乗における具体的な介護技術を学びます。第4章「福祉用具の意義」では、生活支援における福祉用具の重要性、適切な福祉用具を選ぶための視点などを取り上げています。第5章「自立に向けた家事の介護」では、調理、洗濯、裁縫などの具体的な家事支援における介護技術を学びます。第6章「応急手当の知識と技術」では、外傷や骨折、窒息などの応急手当や緊急時対応について解説しています。第7章「災害時における生活支援」では、被災地で活動する際の介護福祉士の役割と災害時における生活支援について学びます。

第2版では、利用者主体の生活支援技術の実践に向けた考え方を追加したほか、福祉用具および災害時の生活支援における多職種連携の事例を新たに掲載するなどの見直しを行いました。

本書はできる限りわかりやすい表現になるように努め、イラストを多く用いて見やすさにも配慮しています。本書での学びを通じて、専門職にふさわしい生活支援技術を身につけ、介護実践にいかしていただければ幸いです。

内容面に関しては最善を尽くしていますが、ご活用いただくなかでお気づきになった点は、ぜひご意見をお寄せください。いただいた声を参考にして、改訂を重ねていきたいと考えています。

編集委員一同

目次

『最新 介護福祉士養成講座』初版刊行にあたって

はじめに

ARマークについて

第1章 生活支援の理解

第1節 生活支援の基本的な考え方 …… 2

1 生活支援とは何か … 2
2 ライフサイクルと生活の豊かさ … 4
3 生活支援のポイント … 8

第2節 生活支援と介護過程 …… 13

1 根拠にもとづく生活支援技術とは … 13
2 利用者を理解するためのICFの視点 … 18
3 利用者主体の生活支援技術の実践に向けて … 22

第3節 生活支援とチームアプローチ …… 29

1 生活支援におけるチームアプローチの重要性 … 29
2 ライフステージとチームアプローチのあり方 … 32
演習1－1 生活を理解する … 36
演習1－2 目の動きを大切にする … 36

第2章 居住環境の整備

第1節 住まいの役割と機能 …… 38

1 住まいの役割と機能 … 38
2 家族と生活空間 … 39
3 住まいと地域 … 41

第2節 生活空間 …… 44
1 人と空間 … 44
2 加齢と生活空間 … 46

第3節 快適な室内環境 …… 54
1 生活環境と室内環境 … 54
2 室内気候の調整 … 55
3 明るさの調整 … 57
4 音環境の調整 … 59
5 住まいの維持・管理 … 61

第4節 安全に暮らすための生活環境 …… 64
1 日常安全 … 64
2 災害に対する備え … 71

第5節 居住環境の整備における多職種との連携 …… 73
1 居住環境の整備における多職種連携の必要性 … 73
2 他職種の役割と介護福祉職との連携 … 74
3 居住環境の整備における多職種連携の実際 … 77
演習2－1 快適な室内環境の条件 … 82
演習2－2 自宅で生活を続けるための環境整備 … 82

第3章 自立に向けた移動の介護

第1節 自立した移動とは …… 84
1 自立した移動とは … 84
2 自立した移動の一連の流れ … 85
3 自立に向けた移動の介護をするために介護福祉職がすべきこと … 86

第2節 自立に向けた移動・移乗の介護 …… 89
1 移動・移乗の基本的理解 … 89
2 起居動作（寝返り、起き上がり、立ち上がり）の介助 … 97 AR
3 安楽な姿勢・体位を保持する介助 … 124
4 歩行の介助 … 135
5 車いす（移乗・移動）の介助 … 146 AR
6 移動・移乗のための道具・用具 … 183

第3節 移動の介護における多職種との連携 …… 189
1 移動の介護における多職種連携の必要性 … 189
2 他職種の役割と介護福祉職との連携 … 190
演習3－1 福祉用具の活用 … 193
演習3－2 車いすの体験 … 193
演習3－3 褥瘡の予防 … 194

第4章 福祉用具の意義

第1節 生活支援における福祉用具の重要性 …… 196
1 福祉用具とは … 196
2 公的制度における福祉用具の給付の変遷 … 197
3 福祉用具を使用する意義 … 198
4 介護ロボットの開発・活用にみるこれからの福祉用具の可能性 … 199

第2節 福祉用具の種類 …… 202
1 福祉用具の分類 … 202
2 公的制度における福祉用具サービス … 204

第3節 適切な福祉用具を選ぶための視点 …… 210
1 解決手段は福祉用具だけではない … 210
2 福祉用具に関するリスクとリスクマネジメント … 210
3 福祉用具の提供プロセス … 211
4 福祉用具を選ぶためのアセスメントの視点 … 212
5 福祉用具の適合・モニタリングの視点 … 213
演習4－1 福祉用具のタイプによる違い … 218
演習4－2 最新の福祉用具の把握 … 218

第5章 自立に向けた家事の介護

第1節 自立した家事とは …… 220
1 自立生活を支える家事 … 220
2 自立した家事の一連の流れ … 222
3 自立に向けた家事の介護をするために介護福祉職がすべきこと … 224

第2節 自立に向けた家事の介護 …… 227

1 調理の介護 … 227
2 洗濯の介護 … 233
3 そうじ・ごみ捨ての介護 … 237
4 裁縫（衣類の補修）の介護 … 239
5 衣類・寝具の衛生管理の介護 … 241
6 買い物の介護 … 248
7 家庭経営、家計の管理の介護 … 251

第3節 家事の介護における多職種との連携 …… 255

1 家事の介護における多職種連携の必要性 … 255
2 在宅の場合 … 256
3 施設の場合 … 259
演習5－1 買い物に行く際の留意点 … 263
演習5－2 食事づくりにおける減塩方法 … 263
演習5－3 衣服のしみのとり方 … 264

第6章 応急手当の知識と技術

第1節 応急手当について …… 266

1 想定される事故と予防の視点 … 266
2 応急手当とは … 269

第2節 応急手当の実際 …… 272

1 外傷 … 272
2 骨折 … 273
3 窒息 … 274
4 熱傷（やけど）… 276
演習6－1 救急車の手配 … 277
演習6－2 応急手当の理解 … 277

第7章 災害時における生活支援

第1節 災害時における介護福祉職の役割 …… 280
1 被災地における「生活支援」の意義と目的 … 280
2 被災地で安全に活動するために … 283

第2節 災害時における生活支援の実際 …… 286
1 被災地における活動場所 … 286
2 災害時における生活支援 … 287
演習7－1 ハザードマップ … 306
演習7－2 防災に関する図記号 … 306

索引 …… 307

執筆者一覧

本書では学習の便宜をはかることを目的として、以下のような項目を設けました。

- 学習のポイント … 各節で学ぶべきポイントを明示
- 関連項目 ………… 各節の冒頭で、『最新 介護福祉士養成講座』において内容が関連する他巻の章や節を明示
- 重要語句 ………… 学習上、とくに重要と思われる語句について色文字のゴシック体で明示
- 補足説明 ………… 専門用語や難解な用語・語句をゴシック体で明示するとともに、側注でその用語解説や補足的な説明を掲載
- 演　　習 ………… 節末や章末に、学習内容を整理するふり返りや、理解を深めるためのグループワークなどの演習課題を掲載

AR ARマークについて

スマートフォンやタブレットをかざして動画を見よう！

スマートフォンやタブレットで「ARマーク」のついている図や写真を読み込むと、実施手順や留意点を動画で学ぶことができます。

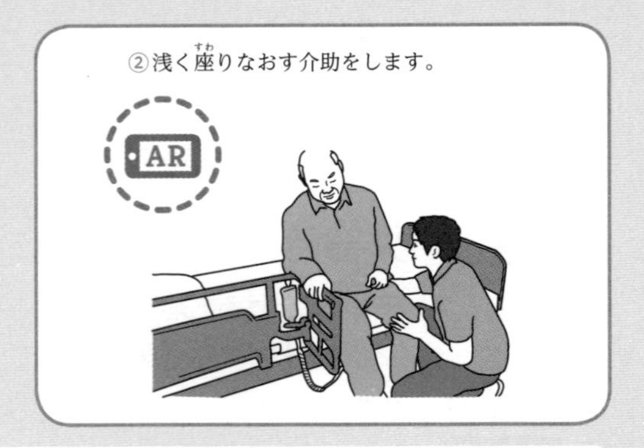

ARアプリのインストールと使い方

無料アプリをインストール

App Store (iOS) /Google Play (Android) から「COCOAR」または「ココアル」と検索し、アプリをインストールしてください。右のQRコードから各ストアへ移動することができます。

iOS

Android OS

アプリを起動して読み込む

COCOARを起動して、「ARマーク」がついている図や写真にかざしてください。アプリが画像を読み込むと、動画が表示されます。

書籍の解説と合わせて確認

動画と書籍の解説を合わせて確認して、理解を深めましょう。

※ご利用の機種やOSのバージョン、通信環境によっては、アプリが正常に動作しない場合がございます。
※動画の視聴は無料ですが、通信料はお客様のご負担となります。動画の読み込み・閲覧にあたっては、Wi-Fi環境を推奨いたします。
※COCOARは、スターティアラボ株式会社が配信するクラウド型ARアプリケーションサービスになります。アプリの詳細な機能・最新の対応OS等については、各ストア等をご参照ください。
※動画は予告なく終了することがあります。あらかじめご了承ください。

ARの活用方法

ARは次のように活用することができます。ARを効果的に活用することで、「生活支援技術」のより実践的な理解につながります。

1．事前学習として

事前に実施手順を動画で確認しておくことで、授業で学ぶ内容をイメージしやすくなります。

2．授業のふり返りとして

授業のふり返りとして動画を確認することで、「留意点」と「根拠」をふまえた介助方法をしっかり身につけることができます。

3．介護実習前の確認として

介護実習では、実際に利用者とかかわることになります。実習前に動画を確認することで、介護現場での実践のイメージを具体的にもつことにつながります。

ARマークは、介助手順のイラストの左上に付いています。それぞれの学習の場面でぜひ活用してみてください。

実際の動きが見られる！

第1章 生活支援の理解

第1節 生活支援の基本的な考え方
第2節 生活支援と介護過程
第3節 生活支援とチームアプローチ

第 1 節

生活支援の基本的な考え方

学習のポイント

- 生活支援について理解する
- 生活の豊かさや心身の活性化のための支援について理解する

関連項目 ④『介護の基本Ⅱ』▶第１章第１節「私たちの生活の理解」

1 生活支援とは何か

1 生活支援とは

介護福祉職は、人の生活について理解する必要があります。利用者１人ひとりの生活は、年齢や性別だけでなく、環境、考え方などによってさまざまです。さらに疾病や障害によって介護が必要な人は、疾病の悪化を防ぎ、２次障害を生じさせないよう細かい注意が必要となるため、生活の仕方も複雑です。その人の暮らしぶり、生活習慣、こだわり、価値観、感情などに関心をもち、「生活者」としての利用者を理解することが大切です。介助の量の大小に関係なく、利用者が自分の生活を自分で営んでいく利用者主体の生活支援を実践できることが求められます。

生活支援は、**社会福祉士及び介護福祉士法第２条第２項**[1]の定義からもみてとれるように、介護福祉士の専門性の１つです。利用者１人ひとりの人生（これまで生きてきた人生と、今を生き、そしてこれから先を生きていく人生）の歩み、思いに寄り添い、その人が「いい人生だった」と言って最期を迎えられるよう、利用者の生活だけでなく、生命に向き合い、かかわり、時にパートナーとなり、ともに歩む尊い支援です。

[1] 社会福祉士及び介護福祉士法第２条第２項
この法律において「介護福祉士」とは、第42条第１項の登録を受け、介護福祉士の名称を用いて、専門的知識及び技術をもって、身体上又は精神上の障害があることにより日常生活を営むのに支障がある者につき心身の状況に応じた介護を行い、並びにその者及びその介護者に対して介護に関する指導を行うことを業とする者をいう。

図1－1　生活における社会的側面

2　生活支援のあり方

人の一生において長い期間である高齢期を豊かに、楽しく生き、自分自身の人生を完成させるために、高齢者は介護福祉職にどのような支援を求めているのでしょうか。また、疾病や事故などによって心身に障害をきたし、自分１人では自分の人生を築くことが困難な障害者は、介護福祉職にどのような支援を求めているのでしょうか。

（1）その人の気持ちに寄り添う

介護老人福祉施設に入所したばかりの利用者の気持ちを例に考えてみましょう。たとえどんな理由があるにしろ、施設に移らなければならなくなった不満や不甲斐なさ、これまでの生活や人間関係を失う喪失感、施設での生活に対する不安、あきらめなど精神的に満たされていない状態なのではないでしょうか。

年を重ねると、心身の老化によって思うようにできなくなることが増えることはだれでもわかっています。だからこそ、なるべく他者に迷惑をかけないようにと、健康維持や介護予防のための取り組みをしてきた人もいるでしょう。たとえ、年を重ねたら他者の世話になることがあるだろうと思っていても、そうなったときに好きで介護を受ける人はいません。仕方のないこととわかっていても介護を受けなくてはならない利用者の気持ちに寄り添うことが大切です。

利用者は、だれかの支援や介助がなければ生活することがむずかしい状態にあっても、自分でできることはできる限り自分で行おうと、工夫しながら日々の生活を送っています。それは、これまで生きてきた過程で経験した挫折や失敗などから、自己課題を自分で探り、その先のステージに進んできた力をもっている高齢者自身の強さ（**ストレングス**）であり、自分自身の人生を最期まで生き切ろうとする力なのです。

（2）生活の質を高める

生活支援は単に食事や排泄、入浴の手助けをすることではなく、その人の生活の質を高めるための手助けをすることです。そのためには、利用者の目線に立って、空間や時間を共有し、喜怒哀楽の感情を分かち合うという共感の姿勢が大切です。

黒澤は、「人間は時の流れにしたがって、ただ無自覚、無目的に生きているわけではない。いかなる状況下にあっても、現実の課題解決を通して、常に幸せを願って生活している」[1]とし、介護福祉は、よりよい生活を志向していくことで、現実を超えて新たな生活をつくっていくことだと述べています。そして、「生活支援は現実の生活の世界を出発点とし、主体性をもって自己の生活課題を克服する過程を支援するものであり、そこに人間の生の営みにおけるヒューマニズムを根底におく」[2]としています。

1人ひとり送ってきたライフステージは異なり、今ある健康問題や生活課題の背景には、その人なりの理由や意義があったと理解し、利用者それぞれが自分の人生に価値を見いだし、人生最後の大舞台に立てるよう、その人なりの生活の場で、いっしょに考えながら支援していくことが、生活支援における介護福祉職の役割です。

2 ライフサイクルと生活の豊かさ

利用者の生活を理解したり、加齢にともなう心身の変化により今、利用者の気持ちがどのような状態なのかを察し、寄り添っていくためには、ライフサイクルやこれまでの社会生活からその人がどのような価値観をもったのかを理解する必要があります。

1 ライフサイクルとは

人は、出生から成長、成熟を経て老い、やがて死を迎えます。人の一生にみられる出生から死にいたる規則的な変化のパターンのことをライフサイクルといい、人生周期、生活周期と訳されます。ライフサイクルは、人の発達を、成長・成熟（体重や身長の伸びなどの容姿の変化）や加齢にともなう衰弱（身体機能や認知機能の低下など）だけでなく、年齢を基準とする時期に応じて生涯を通して発達するとの視点から包括的にとらえ、示したものです。

成長･発達の年齢の目安はありますが、そのペースは人それぞれです。その人がどのような環境で、どのような生活を送ってきたかによっても異なります。したがって、その人が生きてきた時代の背景（社会、文化、風潮など）と、その人が各ライフステージでどのような経験をしてきたのかを知ることが大切です。そして、それがその人にどのような精神的影響をもたらし、その人の考え方、価値観、こだわり、自尊心を築きあげてきたかというその人の生活史（ライフヒストリー）を理解することにつながります。

2 生活の豊かさとは

生活の**豊かさ**[2]は、その人の価値観によって物質的・経済的に豊かになり、便利で暮らしが楽になるという「物の豊かさ」と、気心の知れた家族や友人と過ごす時間、趣味や余暇活動、自己啓発のための学習活動などの自主的・自発的な活動、自分らしさを表現できる活動、自分を認めてくれる人と居心地のよい場所があること、自分の役割があることに生活の満足度や幸福度が上がるなど、幸せを感じながら生活している「こころの豊かさ」に分けて考えることができます。

物質的・経済的に豊かでなくとも、家族皆が健康で、家族そろって楽しく生活が送れることに日々の幸せを感じ、充実感を覚えて、こころが満たされた生活をしている人もいます。こころが満たされた生活もまた、人によって違います。たとえば、おしゃれをして買い物に出かける

[2] 豊かさ
内閣府の「豊かで安心できるくらし部会報告」によると、「豊かさ」には、経済活動の成果に加えて、文化の創造・享受、充実した日常生活の営み、旬の食べものやおいしい水に恵まれたくらし、環境への負荷が少なく循環を基調とし自然・生物と共に生きる生活、美しい風土、静謐な生活環境、慈愛や奉仕といった社会活動の成果が含まれる、とされている。

こと、おいしいものを食べること、自由な時間を過ごすこと、好きな音楽が流れる部屋で読書を楽しむこと、観劇や映画鑑賞など文化的な時間を過ごすことに、「豊かさ」を感じる人もいます。その他、友人や仲間とスポーツや旅行を楽しむ、地域社会における役割の遂行、他者の役に立つボランティア活動などに幸せややりがいを感じる人もいます。

内閣府の2018（平成30）年度の「国民生活に関する世論調査」によると、「物質的にある程度豊かになったので、これからはこころの豊かさやゆとりのある生活をすることに重きをおきたい」とする人の割合が61.4％で、「まだまだ物質的な面で生活を豊かにすることに重きをおきたい」とする人の割合（30.2％）を大きく上回っています（**図1－2**）。この調査を始めた当初は「物の豊かさ」を重視する人の割合が「こころの豊かさ」を重視する人の割合を上回っていましたが、昭和50年代前半から逆転し、徐々に「こころの豊かさに重きをおきたい」とする人の割合が増加しました。1986（昭和61）年から1991（平成3）年のいわゆるバブル景気の時期から、「こころの豊かさに重きをおきたい」とする割

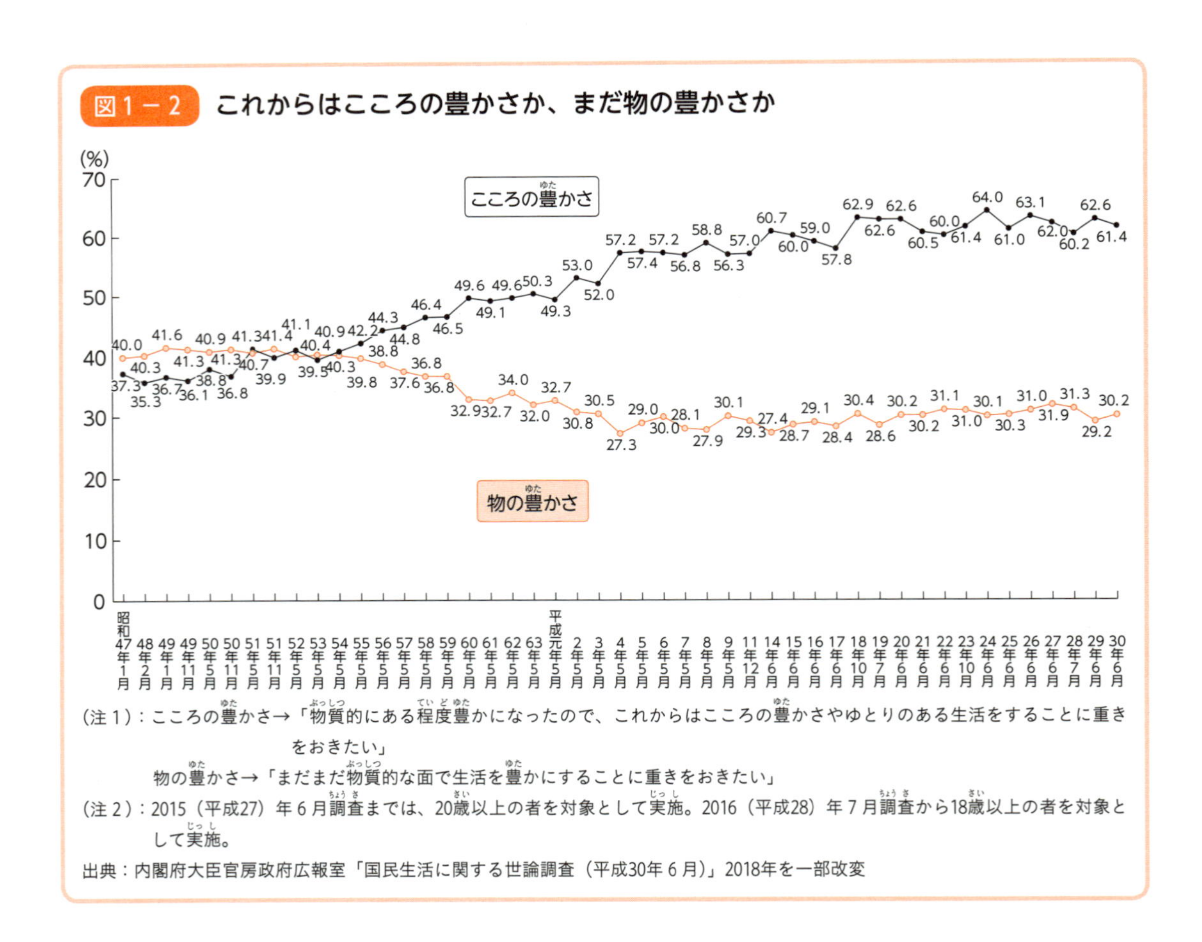

図1－2 これからはこころの豊かさか、まだ物の豊かさか

（注1）：こころの豊かさ→「物質的にある程度豊かになったので、これからはこころの豊かさやゆとりのある生活をすることに重きをおきたい」
物の豊かさ→「まだまだ物質的な面で生活を豊かにすることに重きをおきたい」
（注2）：2015（平成27）年6月調査までは、20歳以上の者を対象として実施。2016（平成28）年7月調査から18歳以上の者を対象として実施。
出典：内閣府大臣官房政府広報室「国民生活に関する世論調査（平成30年6月）」2018年を一部改変

合と、「物の豊かさに重きをおきたい」とする割合の差が大きくなり、今日にいたっていることは、日本の社会での「豊かさ」がどのようにとらえられているのかをあらわしているといえます。同時に、今の高齢者は、「物の豊かさ」を重視する時代から、「こころの豊かさ」を重視する時代への移行を経験してきていることを理解することも大切です。

生活の「豊かさ」については、定義や基準があるわけではなく、1人ひとりの価値観や考え方、こころのもちようによってさまざまです。そして、人が「豊かさ」を感じて生きるために必要なものは、安全に、安心して暮らすための社会保障制度や福祉サービスの整備・充実、個々の欲求を満たす衣・食・住に関すること、人間が人間らしく生きるための糧となる文化・芸術など、さまざまです。

その人が生きてきた時代やどのような人生を歩んできたかによって「豊かさ」のとらえ方、考え方が異なり、満足できる状態・結果も違います。だれとどこで、何をするのか、どんな時間を過ごすのか、自分でするのかだれかにしてもらうのかによって、感じる「豊かさ」に違いがあります。

まわりの人に「高齢者には高齢者なりに感じる生活の豊かさがあるだろう」「からだが丈夫なだけでも幸せだよ」などといわれても、「豊かさ」「幸福感」を感じるのはその人本人です。基準や固定観念をもって考えるのではなく、その人にとってどのような暮らしが満足できるのかを考えていくことが大切です。

3　その人らしさの理解

介護の目的は「利用者の尊厳を支えること」であり、2005（平成17）年の介護保険法改正では、高齢者介護を「高齢者の尊厳を支えるケア」と明確化しています。高齢者の尊厳を支えるケアとは「高齢者が介護が必要となってもその人らしい生活を自分の意思で送ることを可能とすること」[3]です。では、その人らしい生活とはどのようなことをいうのでしょうか。

認知症の人のケアの基本的概念に**パーソン・センタード・ケア**（person-centered care）があります。パーソン・センタード・ケアとは、「その人中心のケア」という意味で、イギリスの心理学者・キットウッド（Kitwood, T.）によって1990年代に提唱されたものです。認知症のある人を1人の“人”として尊重し、認知症という障害がありながら、1人の人間として生きていることとその価値を認め、その人の視点や立場に立って思いや望みを理解します。そしてその人が生きている世界を受け入れながら生活環境を整備しつつ、その人らしい状態で日々を過ごせるように、その人にふさわしいケア（個別ケア）を行おうというものです。

このパーソン・センタード・ケアの考え方は、認知症のある人に限ったものではありません。利用者の1人ひとり異なる身体機能や症状、健康の状態、性格、人生歴、人間関係など、その人の個別性をふまえ、またその人とのかかわりを通して、その人が今どのような状態なのか、どう感じているかを理解し、支えようとすることは、すべての人の介護において大切なことです。

その人らしさは個人個人で違いがあり、また、その時々の気分やライフステージによっても変わってきます。そして、その人を見る他者の主観的なものの見方によって、周囲からもたれているイメージとその人自身の見方がまったく違っていることもあります。

黒澤らは、その人らしさとは、「利用者1人ひとりの個性であり、長い生活経験のなかで培われた価値観やこだわり、プライドといったことを意味し、1人ひとりの生活経験の多様性から形成されています」[4)]としています。利用者の今の生活は、誕生から長い時間、継続されてきたものです。利用者1人ひとりの生きてきた歴史をたどり、これからの生き方を考えてかかわっていくことが大切です。

3 生活支援のポイント

生活支援を行うには、まずは利用者の全体像を理解しなければなりません。生活を継続するためには、介護福祉職が利用者を観察して行う生活支援が、利用者にとって不可欠なものであること、生活支援とは利用者1人ひとり異なるものであること、健康と安全の関係は深いものであること、さらに適切な生活支援は利用者との信頼関係の構築のうえになされるものであることを理解する必要があります。

また、実際に介助を行う際には、常に「介護計画」をふまえ、利用者に介助の内容を説明し、同意をえたうえで、「観察と準備→実施→評価」

という基本的な流れを意識する必要があります。

1 生活習慣・文化・価値観を尊重する

生活は、その人の生まれ育った環境のなかでつちかわれたものなので、1人ひとりに生活習慣や文化があり、それがその人の暮らし方にも影響を及ぼしています。つまり、暮らし方は人によって違いがあるため、介護福祉職は利用者が積み重ねてきた生活習慣・生活史（ライフヒストリー）や文化、価値観を理解し、これまでの生活を尊重することが重要です。

2 自立を支援する

たとえ他者の援助が必要になっても、生活のすべてに援助が必要になるとは限りません。利用者の自分でできる部分を専門職が観察することにより、その力をいかしながら、またその人がもっている能力を引き出しながら、環境整備や福祉用具等も活用し、自分でできることを維持・拡大できるように支援していきます。

生活のなかでできることが多くなると、身体面で他者の援助の必要性が少なくなるばかりでなく、あらゆることに意欲がもてるなど、精神的な自立にも大きく影響を及ぼします。

3 安全を確保する

生活支援にはさまざまな場面があります。時には危険をともなうこともありますが、いつでも利用者の安全面を考えることが最優先されます。たとえば体力が低下してくると、昨日まできちんと食べられていた利用者でも飲みこみが悪くなり誤嚥をしたり、足元がふらついて転倒の危険性をともなうことがあります。支援するときには、利用者のADL（Activities of Daily Living：日常生活動作）を確認し、そのときの状況にあわせて常に安全に援助ができるよう心がけます。

4 予防的な対応をする

加齢とともにちょっとしたことから病気になり、長引いて病気が重度化してしまうことが多くなります。病気は早期に発見し、2次的な障害が起こらないようにすることも重要です。現在の状態が低下しないように、常に利用者の状態を観察・把握し、積極的に予防へのはたらきかけを行い、必要であれば医療職等につなげていくことが大切です。

5 意欲を引き出す

利用者は、自分の願いややりたいことを積極的に表現できる人ばかりではありません。これまでの生活も含めて生活の全体像を視野に入れ、利用者の興味のあることや生きがいなどに着目し、支援が必要な生活であっても主体的に自分の生活を維持できるようにします。そのために、介護福祉職は、生きている喜びや、もっと生きていたいという意欲を引き出し、その人らしい、自分の存在感が実感できるような生活の実現に向けて、利用者にはたらきかけます。

6 自己決定を尊重する

生活の主体は利用者本人です。自分の生活における行動や生き方などは、基本的に利用者が自分の意思で選択し、決定します。介護福祉職は、利用者の価値観を尊重する姿勢を忘れずに、利用者が自分の意思を言葉で話せなくても、反応や表情、雰囲気等の非言語的コミュニケーションからその人の自己選択・自己決定のサインを判断できるように、きめ細かく観察をすることが大切です。

7 社会とのかかわりをもてるようにする

人は社会の一員として生活をしています。地域の行事などに参加し、ほかの人たちと交流することで社会が広がっていくと同時に、社会性をはぐくむことは利用者の生きる意欲につながります。社会とかかわりをもち、他者と言葉を交わすことや、ともに過ごす時間自体がよい刺激になることも多いので、介護福祉職はそうした機会を創出し、利用者の**社**

会参加を支援することも大切です。

8 変化に気づくこと、観察すること

適切な支援をするためには、利用者の個別性にあわせた援助が必要です。介護福祉職は利用者の状態をアセスメントし、生活課題にそった目標を立案して、目標にそった援助内容・方法を組み立てて実施していきます。そのためには、専門的な視点から利用者を観察し、必要なニーズを見きわめることが大切です。

また、利用者は睡眠不足や食事がとれないことなどから、体調やADLが日々変化することもあります。利用者の身近にいる介護福祉職には、その変化をいち早く察知することが求められています。介護福祉職は常にきめ細かな観察をし、利用者の変化をとらえ、医療職やその他の専門職へとつなげていく役割があります。

9 潜在能力を引き出す

日常生活を通して、利用者がなにげなく行っている動作からほかの行動に工夫してつなげられることはないか、意欲や好み、習慣などから利用者の活用できる力はないかなどを探していくことが重要です。介護福祉職は利用者ができると思われる動作や行動などを試みる多くの機会をつくり、潜在している力が発揮できるような場を追求していくことが大切です。

10 他職種との連携

利用者の生活を支援するためには、多くの専門職のかかわりが必要です。利用者のニーズの変化にともなって必要な支援は変化するので、そのつど適切なチームで連携・協働が展開されるようにコーディネートする必要があります。自分だけで利用者をかかえこむのではなく、それぞれの専門性をいかして援助していくことにより、利用者の生活全体の質が向上します。かかわる専門職はそれぞれに、チームの一員としての役割の理解が必要になります。介護福祉職ができること、得意なことをほかの職種に伝え、わからないことや不安があれば、遠慮なく相談しま

しょう。他職種との連携のためには、積極的なコミュニケーションが大切です。

◆引用文献

1）黒澤貞夫『介護福祉の「専門性」を問い直す』中央法規出版、p.31、2018年
2）日本生活支援学会「設立趣旨」 https://www.seikatusiengaku.jp/
3）高齢者介護研究会「2015年の高齢者介護～高齢者の尊厳を支えるケアの確立に向けて～」2003年
4）黒澤貞夫・石橋真二・上原千寿子・白井孝子編『介護職員等実務者研修（450時間研修）テキスト 第２巻（介護Ⅰ）』中央法規出版、p.24、2012年

◆参考文献

● 内閣府大臣官房政府広報室「国民生活に関する世論調査（平成30年６月）」2018年

第2節 生活支援と介護過程

学習のポイント

- ICFの視点をもって利用者の全体像、個別性を知ることの大切さを理解する
- 介護過程を重視し、根拠ある生活支援技術を学ぶ

関連項目 ③『介護の基本Ⅰ』▶第4章第2節「ICFの考え方」

1 根拠にもとづく生活支援技術とは

1 介護福祉職と生活者である利用者

生活支援技術を学ぶうえで、介護福祉職の行う介護とはどのような利用者に対して、何を行うのかを再確認しておきましょう。

社会福祉士及び介護福祉士法第2条第2項をイメージ化してみます（**表1－1**）。

介護福祉職は日常生活の支援をする専門職なので、日常生活を支援するための専門的知識と技術をもっています。ここでいう専門的知識と技術とは、具体的にはなぜその介助を行うのか、なぜその方法で行うのかと考える能力、知識にもとづいた根拠ある生活支援技術です。

そして、支援が必要な人々は、高齢者、認知症のある人、障害児、障害者であると同時に、地域や施設などで「生活している人」でもあります。生活にはその人らしい生活の仕方があるということを理解して介護しているのが介護福祉職です。

つまり、介護福祉職は、利用者の望む生活、その人らしい生活習慣を理解し、利用者がなぜその生活をしたいのかという、利用者の生活習慣等をもとに根拠ある生活支援技術が提供できる人であるといえます。

表1－1 介護福祉職と利用者

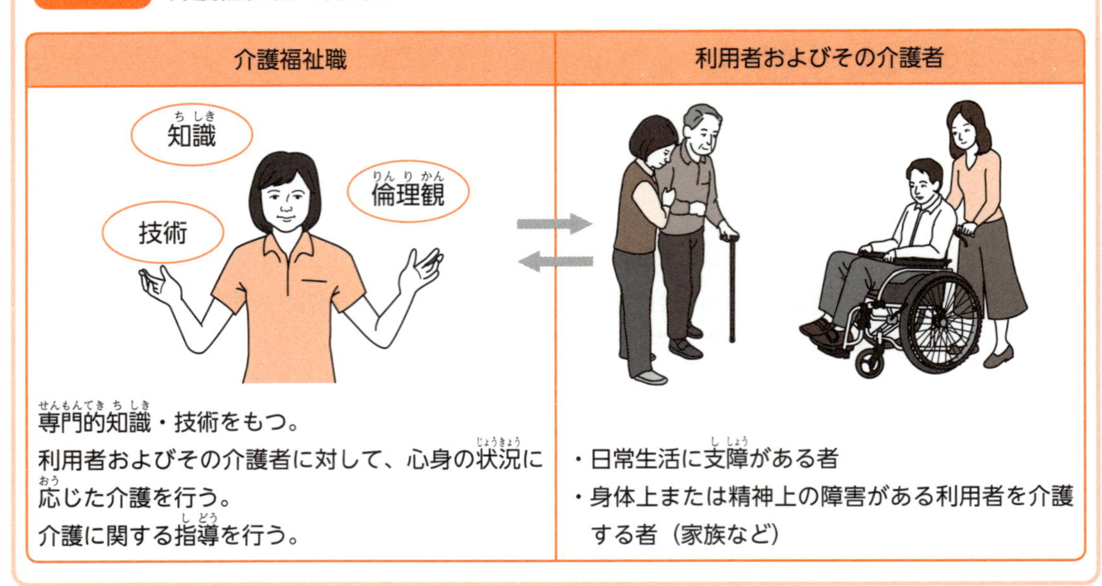

介護福祉職	利用者およびその介護者
専門的知識・技術をもつ。 利用者およびその介護者に対して、心身の状況に応じた介護を行う。 介護に関する指導を行う。	・日常生活に支障がある者 ・身体上または精神上の障害がある利用者を介護する者（家族など）

2 心身の状態に応じた生活支援

（1）生活支援技術の目標

介護を必要とする利用者は、高齢者や障害児（者）まで、さまざまな身体・知的・精神状態にあります。介護福祉職は、利用者を前にすると「こうしよう、ああしよう」と自分のもっている知識と技術を最大限いかした支援をしようと考えがちです。その思いは間違っているわけではありません。しかし、介護を必要とする利用者は何もできないわけではありません。「顕在化している能力」「潜在する能力」をもっていることを忘れてはいけません。介護福祉職に「生活のすべてをおまかせください」と言われた場合や、そのような姿勢で介護される利用者の立場に立ってみてください。「少し時間がかかっても、私できるのに」と介護福祉職に言えるでしょうか。多くの利用者は、口をつぐんでしまうことでしょう。その結果、介護福祉職がいなくては何もできない状態になってしまうことが考えられます。

介護福祉職は、利用者の生活すべてを支援することを目標としているわけではありません。「自立に向けた生活支援技術」を提供する専門職です。利用者の「顕在化している能力」「潜在する能力」を尊重し、少しでも自立できるように支援していくことこそが介護福祉職の専門性につながります。

（2）生活支援技術と利用者主体の介護

「自立に向けた生活支援技術」を実践するには、利用者の状態をよく見て、確認し、支援方法を検討できる力が必要です。そのためには、知識と技術が必要です。また、その知識と技術を利用者に提供する場合には、介護福祉職としての倫理観が必要になります。倫理観とは、大きくとらえれば、利用者の尊厳、安全・安楽を阻害するような行為をしてはならないということです。

生活支援技術は、尊厳の保持・安全を考慮したものですが、利用者の状態を把握して行うからこそ、利用者の生活状況に合った、個別性のある技術につながります。

（3）利用者の状態を知り、考える

介護が必要な利用者の状態を知るために、介護福祉職には日ごろから利用者の状態をよく見ること（**観察**）が必要になります。つまり、介護福祉職自身の五感を活用し、日ごろの状態をよく見るということです。

次に、今見たことを日ごろの状態と比べて、考えることが必要になります。それは「なぜ」という言葉に置き換えると理解しやすいでしょう。「なぜ」はどうしてだろう、どういう訳で、という意味があります。「おや、いつもと違う」「なぜ、どうしてだろう」という考えにつなげていくと、利用者の心身の状態や生活背景を理解できるようになります。

たとえば、利用者がいつもより食欲がないことに気づいたとします。このとき、「なぜだろう」と理由を考えずにそのままにしてしまうと、利用者の食欲低下が続き、低栄養の状態にいたり、生活を維持することがむずかしくなってしまう可能性があります。この状態になってから対応する場合は、以前の生活を取り戻すのに、より多くの時間が必要になってしまいます。

食欲がないことに気づいた時点で「なぜだろう」と疑問を抱き、介護福祉職がもつ知識を活用して考えることができれば、より早く、より適切な介護につながる可能性があります。つまり、この時点で日ごろの状態と今の状態を比べたり、「食欲がないようですね」と声をかけたりすることで、食欲低下の原因を探り、食欲が戻るためにはどうしたらよい

かを考え、解決のための支援（介護）につなげることで、利用者の負担も軽減できることになります。

変化の理由を考えるためには、介護を必要とする利用者の心身の状態についての基本知識をもっている必要があります。基本知識をえることは、目の前にいる利用者の状態が、加齢にともなう変化によるものなのか、障害に特徴的な症状なのか、認知機能の低下による変化なのか、などを検討したり、他職種に相談し、一緒に考える必要性を判断したりすることにつながります。

3 根拠ある生活支援技術

根拠とは、物事があるための理由となるものという意味です。介護は、見て、考えて行う行為だと前述しました。利用者を見て状態を知り、知識とあわせて考えて行う介護は、「なぜ行うのか」という根拠をもとに行われます。その根拠ある介護には、①利用者の心身の状態、②利用者の生活に対する思いや考え、という2つの視点が必要になります。これらは、共通性のある根拠と利用者個別の根拠ともいえます。

介護福祉職は「なぜするか」「その根拠は何か」を、常に考え介護を行うことが必要になります。その根拠は利用者にも伝えることが必要です。利用者が理解できない介護は継続しません。また、利用者の生活を支援するためには、チームで介護を行う必要があり、チーム全員で介護の根拠を共有することが必要になります。そのことで介護に一貫性が生まれます。一貫性のある介護を行うことで、利用者の状態や生活が変化した際に、支援を見なおすための重要な情報をえることにもつながります。

（1）利用者の状態は変化する

介護を必要とする利用者の状態は日々変化することを忘れてはいけません。一貫性のある介護を行うこととあわせて、利用者の状態をよく見て、状態に合った介助方法を考えることも必要です。その際には、どのような状態であったからそうしたのかを記録に残し、また、利用者を含め、かかわる人に伝えておくことも必要です。そのことで、今このような状態だから、この介護が必要なのだということが本人にも周囲にも理解されることになります。

（2）基本の生活支援技術を習得する

介護は、利用者の状態にあわせ、考えて行うことが必要であることは前述しました。生活支援技術を学ぶ際には、その基本となる技術を学んでいきます。基本を学び技術を習得することで、利用者の状態にあわせた応用できる技術につながることを意識していきましょう。

（3）介護過程の考え方を意識する

介護過程は、思考のプロセスでもあります。このプロセスは日々の生活支援技術を実践するうえでも重要になります（**表1－2**、**図1－3**）。

介護過程は、情報収集から始まります。生活支援技術を実践するうえでも、まず利用者のその日の状態を知ることから始めます。利用者の状態は日々変化するので、情報収集もかかわるごとに行うことが必要です。次に、その変化はなぜなのかと分析していきます。その際には、ICF（International Classification of Functioning, Disability and Health）の生活全体を見て考えるという視点が重要になります。その結果を根拠として、生活支援技術を変化させることが大切です。

表1－2　介護過程を展開する意義

① 介護が意図的な行為であることを明確にできる
② 介護行為には根拠があることを明確にできる
③ 介護の理論化の基本となることが明確にできる

出典：日本介護福祉士会編『介護福祉士基本研修テキスト』中央法規出版、2016年

図1－3　介護過程のプロセス

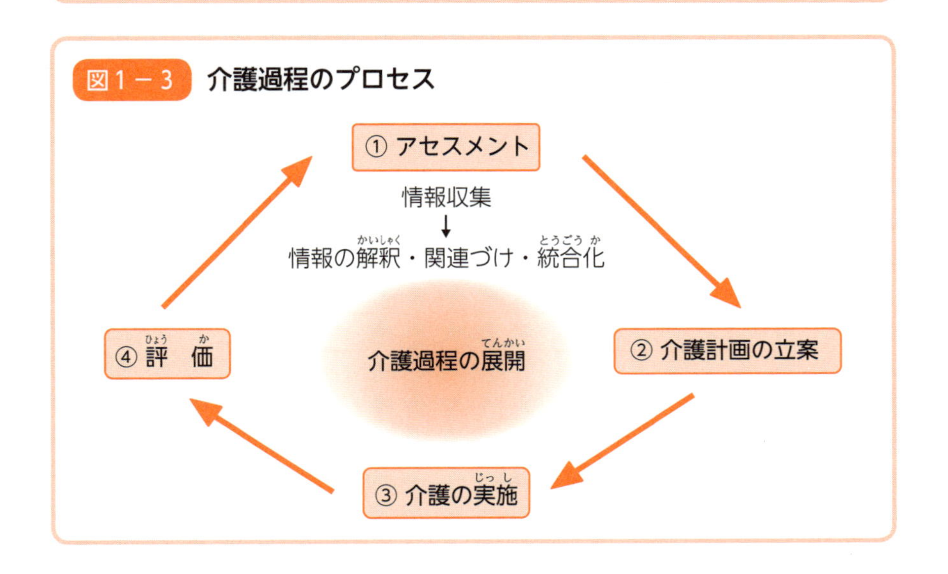

2 利用者を理解するためのICFの視点

1 ICFとは

ICF（国際生活機能分類）は、2001年5月にWHO（World Health Organization：世界保健機関）の総会で採択された「健康の構成要素に関する分類」です。

ICFでは、生活機能上の問題はだれにでも起こりうるものであり、ICFは特定の人のためのものではなく「すべての人に関する分類」であるとされました（図1－4）。

2 生きることの全体像を示す共通言語

大川によれば、「ICFの目的を一言でいえば「“生きることの全体像”を示す“共通言語”」である。生きることの全体像を示す「生活機能モデル」を共通の考え方として、さまざまな専門分野や異なった立場の人々の間の共通理解に役立つことを目指している」[1)]とされています。

図1－4 ICFの生活機能モデル

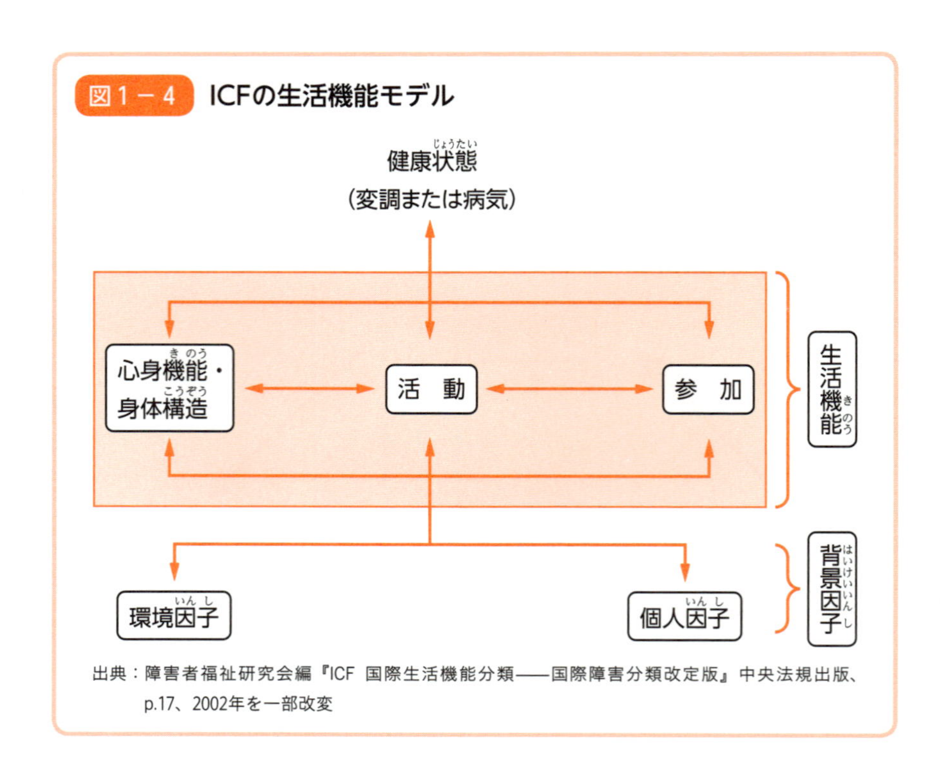

出典：障害者福祉研究会編『ICF 国際生活機能分類――国際障害分類改定版』中央法規出版、p.17、2002年を一部改変

3 ICFの特徴

ICFの特徴として、次のようなことが示されています。

1 生活機能のプラス面をみる

ICFでは、生活機能をプラス面と位置づけて考え、障害もプラス面のなかに位置づけています。つまり、障害=マイナスととらえ、今できないことを重視するのではなく、今できていることに加え、適切な介護やリハビリテーションによって、引き出すことのできる「活動」と「参加」をプラス面としてとらえるという特徴があります。

2 相互作用モデル

健康状態と、**心身機能・身体構造**、**活動**、**参加**の各生活機能、**環境因子**、**個人因子**の各背景因子のすべての構成要素が、ほかと作用し合う相互作用モデルです。

3 各レベルの相対的独立性

「生活機能」のレベル間には相互依存性があり、互いに影響はしますが、それぞれのレベルには独自性があり、ほかからの影響ですべてが決まることはない「相対的独立性」があるとされています。相対的独立性とは、そのレベル独自の法則をもち、ほかに影響されない面をもつということです。各レベルには独自性があるため、別々にみることが必要であるとされています。

それは、「心身機能・身体構造」のレベルを決めることによって、「活動」「参加」のレベルが決まるというものではない、ということです。たとえば、脳血管障害があり片麻痺があるので、「○○はできない」と決めてしまうと、「活動」「参加」のレベルもそれに従って「できない」と決めてしまいがちになります。しかしICFの考え方では、おのおのに独自性があることを意識することで、できていることを尊重し、プラス面をみようとします。

4 活動における実行状況と能力

「活動」において、実行状況(している活動)、能力(できる活動)の両者を区別しています。

5 疾患に代わる「健康状態」

「健康状態」という中立的な言葉を用いることで、高齢やストレスなどを含む広い概念に拡大されました。

6「環境因子」の重視

「環境因子」と「個人因子」の影響を重視します。とくに障害の発生における「環境因子」として、物理的環境だけでなく、人的環境、社会的・制度的環境が含まれています。

4 ICFを介護にいかす

介護福祉職がICFを理解したうえで、生活支援を行うことで、利用者（高齢者・障害児・障害者など）の「生きる」ことの全体像をとらえることが可能になるといえます。

ICFにおける生活機能は、人が生きることの全体像を示すので、「心身機能・身体構造」「活動」「参加」のすべてを含んで考えることが必要になります。この全体像は言葉を換えれば「心身機能・身体構造」＝**生命**、「活動」＝**生活**、「参加」＝**人生**、と表現することもできます。つまりは、生活機能を理解することは、利用者の「生活」「人生」を深く理解することにもつながるといえます。

また、生活支援を行ううえでは多職種が連携することが重要であることはいうまでもありません。ICFは国際的な共通言語であると同時に、「共通のものの考え方ととらえ方」でもあります。

この考え方は、国や職種を超えて、利用者の生活をとらえるうえで、有効であるといえます。

5 ICFの視点で利用者を見る

たとえば、施設に要介護３で認知症のある利用者が２人入所していたとします。同じ要介護度で同じ認知症なので、介護の方法も同じでよいのでしょうか。

その人たちをICFの視点で見てみましょう（**図１－５**）。まず、「個人因子」「環境因子」は人それぞれで大きく異なります。性別が違えば身体の構造も、着ている服も異なります。好きな食べ物、趣味も違います。そして、その人たちが生きてきた時代、育った環境、地域が違えば、ふだんの生活の仕方も異なります。そうすると、日中の過ごし方や余暇の過ごし方、社会とのかかわりも異なってきます。また、これまでの人生のなかで事故にあったり大きな病気にかかったりして障害があれ

図1－5　ICFの視点で利用者を見る

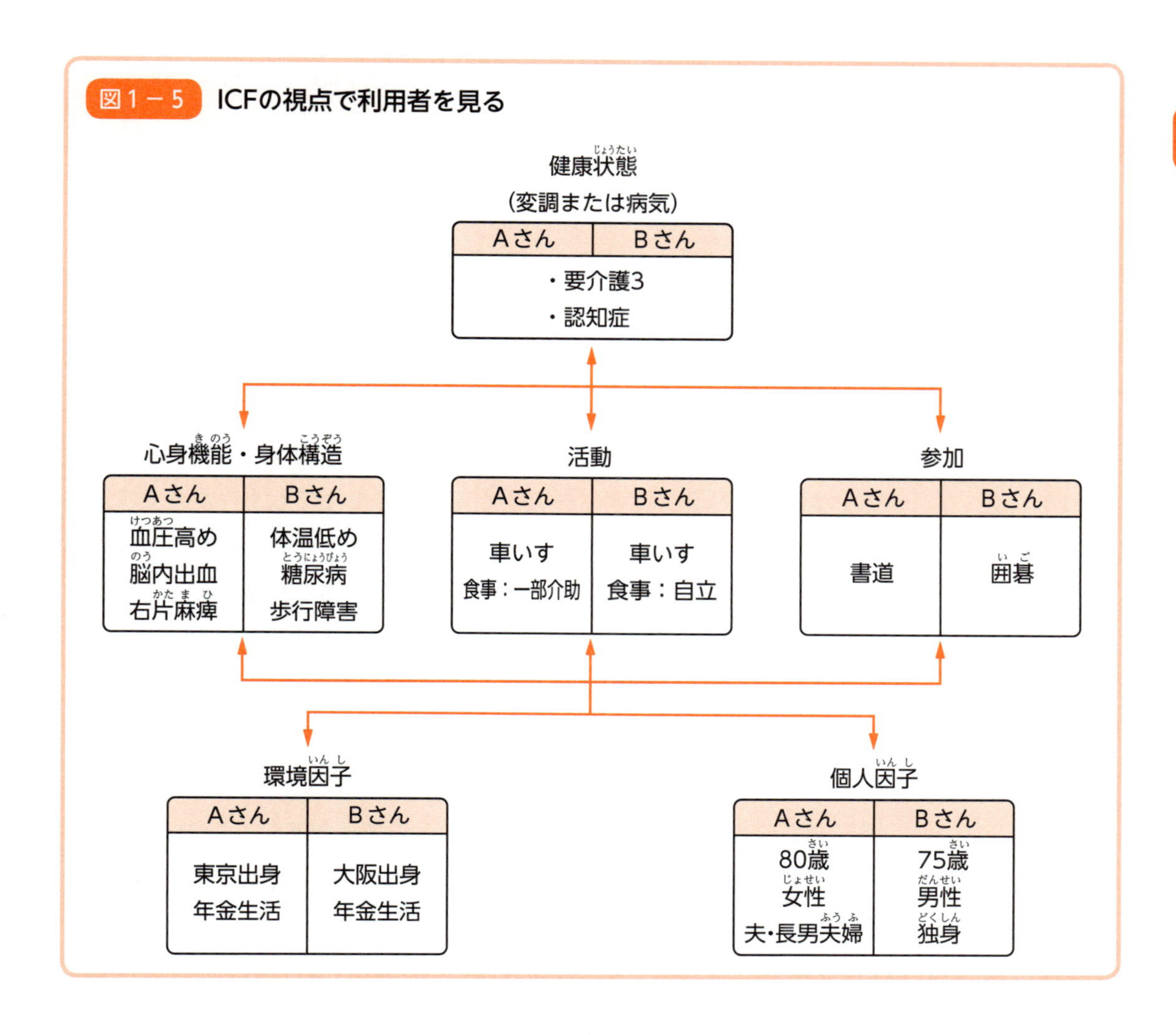

ば、心身機能も異なりますし、それによって日常生活も変わってきます。

利用者1人ひとりをICFの視点で見ていくと、ふだん介護しているなかで気づく以上に、その人の個別性が深く見えてきます。介護福祉職は、利用者の個別性を理解したうえで、その人その人に合った介護を実践していく必要があります。

3 利用者主体の生活支援技術の実践に向けて

1 利用者の生活を理解するとは

（1）利用者の「今」を時間の流れでとらえる

介護福祉職は介護を必要としている「今」の利用者とかかわります。そのため、今できない動作は支援の対象としてとらえ、「どのように介助するか」という**介護者主体の視点**で利用者を見てしまいがちです。その結果、利用者が自分で行おうとする意思や動く能力の存在を想像することがむずかしくなってしまいます。つまり、介護福祉職によって利用者の意思や動く能力がないものとされてしまうおそれがあるといえます。

では、どうすれば利用者の意思や能力に気づくことができるのでしょうか。それは少し前までできていたこと、少し前までの生活の様子を知ることです。なぜなら、「今」できないと思われていることの原因には風邪を引いた、お腹を壊した、なんとなく体調がすぐれなかったなど、ちょっとした体調の変化によって一時的に介助の量が増えたことが引き金になっていることも多いからです。

たとえば、立ち上がりや立位保持の介助を受けながら、なんとかトイレを使用していた利用者が、体調をくずしたことをきっかけに介助の量が増え、そのあいだ、やむなくおむつを使用するといった状況があると思います。体調が回復したとしても、すぐにはトイレで排泄できる状態にはならないでしょう。しかし、おむつを使用する状況が続くことで、いつの間にかトイレでの排泄が「できない動作」としてみなされてしまうことが少なくないのです。

利用者の生活を理解することは、利用者の**少し前の生活の様子**を知ることで「今」の生活を想像し、「まずはやってもらおう」というかかわりを通して、本当の能力に気づくことから始まります。

（2）「できない」と「やらなくなっている」は違う

腰が痛くて動けないから介助で起こしてもらう、治療後の安静が必要なため移動には車いすを使用する。これらは、「一時的にやらなくなっている」状態であって、「できない」こととは違います。つまり状況が

図1－6 “やらなくなる”が続くと“できなくなる”

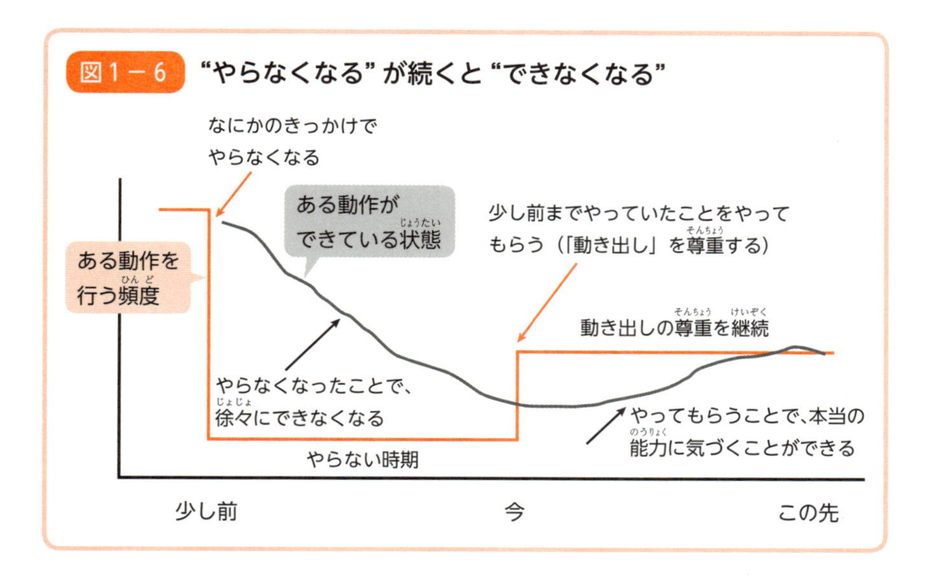

好転すれば、以前の生活に戻るべきものです。しかし、「やらなくなっている」状態が続いてしまうと、心身機能はどんどんおとろえてしまうため、そのうち本当にできなくなってしまいます（**図1－6**）。このように、高齢者の「できない」状態の前には、「やらなくなっている」状態があるのではないかと考えてみることが大切です。

少し前の生活から、どのようなきっかけで、何をやらなくなっているのかを知ることによって、「今、何をやってもらうか」という**利用者主体の視点**で介護を考えることができるようになります。

（3）小さな「動き出し」を利用者の主体的な生活行為ととらえる

生活動作について「自立か介助か」という見方をしてしまうと、「自分ではできない動作については介助が必要」と判断することになります。そうすると、とくに要介護度が高い利用者に対して、**主体的な生活行為**を想像することはむずかしくなってしまいます。

介助量の多い利用者の「主体的な生活行為」はどのように考えたらよいのでしょうか。利用者が1人ではできない動作にも、目線や表情、指先の動きなど、行おうとする意思にともなう小さな「動き出し」が必ずあります。その1つひとつの小さな「動き出し」を利用者が主体的に行っている動作の一部として見てみましょう。目線の動きの先に、指先の動きの先にはどのような動きがあらわれそうなのか想像してみると、利用者の小さな動きを尊重し主体的な生活動作へと導く介助のヒントをえられるでしょう。

介助を必要とする動作は、あるとき急にできるようになるものではありません。小さな動き出しを利用者の主体的な生活行為の一部としてとらえ、尊重することで、「できない」とみなしていた動作が、できる動作として見えてきます。

2 利用者主体の介護とは

（1）利用者の小さな「動き出し」を尊重する

起き上がる、立ち上がるなどの生活動作は、毎日、くり返し行われることによって身体が覚えています。しかし、自分自身のことをふり返ってみるとよくわかると思いますが、それはいつも同じやり方ではなく、体調や環境に応じて、身体の動きは微妙に変化します。つまり、動作を始めてみて、状況に応じて身体が自然に動くといえるかもしれません。みずから動き出してみないとできるかどうか、あるいはどうしたらできるか本人にもわからないのです。したがって、介助を行う場合も本人から動き出すことを大切にしなければなりません。

介護には、介護福祉職がイメージする動作のやり方を利用者に強制する側面があります。とくに、利用者がみずから動き出す前に介護福祉職のイメージで介助が始まってしまうことで、利用者はどう動いてよいのかわからず、とまどってしまう可能性があります。したがって、介助の手を出す前に、利用者の小さな「動き出し」を尊重することが大切です。

（2）「ゆっくり」を心がける

利用者の動作によっては、「動き出し」はほんのわずかなものであり、動作の開始から終わりまでのほとんどに介助が必要なこともあります。だからといって、介護福祉職の都合で手早く介助してしまうようなやり方は適切ではありません。もし、目の前の利用者が自分でその動作をやっていたとしたら、どのくらいのスピードで動いているか想像してみてください。力の強い者が介助するスピードがいかに速いものであるか理解できると思います。利用者の動くスピードを想像して、ゆっくり介助することが大切です。

ゆっくりとは、利用者が自分で動作をするスピードのことです。利用者が自分で動くスピードで介助すれば、介助にあわせて、途中からでも利用者がみずから動き出す可能性が生まれます。もし、介助の途中で利用者の意思（動き）に気づいたときは、その動きを尊重することが利用者主体の介護となります。

（3）利用者にとっての「正しい動き」を尊重する

利用者の「動き出し」を大切にしなければならないのは、それが利用者が身体で覚えている動きの一部だからです。つまり、利用者にとって**正しい動き**なのです。近年では、根拠にもとづく介護、自立支援につながる介護が求められています。それらは、利用者が何十年とくり返してきた、身体が覚えている動作、その動作のほんの一部でも利用者本人が行う機会をうばわない介護にほかなりません。

他者から動かされる体験は、他者のタイミングやスピードを強制されることであり、とても恐ろしいものです。本人の「動き出し」を尊重し、「ゆっくり」介助することによって、利用者にとっては自分のタイミングとスピードに合致するため、安心して動くことができるようになります。

わずかでもみずから動き出すとき、利用者には意思がはたらき、周囲の様子を見て、聞いて、感じています。また、自分の責任で動くからこそ達成感をえます。それが自信を取り戻すきっかけとなり、生き生きとした姿や表情にあらわれます。**自立支援**とは、できないことをできるようにすることではなく、利用者が生活動作を自分のこととして前向きに取り組もうとする状況を支援するところから始まります。

3 利用者主体を支える態度とコミュニケーション

（1）いつも新鮮な視点で利用者と接する

介護福祉職はケアプラン（居宅サービス計画等）に従って利用者の介護にあたります。ケアプランには、立ち上がり、移乗、歩行などの生活動作について介護の目標やサービスの内容が示されており、統一した介護を安全に実施するうえで大切なものです。一方で、介助の細かい手順がマニュアル化され、機械的に行われてしまう可能性があることに注意する必要があります。また、ケアプランを含め利用者に関する多くの情報は、時に利用者に対する固定したイメージをつくってしまう危険性もあります。とくに「暴力的な行為があった」「歩行中に転倒した」「食事中にむせこみがみられた」など、ネガティブな情報が独り歩きしてしまうと、利用者の実際の能力に見合わない介助の提供につながってしまいがちです。

高齢者はちょっとした体調の変化や環境の変化の影響を受けやすいという特徴があります。それは、生活動作が体調や環境次第で悪い方向ばかりではなく、よい方向にも向かう可能性があるということを示しています。「入院中はおむつを使用していたけれど、施設に戻ってきたらトイレで排泄できるかもしれない」「昨日は転倒してしまったけれど、車いすで対応する前に、居室の環境を検討してみよう」など、利用者の能力を決めつけずに、「今日はどうかな」と、いつも新鮮な視点で利用者と接することでたくさんの気づきをえることができます。

（2）利用者主体の「声かけ」とは

利用者主体の介護を行うためには、どのような声かけの仕方がよいのか考えてみましょう。ここでは2つの大切な声かけを紹介します。

1 利用者が先々を想像できる

介護は利用者の身体に直接触れることの多い仕事です。専門職が行うとはいえ、他人に身体を触られたり、動かされたりするのは緊張するでしょうし、恐ろしいと感じることすらあると想像できます。したがって、介護福祉職は利用者に対して「これから身体のどこを触るのか」そして「どのように介助して、身体はどのように動いていくのか」を必ず先に伝えてから介助を行います。利用者が先々を想像しやすくなり、みずから動き出す可能性が生じます。これは、利用者の身体に触らせてもらううえでの最低限のマナーとして大切です。

2 たずねる、うかがう

介助の場面で利用者に主導権を渡すためには、「たずねる」または「うかがう」声かけが有効です。つまり、伝えたり依頼したりする前に、いったん利用者に投げかけてみるのです。たとえば「起きてください」と伝えるのではなく、「起き上がれますか」とたずねたり、「起き上がれそうですか」とうかがってみたりします。たずねる（うかがう）ことで、利用者には「どうかな？」と思考がはたらき、自分の身体と向き合い、動き出すきっかけがつくられます。つまり、主体的になりやすくなるのです。また、介護福祉職も利用者に投げかけた（たずねる、うかがう）からには、利用者の答え（動き出し）を待つ姿勢となりやすく、落ち着きや余裕をもって介助を行えるようになります。

（3）利用者の言葉や動きを信用する、期待する

介護福祉職の態度は、利用者主体の介護を行ううえでとても重要な要素です。それは、介護が利用者と介護福祉職とのあいだの相互行為、つまりコミュニケーションだからです。コミュニケーションにおいては、お互いの態度は常に影響し合います。たとえば信頼関係とは、利用者から信頼されることを期待するだけでなく、介護福祉職が利用者を信頼していなければ成り立ちません。「起き上がれますか」とたずねて、利用者が「できます」と答えたら、ふだんは介助をしている動作であったと

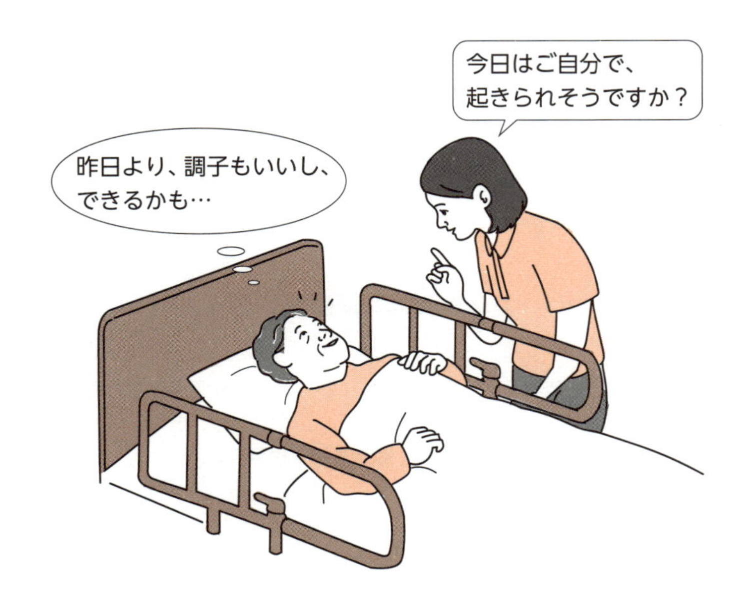

しても、まずは信用して「どうぞ」とやってもらう態度が大切です。そして、全部はできなくても何らかの「答え」はあると信じて、期待する態度も必要です。「期待されている」と感じた利用者は、「やってみようかな」と「動き出し」につながる可能性があるからです。

だれかから期待される状況というのは、社会の一員であると感じられる瞬間でしょうし、期待されていると感じるからこそ、生活は生き生きと主体的なものになるのではないでしょうか。介護福祉職として、介護の知識や技術を習得する以前に、利用者のことを**信用する態度**、**期待する態度**でかかわることが大切です。

◆引用文献

1）第1回社会保障審議会統計分科会 生活機能分類専門委員会 参考資料3

◆参考文献

- 社会福祉振興・試験センター『介護福祉士国家試験・実技試験免除のための介護技術講習指導マニュアル』2004年
- 大堀具視編著『「動き出しは本人から」の介護実践――利用者の思いに気づく、力を活かす』中央法規出版、2019年
- 大堀具視『利用者の“動き出し”を引き出すコミュニケーション――「動き出しは本人から」を実践する102の言葉』中央法規出版、2021年

第3節

生活支援とチームアプローチ

学習のポイント

- 生活支援におけるチームアプローチの重要性について理解する
- チームアプローチにかかわる職種とその役割、連携の方法について理解する
- ライフステージごとにケアチームやチームアプローチは異なることを理解する

関連項目
①『人間の理解』 ▶第3章「介護実践におけるチームマネジメント」
④『介護の基本Ⅱ』 ▶第4章「協働する多職種の機能と役割」

1 生活支援におけるチームアプローチの重要性

人は、それぞれのライフステージ、生きてきた時代背景、暮らしている地域などの生活環境によって、1人ひとり多様な生活スタイルをもっています。そのため、介護が必要になったときに、1人ひとりが望む生活も多様で、多面的です。介護福祉職だけの支援では限界があり、その人が望む生活の実現がむずかしくなります。したがって、望む生活の実現を阻害している要因（課題）を解決できる専門的知識や技術をもった専門職が連携・協働してかかわるほうが効果的です。

介護保険制度では、ケアプラン（居宅サービス計画等）にもとづいた介護が実践されています。ケアプランには、利用者の望む生活の実現に向けた目標が設定されており、その目標を達成するために必要な専門職とその役割が明記されています。したがって、各専門職は、ケアプランに示された目標を達成するために、連携・協働して支援する必要があります。

たとえば、利用者の生活の場としての特別養護老人ホームでは、介護福祉職、相談員や指導員だけでなく、医師や看護師、管理栄養士や調理員、理学療法士や作業療法士、言語聴覚士などのリハビリテーション専門職などが利用者の生活を支えています。利用者のニーズにすみやかに対応できるようにそれぞれが連携し、協力して支援する組織がつくられています。

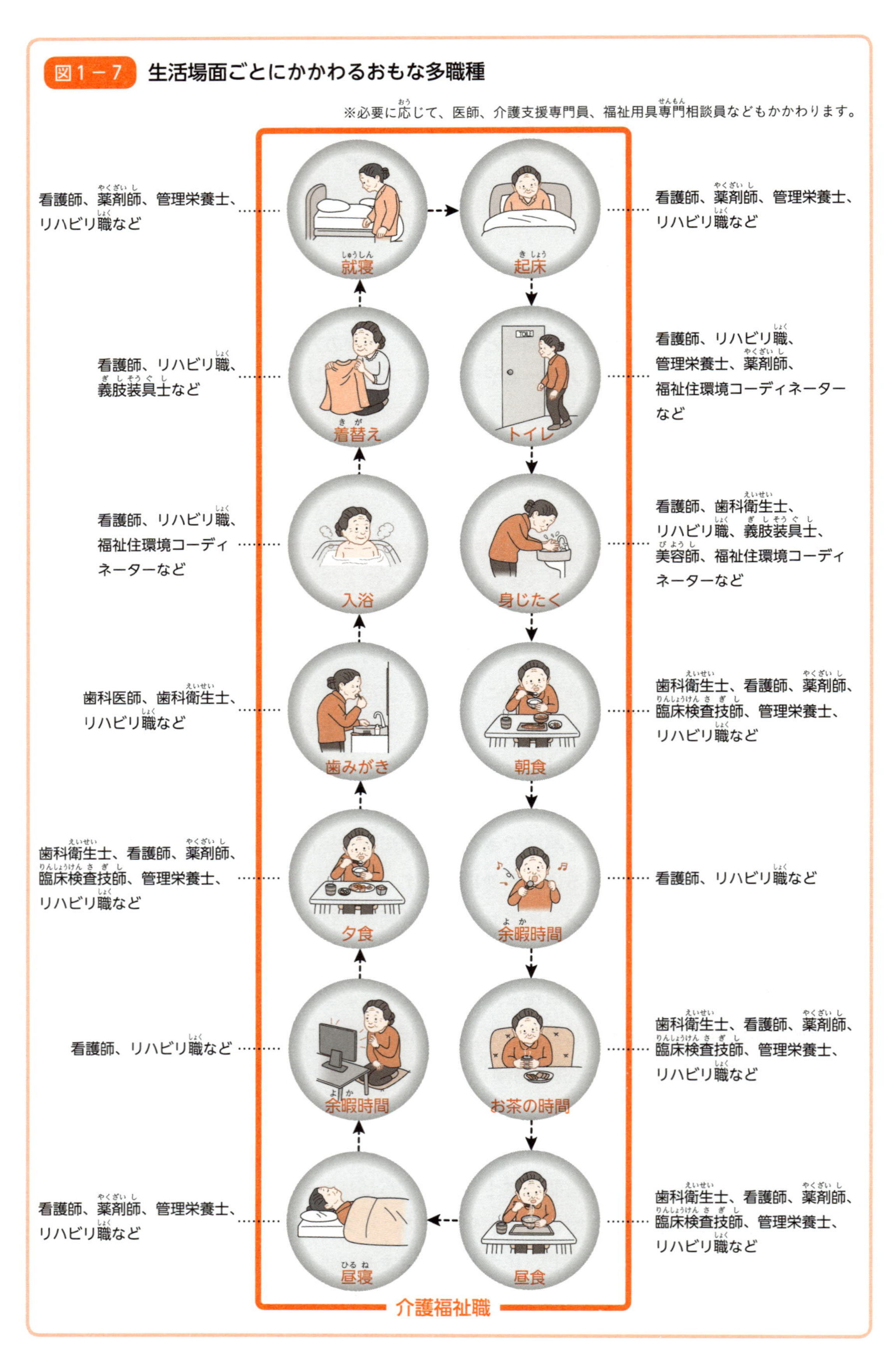

図1－7　生活場面ごとにかかわるおもな多職種

1 チームアプローチとは

利用者の生活を支えるために、医師、看護師、介護福祉士など、多様な専門職がチームを組んで連携し、協働してケアをすることを**チームアプローチ**（**多職種連携**）といいます。チームアプローチでは、利用者やその家族がかかえる課題の解決、さらには目標の達成に向かって、さまざまな専門職がそれぞれの専門性、知識や技術を提供し、連携をはかりながら包括的な支援を行うことができます。かかわる専門職としても、１人で支援する場合と異なり、さまざまな職種からのアドバイスにより多角的に課題をとらえることができるので、自分の考えや意見を他職種に受けとめてもらえるという利点があります。ほかの専門職に受け入れてもらえることで、自信につながり、専門職として成長する機会にもなります。また、チームアプローチは他職種だけでなく、介護福祉職同士の連携も重要になります。

2 チームアプローチを行ううえでの留意点

（1）利用者を中心に進める

生活支援は、利用者の望む生活を実現するために行われるものです。したがって、チームは生活の主体者である利用者を中心に形成されなければなりません。さまざまな職種が連携・協働して利用者の生活を支えるチームアプローチにおいては、利用者が主体的に生活を営めるよう、専門職は利用者を側面から支えることが大切です。

（2）各専門職の専門性を理解する

よりよいチームアプローチを実践するには、チームを構成するそれぞれの職種の専門性をお互いに理解しておくことが大切です。何か問題が生じた際にスムーズに連絡・調整・連携できるよう、医師、看護師、相談員、管理栄養士以外にも、地域のボランティアや民生委員など、高齢者の生活にかかわるすべての職種が、どのような立場から、どのような役割を果たすのか、あらかじめ把握しておきましょう。お互いが尊重し合い、情報を交換し合える環境づくりが大切です（各専門職の役割については、『介護の基本Ⅱ』（第４巻）第４章第３節で学びます）。

チーム内の良好な人間関係により、円滑なコミュニケーションがはかられ、どのような場面でも自然と協力体制が生まれるようになり、利用者にとって有効なチームアプローチが行われます。日ごろから積極的にチームへはたらきかけ、チームとしてケアの質の向上をめざしていきましょう。

（3）介護福祉士の専門性をいかす

介護福祉士は、生活支援を通して利用者の生活に密接にかかわることから、生活者である利用者をよく知る存在といえます。したがって、日ごろから利用者の心身の状態を把握し、小さな変化にもいち早く気づける力（観察力、アセスメント力、コミュニケーション力）を養い、介護福祉職が収集した情報をほかの専門職（チームメンバー）と共有できるよう、チームへはたらきかけていきましょう。

（4）情報はチーム内で共有する

チームのそれぞれの専門職が同じ情報をもっているとは限りません。専門職ごとの視点で利用者を理解し、状態の変化に早く気づき、適切に対応できるよう、情報を共有しながらそれぞれの役割を果たすことが重要です。また、けがや事故を未然に防ぐためにも介護場面で発生した問題は、１人で解決せず、チーム全体で情報を共有し、意見交換をしながら、解決に向けた具体策を検討しましょう。お互いに意見が言えて、指摘し合える環境づくりが大切です。

2 ライフステージとチームアプローチのあり方

介護とは、①加齢にともなう心身機能の低下（老化）や疾病、障害によって、これまでしてきたこと、できていたことが自分１人だけでは困難になっている人を、これまでの生活を継続できるよう支援すること、また、②疾病や障害によって自分が送りたい生活を営むことが困難な人や地域・社会で孤立しがちな人に対して、その人の意思にもとづき可能な限り、その人らしい生活が送れるよう支援することです。生活には、「身体的活動（動く）」「精神的活動（考える）」「社会的活動（かかわる）」といった多様な側面があり、個々の生活は、これらが統合されて成り立っています。その人らしい生活の実現・継続とは、こころが動き

（意欲や欲求があり、喜び、達成感、充実感などをえて）、身体が動いて（活動、行動して）、他者とのつながりがあってこそ可能となります。

1 ライフステージごとの課題

ライフステージの各段階には発達課題と健康課題があります。成人するまでの段階で生じる課題は、本人はもちろん、成長発達を日々サポートする親もチームの一員として共有することになります。それぞれの課題を解決する際に壁にぶつかったりすることがあります。そのようなときにそれぞれの課題に応じて、多様な専門職がかかわることになります。また、同じ専門職でもライフステージに応じて支援する内容が変わってきます。

たとえば、脳性麻痺の子どもの場合、障害の1つである運動麻痺への対応では、補装具が用いられます。個人差はありますが、おおむね3歳ごろから、関節の変形を防いだり姿勢の安定性をおぎなうために短下肢装具が用いられます。座る、立つことがなんとかできるようになり、食事や遊びなどの活動が始まる児童期・学童期に入ると、机やいす、クッション、歩行器、杖などが必要になります。

身体が成長するにつれ、日常生活の活動範囲が広がってくるので車いすが必要になります。補装具の相談・選定は理学療法士（PT）が行いますが、このようにライフステージによって理学療法士が行う支援も変わってきます。

2 高齢期におけるチームアプローチの重要性

平均寿命❶が男女ともに80歳を超えた今、人生80年のうち高齢者として生きる期間は15年以上であり、ライフステージの各段階でも長い時間となります。この長い時間のなかで、高齢者はどのような生活を送っていくのでしょうか。

高齢期は、子育てが終わり、退職によって増えた自由な時間を過ごし、これまでの人生の意義や意味を考える、いわば人生の完成期で、残りの人生を豊かに過ごし、楽しみながら自己実現に向かっていく時期です。一方では、身体的には老化が進み、さまざまな健康問題が生じます。姿勢の変化やしわが増えるなど、容姿はこれまでとは大きく変わり

❶**平均寿命**
0歳における平均余命のこと。

ます。運動機能の低下、視覚、聴覚の低下、歯の喪失による咀嚼・嚥下機能の低下により、ADL（Activities of Daily Living：日常生活動作）・IADL（Instrumental Activities of Daily Living：手段的日常生活動作）が低下し、介護が必要になる人もいます。これまでできたことができなくなることで自信を失い、消極的な生活となり、QOL（Quality of Life：生活の質）が低下する人もいます。加齢にともなって認知機能もおとろえていき、日常生活への不安もかかえるでしょう。介護福祉職は、利用者の不安を理解し、本人１人ではできなくなったことに対して福祉用具や介護ロボットなどの導入を提案するなどして、自分でできる力をサポートし、必要に応じて介助しながら、自分でできることの継続を支援します。一方、新しいものを取り入れる不安、使い慣れないものを使用して失敗することもあります。道具や機械に頼るだけでなく、その人の暮らし方に自然になじむよう、利用者のこれまでの暮らし方からヒントをえて、創意工夫しながら生活環境や生活用品を整えるとよいでしょう。

精神面でのサポートは、社会福祉士（ソーシャルワーカー）による相談援助が行われますが、精神状態や内容によってはカウンセラーやセラピストなどによって、これまでの人生の後悔や詫び言を聴き、不満や不平、不安や悩みを吐き出し、こころを整える必要があります。

また、青年期、壮年期の生活習慣の乱れから生活習慣病にかかり、高血圧や糖尿病、認知症、がんなどにより要介護状態になるリスクをかかえ、障害や死を身近に感じながら生活している人も少なくありません。介護福祉職は、疾病予防や健康維持のための栄養・食事面での支援、運動や余暇活動などへの参加の呼びかけ、受診や服薬の確認など医療職と連携し、間接的にかかわります。

高齢期は身体の老化と直面し、死を現実的に受けとめはじめる時期でもあります。介護福祉職や社会福祉士、介護支援専門員などによる介護・生活支援だけでなく、医師や看護師、保健師などによる医療的な支援も重要です。さらに、「死」の受容においては、僧侶や牧師などがかかわることも有効な場合があります。なかには、友人や趣味活動の仲間、地域住民、文化的活動を通して、心おだやかに、前向きにここからの生活を考える人もいます。そして何よりも、ともに生活を営んできた家族が重要です。家族とともに死をおだやかに迎えられるよう支援することが大切です。

このように、高齢期は自分の人生をふり返り、今まで生きてきた意味を考え、そこに意義を見いだし、そして、「老い」と「死」を受け入れ、向き合っていく時期です。高齢期までに形成されたその人なりの考えや価値観によって、どのような生活を選択するかは本人次第です。これまでの生活を維持し、より豊かにするためには、高齢者自身が自分の意思で決定し、自分で選択すること（自立・自律）が重要です。

ライフステージごとのサービスの縦のつながりが、横のつながりに広がるよう、そして種々のサービスが不連続とならないよう支援・サービスをつなげていくチームアプローチが必要になります。

演習1－1　生活を理解する

自分の１日の生活を円グラフに書きこんで、まわりの人と見せ合ってみよう。

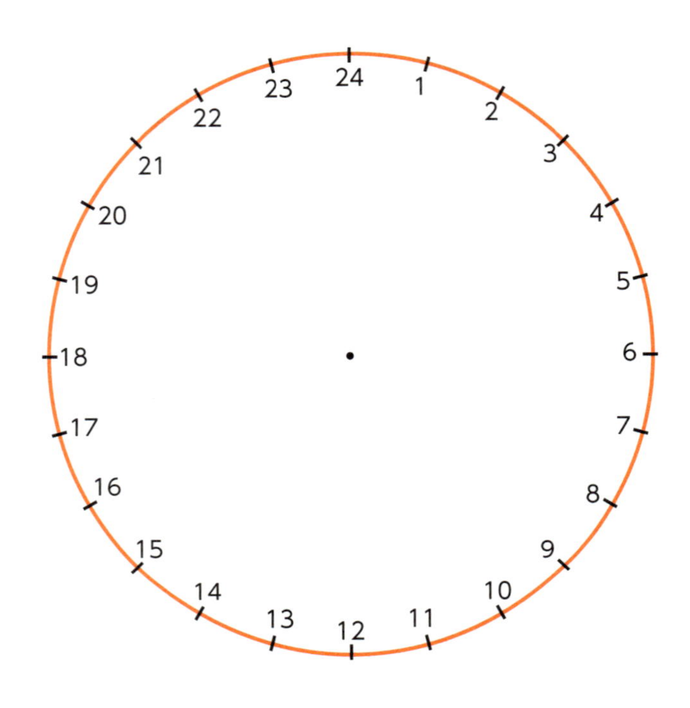

演習1－2　目の動きを大切にする

２人１組で、利用者役と介助者役を決める。「利用者」はベッドに仰臥位になって、天井の１点を見つめる。「介助者」は、「利用者」の顔を左右どちらかに向ける介助を行う。次に、「利用者」は視線を左右どちらかに向ける。「介助者」は「利用者」が視線を向けた方向に、顔を向ける介助を行う。

役割を交替して体験し、気づいたことを話し合ってみよう。

第2章

居住環境の整備

第1節　住まいの役割と機能

第2節　生活空間

第3節　快適な室内環境

第4節　安全に暮らすための生活環境

第5節　居住環境の整備における多職種との連携

第1節

住まいの役割と機能

学習のポイント

- 住まいの役割を理解する
- 家族・人と生活空間のかかわりについて理解し、住要求の変化に対応する住まいが求められていることを理解する
- 住まいと地域のつながりの形成の意義を理解する

関連項目 ④『介護の基本Ⅱ』▶第1章「介護福祉を必要とする人の理解」

1 住まいの役割と機能

住居・住まいとは、住宅とそこでの生活を含む語です。住まいは、そこに住む人が生活を展開する場であり、人間生活の空間的拠点ともいわれています。**表2－1**は、住まいのおもな役割ですが、これらは住む人の要求と深く関連し、社会状況によっても変化します。

2001年、**WHO**（World Health Organization：**世界保健機関**）総会にて採択されたICF（International Classification of Functioning, Disability and Health：**国際生活機能分類**）の大きな特徴の1つとして、**背景因子**を導入したことがあげられます。この背景因子には**環境因**

表2－1 住まいのおもな役割

シェルター	・自然環境、外敵、社会環境との関係をコントロールする
生活の場・拠点	・日々のエネルギーから次の代の命の再生産までを行う生活の場 ・財産を管理し、生活文化を伝承する
まちやむらの構成要素	・個人と家族と社会を結ぶ近隣交流の接点となる ・地域社会を構成する1単位であり、景観をつくり出す

子と個人因子があり、住まい・環境は環境因子のなかに位置づけられています。住まいとその生活を取り巻く周辺環境は、生活機能（心身機能・身体構造、活動、参加）に大きくかかわっているのです。一方、近年の各種施策においては、高齢者・障害者の在宅支援を重視し、住み慣れた地域に住みつづける方向で居住環境を整備していくことが明確に示されています。

このような状況から、住まいは人の生活の基盤であり、周辺地域を含めた環境整備が重要といえます。

2 家族と生活空間

1 家族周期と生活空間

人の一生には、誕生から死までの周期的変化であるライフサイクル（生活周期）があります。多くの人は結婚を機に、その夫婦を基本とするファミリーライフサイクル（家族周期）の経過にともなって、住まいや生活環境を検討していきます。私たちは、人生のなかで、家族の状況や仕事、経済的な影響を受けながら、その家族・個人ごとにさまざまな住まいを選択し生活していきますが、住まいに対する要求（住要求）は、ファミリーライフサイクルによって大きく変化し、重視するものもそれぞれ違いがあります。住まいには、この家族の時間的変化や個別性への対応を考慮した工夫が求められます。

住要求の変化に対応する方法としては、買い替えや借り換えにより新たな住宅に住み替える方法、建物に手を加える増築や改築などの方法、住み方を工夫して住みこなす方法などが考えられます。いずれにしても、予測可能なファミリーライフサイクルの経過にともなう住要求の変化を見通して、対応の方法と内容を選択していくことが必要です。

2 家族関係と生活空間

ファミリーライフサイクルにおいては、子どもが独立したあと、どのように住むかが問題となります。いずれにしても子育て後の期間は長期化しており、健康寿命の延伸の観点からも、住まいが高齢者の住要求に配慮したものである必要性はますます高まっています。

親と子ども家族との住まいの関係は、同居（同一住宅に住む）、隣居（同一敷地内に住む）、近居（徒歩圏内に住む）、遠居（徒歩圏外に住む）など、さまざまな形があります。

戦前の日本では、直系家族制のもとでの祖父母、夫婦、子どもの三世代同居が一般的でしたが、少子高齢化や核家族化の進行にともない、総世帯数に占める三世代同居の割合は減少しました。しかし、2018（平成30）年の総務省の「住宅・土地統計調査」によると、親と子ども家族は、離れた場所で無関係に暮らすのではなく、同居と遠居の中間形態である隣居や近居の世帯が6割強となっています。また、国土交通省の「住生活総合調査」によると、高齢期に子どもとの同居を希望する者も年々減少し少数派となっています。これらは、お互いの生活の自立と交流、助け合いといった要求をともに満たす住まいが求められていることを示しています。

1980年代に定着したといわれる二世帯住宅においても、親と子ども家族の生活のすべてをともにするもの以外に、生活領域の重なり方に多様なバリエーションがあります。親と子ども家族とのあいだでは、生活習慣や生活時間の違いによる摩擦を避けつつ、お互いを見守り助け合えるような住まい方が望ましいと考えられます。

このことは、高齢者や障害者が集まって暮らす住まいでも同様です。空間を分離し1人になれる場所を確保すると同時に、共用空間を設けたうえで、お互いに気配が感じられる程度の開放性があることにより、安全で安心な生活につなげることが可能です。

これ以上近づかないでほしいと感じる人のまわりを取り巻く領域はパーソナルスペース（個人空間）と呼ばれ、場所や空間のある一定の範囲を占有しコントロールしようとする領域はテリトリーと呼ばれます。人は、パーソナルスペースにより他者との関係を、テリトリーの形成によりそこを拠点として社会との関係を調整し、かかわりを広げていくことが可能となります。高齢者や障害者の住まいにおいて、他者の視線から逃れてほっとできる個人の空間を確保することは、人としての根源的な欲求にこたえることにほかならず、それは同時に、他者との交流を促進することにもかかわっています。

3 住まいと地域

高齢になっても、障害があっても、人は一生涯“住まい（家）”で暮らすことが基本となります。

2011（平成23）年の介護保険制度の改正では、**地域包括ケアシステム**の推進が盛りこまれました。地域包括ケアとは、「重度な要介護状態となっても住み慣れた地域で自分らしい暮らしを人生の最後まで続けることができるよう、住まい・医療・介護・予防・生活支援が一体的に提供される」体制をさします。自宅で住みつづけられるように在宅サービスを充実させる、あるいは日常生活圏にある高齢者住宅や施設に移って地域のサービスを受ける、そのような体制をそれぞれの地域の特性に応じてつくり上げていくというものです。

人は、住まいを中心とした周辺地域のなかで生活し、それぞれの行動範囲において日常生活圏を形成しています。とくに、高齢者は加齢にともなう身体機能のおとろえによって、毎日の生活のほとんどの時間、住まいと周辺地域に密着していることが多くなっています。そのため、住まいと地域のありようが生活の質に大きく影響することになります。

人が地域とかかわるとき、住まいから地域に外出してかかわる形と、逆に地域の人々を住まいに招き入れる形があります。しかしそもそも、人が他者とかかわる気持ちになれるかどうかは、その本人の個の空間・居場所が確立しているか否かが鍵となり、そのかかわり方についても、ときと場合により選択できる環境であることが大切です。

1 住まいから地域に外出する

周辺の地域環境が利用しやすく安全であれば、高齢になっても障害があっても、日常生活圏を極端にせばめることなく地域社会の人々とのつながりを維持することができます。近隣の人々との交流は、本人の心身の健康、介護予防の推進に寄与するのみならず、高齢者・障害者の社会参加や、自然な見守りを含めた支え合いの体制づくりにも連なっていきます。

具体的には、安全に散歩できる道、ひと休みできるベンチや木陰、安心して使える公共トイレ、お気に入りの小売店、気心が知れた仲間がつどう場所など、外出したくなるような環境が身近にあることが大切です。また、これらに加えて、病院やデイサービスセンターなどの施設や、図書館・スポーツ施設、公園や緑地等が地域に整備され、バスや電車等の交通機関も使いやすい、外出しやすい環境となっていることなども必要です。

地域包括ケアシステム、介護予防・日常生活支援総合事業などの整備計画もまた、市町村ごとに設定された日常生活圏域を単位としてなされています。介護を実践する者は、他者の生活を支える仕事のなかから、どのような地域環境が求められるのかを感じとり、地域の人々と連携をはかりつつ、社会に向けて発信していくことが求められます。

2 住まいに地域の人々を招き入れる

住まいの中に地域の人々が入ってくることで、外出が困難な場合であっても、日常生活に変化と広がりをもたらすことが可能です。

自宅（在宅）の場合では、訪問しやすい住まいであることも必要です。他者を迎え入れる空間を内部に設置することとあわせて、住まいの内外のつながりによって近隣の人々と自然な交流がうながされ、それがきめ細やかな援助につながる要因ともなるからです。

施設の場合であっても、家族や友人・知人が気軽に訪れることを前提として居室や共用空間の整備をしていくこと、施設の庭・共用空間を地域に開放しながら入居者と地域の人々とのつながりをもつことなどが考えられます。

たとえば、施設の建物や敷地内に、入居者はもちろん、地域の人々が自由に訪れて利用できるカフェや図書室、フィットネスジム、ギャラリー、キッズルーム、クリーニング店などを併設し、施設空間を地域の人々が行き交う、開かれた「まち」として機能させている例があります。それらは、地域住民が利用したくなるような魅力的な場所であると同時に、入居者にとっても、地域とつながった日常を感じることができる空間となっています。このような場では、施設の内外の空間・人の境界があいまいとなり、施設内部に「まち」が取りこまれることによって、入居者と地域の人々との日常的な交流が成立します。そのため、入居者が外出すると、顔見知りになった地域の人々が声をかけ気にかけてくれるなど、自然な見守りにもつながります。

また、施設の敷地を使って同一法人の保育園と合同で祭りを行う施設もあります。地域住民の協力のもとにやぐらが建てられ、園児や卒園児、地域住民、入居者、家族がいっしょに盆踊りに参加したり、事前に配布されるサービス券を持参し、焼きそばやかき氷などを楽しんだりと、毎年多くの地域住民が訪れています。施設内のホールで行われる季節の行事などには、ふだんから地域の人々も自由に参加しているほか、地域のバザー、近隣保育園の運動会などの行事が施設の敷地で行われる際には、それらの準備のためにホールを開放しています。このような取り組みのなかで、施設は、地域の人々にとって身近な存在として意識され、日常的にも防災の面でも地域と密接な協力関係が築かれていきます。

いつも同じ顔触れの入居者や職員と過ごすばかりでなく、開かれた施設空間に訪れるさまざまな人々から受ける刺激は、入居者の心身を活性化させるだけでなく、地域の人々の生活にも彩りを与えることにつながるのではないでしょうか。

第2節

生活空間

学習のポイント

- 生活空間を生活行為や起居様式とのかかわりでとらえ、生活空間を整備する際の留意点を理解する
- 加齢にともなう身体機能の低下に対応した生活空間の整備に向けて、各室の留意点を理解する

関連項目 ▶ ④『介護の基本Ⅱ』▶第1章「介護福祉を必要とする人の理解」

1 人と空間

1 生活行為と生活空間

人の生活は、寝る、食べる、排泄する、勉強する、家事をする、趣味活動をするといった生活行為の連続です。住まいは、それらの生活行為にあわせた空間や設備が備えられることで、私たちの日常生活を支えています。

住まいでの生活行為を生活空間との関係で整理すると、**表2－2**のようになります。家族または来客とともに行う生活行為が展開される**パブリックスペース（公的空間）**、個人の生活行為が行われる**プライベートスペース（私的空間）**、生理・衛生行為が行われる**生理的空間**、家事労働が行われる**家事空間**など、生活行為の似たもの同士を近くにまとめ

表2－2　生活空間別の生活行為例

公的空間	食事、団らん、接客
私的空間	就寝、勉強、趣味
生理的空間	排泄、入浴、洗面
家事空間	調理、アイロン、洗濯

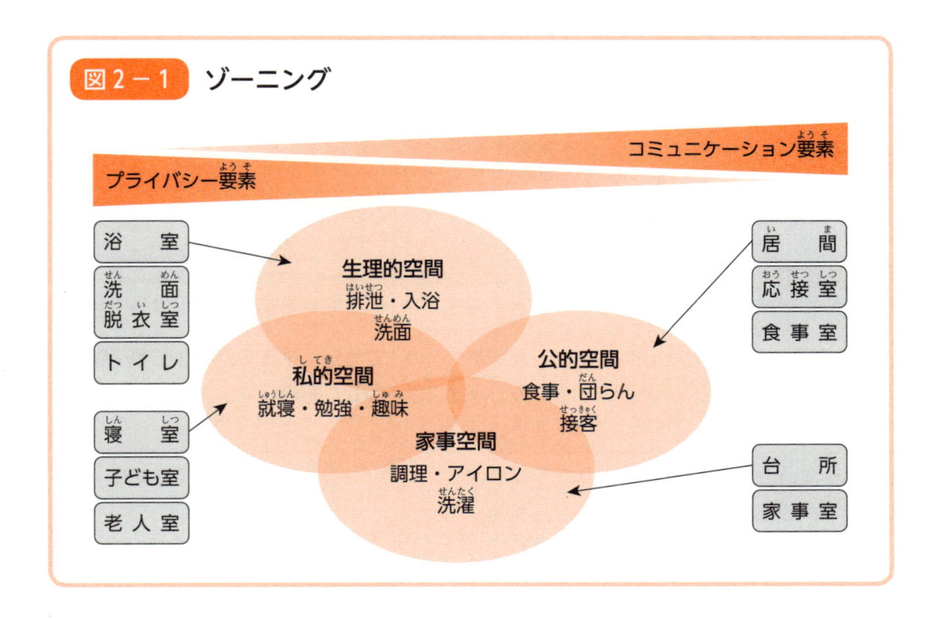

てゾーンとし、各ゾーンを分離させたり接近させたりして配置することを**ゾーニング**といいます（**図2－1**）。

また、さまざまな生活行為には移動をともないますが、生活する人の移動した軌跡を**動線**と呼びます。動線は、動く回数を太さであらわし、移動の距離を長さで表現します。住まいにおいては、この動線が必要以上に長くならないような空間や設備の配置が必要となります。たとえば、調理のための動線は、冷蔵庫・調理台・流し・コンロ・食器棚・食卓がうまく配置されていれば短くなり、作業のための労力や時間が少なくてすみます。

目的に応じた空間を適切に配置することによって、無駄な動きをなくし、安全で快適な生活を送ることが可能となります。このような生活空間の適切な配置は、とくに、在宅生活を送る高齢者にとって、住まいの内部で発生しやすい事故を防ぐうえで重要な視点の1つとなります。

2 起居様式

日本の住まいの特徴として、伝統的な和風の生活様式と近代以降欧米から導入された洋風の生活様式が混在することがあげられます。このような住まいにおける生活様式を**起居様式**と呼び、起居様式は「ユカ座」と「イス座」に大別されます。現在の日本の住まいでは、ユカ座、イス座およびその両方を組み合わせた折衷型が存在します（**表2－3**）。

表2－3　起居様式

	ユカ座	イス座	折衷型
	床や畳の上に家具を持ちこみ、直接床（畳）に座って生活する。	ベッドやいす、テーブルなどの洋風家具を持ちこみ、床面に家具を置いて生活する。	ユカ座、イス座の両方を組み合わせたもの。
長所	・部屋の転用がしやすい ・落ち着いてくつろぐことができる ・家具（ベッドやいす）からの転落の危険性が少ない	・立ち座りの負担が小さい ・車いすやいすに移動しやすい ・人の足音が伝わりにくい ・作業効率がよい ・部屋の使用目的が固定し安心感がある ・衛生を保ちやすい ・介護や看護にともなう身体への負担が小さい	・ユカ座とイス座の長所を取り入れられる ・身体状況や部屋の広さにあわせやすい
短所	・立ち座りの負担が大きい ・作業効率が悪い ・介護や看護にともなう身体への負担が大きい ・部屋の使用目的が固定しにくい ・不衛生になりやすい ・人の足音が伝わりやすい	・部屋の転用がしにくい ・家具を置くためのスペースが必要となり、部屋がせまくなる ・転落の危険性がある	・ユカ座とイス座では、目線の高さやパーソナルスペースの大きさが異なるため、家具や設備の選択・配置に注意が必要となる

一般に、加齢にともなって筋力が低下した高齢者にとっては、イス座のほうが、本人への負担や介護労働の軽減に効果的と考えられています。しかし、高齢者のなかには、畳や障子の残ったユカ座の空間を好む人も多いことから、空間の使用目的によってユカ座とイス座を使い分けるなどの工夫が求められます。

2 加齢と生活空間

加齢にともなう生活空間に対するニーズは、身体状況や家族の状況などによって異なりますが、生活空間全体の構成に関して留意すべきおもな点（原則）として、以下の５点があげられます。

① 基本的な日常生活は同一階で行えるようにする
二層以上の階にまたがると、上下の移動に物理的・心理的負担がかかり、危険性も高まります。

② 収納スペースを十分にとる
加齢にともなって所有物は増加していきます。これらの所有物を収納するための十分なスペースが確保されていれば、室内が整理され事故の危険性は低くなります。

③ 廊下の幅や出入り口の幅を広めとする
移動しやすく、車いすや介助が必要となった場合にも対応が容易となります。

④ 寝室とトイレは近くに配置する
加齢にともなう頻尿により夜間のトイレ回数が増加するため、寝室とトイレを直結させるか隣接配置とし、できるだけ相互の距離を短くします。

⑤ 各室の面積にゆとりをもたせる
心身が弱り介護が必要になった際には介助のためのスペース、車いすを利用する場合には車いすの回転スペースを確保することが必要となります。とくに、浴室、脱衣室、トイレについては、車いす使用者と介助者が同時に使うことを前提とした、ゆとりあるスペースを確保することによって、対応が容易となります。

1 寝室

加齢にともない心身機能が低下し、何らかの介護を要するようになると、夜間の睡眠だけでなく日中の時間帯も寝室で過ごすことが多くなります。そのため、寝室は、１日を通して快適な環境となることが必要です。

寝室は、家族や介護者が見守りつつコミュニケーションがはかれるような位置、居間に隣接した位置などに配置すると、緊急時や病気のときなどにも安心です。しかし、高齢者自身がだれにもペースを乱されたくない、静かな環境でそっとしておいてほしいと考える場合もあります。とくに、生活リズムが異なる家族が同居していると、高齢者・同居家族の両方にとってストレスの原因ともなるため、各部屋の位置関係や、仕切り・建具の種類・形態など、慎重に検討したうえで決定していくことが重要です。

屋外との関係では、日照条件のよい南側に面し、自然の風や光を取り入れながら景色が楽しめることも大切です。**掃き出し窓**[1]を設置することができれば、直接屋外に出入りすることが可能となり、避難や安全の面からも安心です。また、玄関から他室を通らずに直接寝室に出入りできるようになっていれば、外部の各種サービスが受けやすく、近隣の人々も気軽に立ち寄りやすくなるでしょう。

身体機能が低下すると、床からの起き上がり動作や布団の上げ下ろしが困難となるため、ベッド就寝が基本となります。ベッドの周囲は、ヘッドボード以外の三方を壁などにつけずに、ベッドメーキングのためのスペースを確保しておくことが必要です。また、車いすの利用に備えて、ベッドまわりに車いすで回転できる寸法（直径150㎝）を少なくとも１か所用意しておくと安心です。本人の生活スタイルをふまえながら検討しましょう。

高齢者は一般に持ち物の数が増加しますが、思い出のもの、大事にしているものをそばに置きながら暮らしたいという要求もあります。手の届きやすい範囲に、それらを収納できるスペースを設けることは、精神的な安定をえるために大切です。

❶掃き出し窓
もともとは、室内のごみやほこりをほうきなどで掃き出すためにつくられた小窓のこと。現代は、窓の下の部分が床面に接しており、室内からバルコニーにそのまま出ることができる大型の窓のことをいう。

2 トイレ

安全で使いやすいトイレとするためには、排泄の一連の動作がスムーズに行われるように配慮することが大切です。つまずきの原因をなくし車いすでも安全に使用できるよう、床の段差は解消します。出入り口は車いすが通れる幅とし、開閉操作がしやすい扉（**引き戸**[2]など）とすることで、出入り移動の負担を軽減します。手すりは、扉の開閉、立ち座り、衣服の着脱、洗浄等の動作が安定して行えるように連続的に設置し、とくに片麻痺などの場合には、得意な向きから便器に接近できるように取りつけ位置を決定します。さらに便器の横には、立ち座り用の縦手すりと座位保持用の横手すり（またはＬ字型手すり）を取りつけます（図２－２）。

また、便器は立ち座りが容易な洋式便器とし、膝への負担が軽くなる

❷引き戸
p.69参照

図2－2　トイレにおける環境整備

よう座面をやや高くします。冬季の冷えたトイレでの排泄は、心筋梗塞などにつながることも多いため、暖房便座に加えてヒーターなどの暖房器具を足元に設置することが必要です。

住まいの中でのトイレの位置は、夜間の頻尿への対応や、急激な温度変化による**ヒートショック**[3]を避けるために、寝室と直結させるなど、寝室とトイレのあいだの距離を短くすることが大切です。車いす使用や寝たきりの場合には、さらに洗面脱衣室や浴室も含めて一直線上に配置し、寝室から直接入れるよう天井走行リフトを設置すると、移動や介助にともなう負担も軽減します。

トイレの広さは、自立している人の場合は立ち座りの動作が無理なく行えるためのスペースが必要です。介助が必要な人の場合は便器側方や前方に介助スペース、車いす使用の場合には車いすのためのスペースが確保される必要があります。十分な広さを確保することが困難な場合は、洗面所と一体化することもあります。

[3] ヒートショック
急激な温度変化によってからだが受ける影響のこと。

3 浴室

浴室では、衣服の着脱、身体を洗う・ふく、湯につかる、シャワーを浴びる等の動作が行われます。これらの動作がスムーズに行われるように整備することが重要です。

図２－３　浴槽の形態

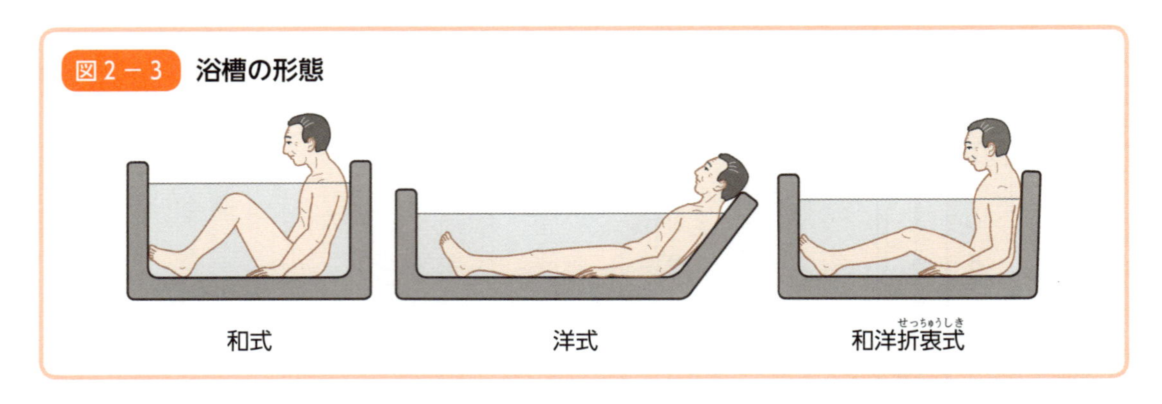

図２－４　浴室

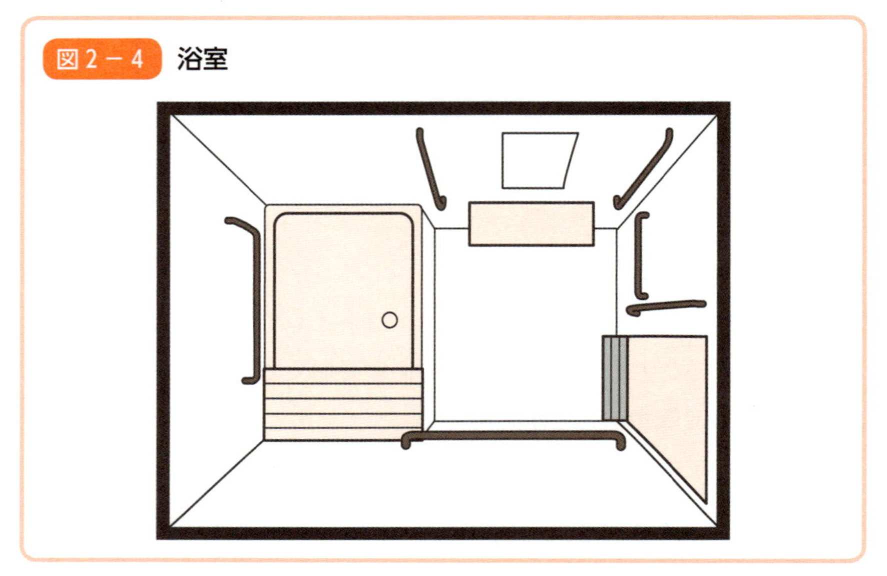

浴室の出入り口の幅は、介助者や車いすの出入りを考慮し、できるだけ広く確保するために３枚引き戸が適切です。浴室の広さは、介助者が浴室内部で介助動作をするためのスペースが確保される必要があります。

浴槽の形態は、浴槽内で安定した姿勢で肩までつかることができ、出入りもしやすい和洋折衷タイプが適しています（図２－３）。また、浴槽への出入りが安定して行われるために移乗台を設置する、または設置が可能な大きさの浴槽としておくと安心です。浴槽縁（エプロン）の高さは、洗い場から400㎜程度が適切ですが、車いすやシャワーチェアを使用する場合には、その座面高さ（450㎜程度）とそろえると移乗動作がスムーズとなります。浴槽縁の厚さはできるだけ薄いものを選ぶとつかみやすく、姿勢を安定させて浴槽へ出入りすることが可能となります。

手すりは、浴室出入り用縦手すり、洗い場立ち座り用縦手すり、浴槽内での立ち座り・姿勢保持用のＬ型手すりなどを利用者の状態に応じて設置することが必要です（**図２－４**）。浴槽縁にはめこんで使用する簡易手すりは、浴槽内での姿勢保持などに利用できます。

浴室では湯やせっけんを用いることから、すべりにくい床とします。また、高齢者の浴室・脱衣室での事故の大半は、冬季における**ヒートショック**[4]によるものであり、浴室に適切な暖房設備を設置することで温度コントロールをすることが必要です。

❹ヒートショック
p.49参照

4 洗面脱衣室

洗面脱衣室は、浴室やトイレとの動線上のつながりを考えて配置することが大切です。洗面脱衣室は、衣服の着脱動作が楽に行えるスペースに加えて、介助が必要な際にはそのためのスペースも必要となります。洗面脱衣室の広さが不十分な場合でも、トイレと隣接していれば、トイレと一体化することで介助スペースを確保しやすくなります。また、ベンチが置けるスペースがあれば、着脱衣時に腰をかけて動作することができ、介助にも有効です。

洗面カウンターは、車いすでも使えるように下部が空けられる形式とし、鏡は椅座位でも立位でも胸から上が映る長さとします。また、取り出しやすい位置に、日常的に使用するさまざまな物品を整理して置ける

図２－５ 洗面脱衣室

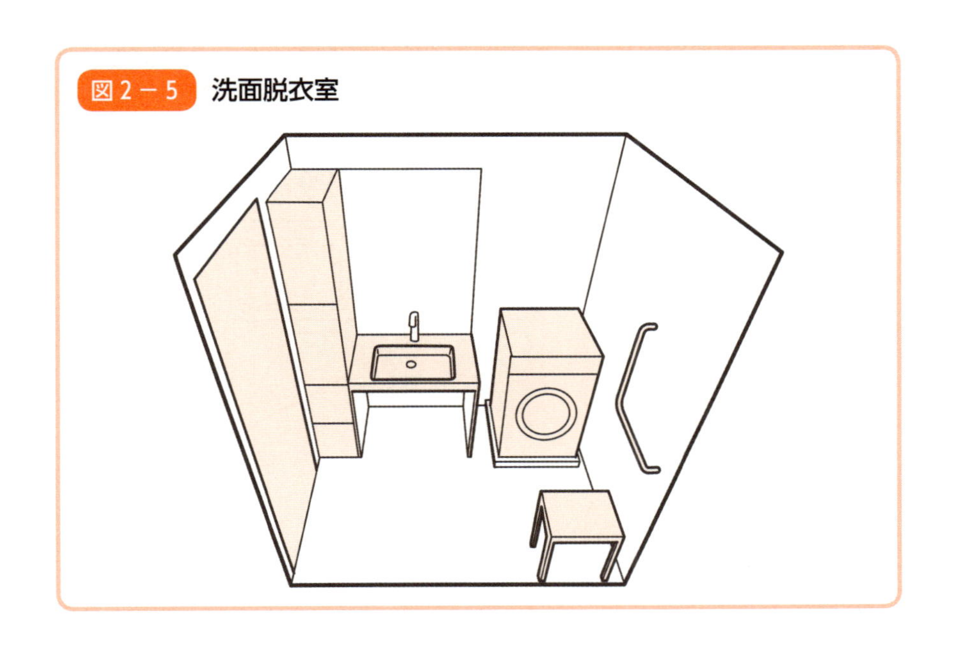

よう、収納スペースを確保しておくことが必要です（図２－５）。

出入り口は開口幅が広い引き戸、床は段差がなく、濡れたときにすべりにくい床仕上げとします。

5 台所

調理は、火や刃物を取り扱うため、火災ややけど、切り傷など危険性の高い動作をともないます。一方、台所を要介護者にとって安全で使いやすく改修することで、自立して行える生活行為が増えた結果、ADL（Activities of Daily Living：日常生活動作）およびQOL（Quality of Life：生活の質）が上がったという例も多くみられます。したがって、高齢者や障害者がどの程度調理作業にかかわるのか、本人の希望や生活能力の自立度、同居家族の状況等を確認したうえで、作業環境を整備していくことが大切です。

高齢者や車いすに対応した台所として、**ワークトップ**[5]が簡単に上下し作業面の高さが選択できるタイプ、車いすまたはいすに腰かけて使用できるように膝が入るスペースが確保されているタイプ（図２－６）、手前にサポートバーがついたものなどがあります。また、車いす使用者は手の届く範囲が極端にせまくなるので、これをおぎなうために、上部の壁収納を手の届く範囲まで降ろすことができる装置が開発されています。

いずれにしても、作業しやすい台所の機器の配置は、頻繁に使われるシンク、コンロ、冷蔵庫を結ぶ動線が短く（図２－７）、無理な姿勢にならないような配置であり、これらの動線を通路動線などが横切らない

⑤ワークトップ
台所に設けられた作業面のこと。キッチンカウンターや天板ともいう。

図２－６　車いすに対応した台所

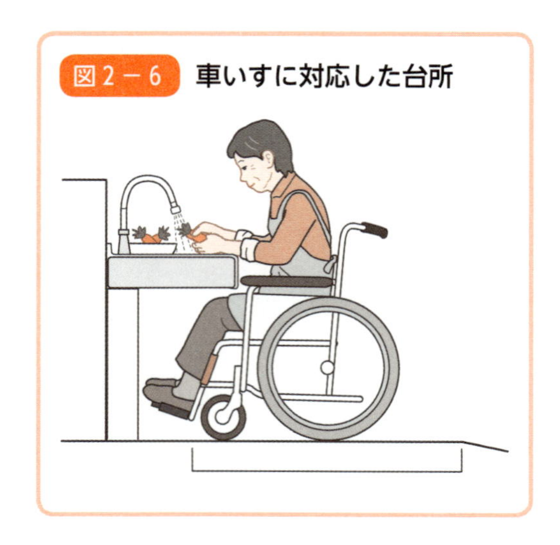

図２－７　作業しやすい台所

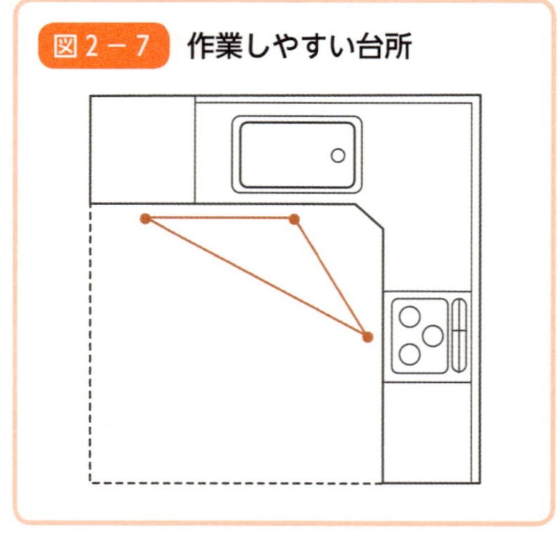

ようにすることが必要です。また、台所は、居間・食事室との視覚的・動線的なつながりが考慮された位置・形態であれば、家族とともに会話しながらの作業がしやすく、行為動線を短くすることが可能となります。

6 居間・食事室

居間や食事室は、家族や友人、時には近隣の人々とつどいくつろぐ空間であり、そのような時間・空間は、精神的なやすらぎをえる機会を人に与えてくれます。したがって、それらの人々が集まった際に、全員がくつろげるスペースとそのあいだを人が楽に移動できるスペース、車いすを利用している人の場合には車いす利用が可能なスペースが必要となってきます。それぞれに必要なスペースの大きさは、イス座・ユカ座（**表2－3**（p. 46））などの起居様式によって異なり、一般にイス座のほうがユカ座より広い面積を必要とします。イス座では、固定された家具の占める面積が大きくなることに加えて、ユカ座より目線が高いことから、心理的空間・パーソナルスペースが拡大する傾向にあることなどがその要因です。

居間・食事室は、長時間滞在する場所として住まいの中央に配置し、他室から出入りしやすい動線を確保することが大切です。とくに、台所と近い位置に食事室があれば、調理・配膳等の作業動線が短くなるほか、調理にともなうにおいや音を感じることで、食欲が増すなどの効果もえることができます。また、テラスなどの外部に直接出られる開口部を設置することができれば、景色をながめ、季節を感じながら生活を楽しむ機会が増えるのではないでしょうか。

第3節

快適な室内環境

学習のポイント

- 快適な室内環境を整備するための基本的事項をおさえたうえで、加齢変化にともなって注意が必要となる点を理解する
- 住まいの維持・管理の必要性とポイントを理解する

関連項目　⑫『発達と老化の理解』▶第4章「老化にともなうこころとからだの変化と生活」

1 生活環境と室内環境

日本は、南北に細長く中央を山脈がつらぬいているため、北部と南部、山脈の東側と西側では、気候の特徴(とくちょう)が大きく異(こと)なっています。しかし、日本の多くの地域において、気温が高い夏に湿度(しつど)も高くなる傾向(けいこう)は共通した特徴(とくちょう)であり、住まいは従来(じゅうらい)、こうした高温多湿(たしつ)の夏の暑さ対策(たいさく)をとくに重視(じゅうし)してつくられてきました。

現在(げんざい)では、冷暖房(れいだんぼう)機器や空調設備(せつび)を用いて人工的にコントロールし、快適(かいてき)な室内環境をつくり出すことが容易(ようい)になっています。しかし、機器のみに頼(たよ)るのではなく、上手に自然を取り入れた室内環境の工夫も、環境保護(ほご)や省エネルギーの観点から必要です。人の生活の場は、住まいを拠点(きょてん)として地域、都市へと広がっています。生活環境を考えるにあたっては、室内環境にとどまらず、地域環境、都市環境、自然環境、地球環境と、総合的にとらえていく視点(してん)が重要となります。

今後、室内環境を考えていくにあたっては、太陽の光や風などの自然の力と、各種設備(せつび)機器などの人工的な力とをどのようにバランスをとりながら活用していくかが大きな課題となります。

2 室内気候の調整

1 熱環境の調整

（1）身体に感じる温度

人の暑さや寒さの感じ方（温熱感覚）は、気温が一定であっても、湿度、**気流**❶、**輻射熱**❷によって変化します。室内温度が同じでも湿度が低いと涼しく感じ、気流によっても感じ方が異なります。また、どのような活動をしているか、どのような服装をしているかによって異なることも、体験から理解されるところです。

❶気流
空気の流れ。

❷輻射熱
熱が物体から物体へ直接伝えられる現象。放射熱ともいう。

（2）熱環境の調整

こうしたなかで、体温を適切に保ち快適に過ごすためには、寒暑に応じて衣服の種類や量を調整したり、夏の通風性や冬の日当たりなど自然の力を利用したり、最終的には機械を設置して室内の熱環境を調整する必要があります。

室内の熱環境は、季節や時刻、建物の建て方や近隣の自然環境などによって差があります。現在では、冷暖房機器・空調設備を用いて調節することが一般的となっていますが、機械のみに頼ることは省エネルギーの面からも望ましいとはいえません。建物を構成する床・壁・天井などに保温性のある材料（断熱材）を使って室内環境を安定させる配慮、風を通す工夫、除湿・加湿をすることなども検討する必要があります。また、夜間の雨戸使用や、庇、樹木、すだれ、**ルーバー**❸などを用いて、夏の日射が壁や窓に達する前にさえぎる工夫も大切です。

❸ルーバー
細長い羽板を隙間をあけて平行に並べたもの。

（3）加齢と熱環境

高齢者は、体温を一定に保つ能力が若年者に比べて低い傾向があります。

温冷感、湿度感などの感覚も鈍化しています。冬季は暖房により高温・低湿になりやすいので、乾燥による皮膚のかゆみ、インフルエンザの流行が心配されます。これらを防ぐためには、濡れたタオルを室内に干したり加湿器を用いるなど、工夫が必要です。また、冬季にとくに注意しなければならないのは、**ヒートショック**です。高齢者は、暖かい室内から寒いトイレ、洗面脱衣室、浴室（非暖房室）に移動したときや、入浴前後の血圧の急激な変化により、脈拍数の急増を引き起こし、心筋梗塞や脳血管障害を起こしやすくなります。そのため、居室と廊下、トイレ、浴室などに急激な温度差が生じないようにすることが必要となります。さらに、暖房機器の選択にあたっては、一般的に高齢者は嗅覚が鈍くなり、ガス中毒や火災の前兆、空気の汚れなどに気づかないことがあるため、安全面や換気、乾燥などについて考慮されたものを選ぶと安心です。

一方、夏季の冷房についても、一般的に高齢者は発汗量が少なく、発汗による体温調節が行いにくいため、温度や空調の気流に注意するなど、冷えすぎを防ぎます。

2 通風・換気

室内の空気は、在室者の呼吸や体臭、衣服の繊維・ほこり、建物や使用機器から発生する多くの物質で汚染され、その汚染された空気は人の健康を左右します。近年の住宅は気密性が高く、冷暖房使用時には効率的ですが、従来の住宅の隙間風による自然換気は行われにくくなっていることから、意識的に換気を行う必要があります。また、換気は湿気による**結露**[4]やかび、木部が腐るのを予防するなど、建物の耐用年数にもかかわってきます。

室内空気の環境を適切に保つためには、汚染物質の発生をできるだけ抑えることと、発生した汚染物質をすみやかに外に排出し、新鮮な外気を取り入れることが基本となります。とくに、カセットコンロやストーブを使う場合は、換気には十分に注意する必要があります。また、複数の人が滞在する室内では、ウイルスや細菌による感染リスクを低減させるうえでも、十分な換気量が確保されるよう配慮することが大切です。

換気の方法は、自然の力による自然換気と、換気扇などで強制的に換気する機械換気に分けられます。

（1）自然換気

自然換気には、窓の開閉で空気を入れ換える方法と、室内外の空気の温度差によって生じる対流を利用する方法があります。これらを併用し

④結露
窓ガラス・壁など冷えた物体の表面に、空気中の水蒸気が水滴となって付着する現象。室内の気温や湿度が外部よりも高く、窓際の温度が室温よりも低いときに起きやすい。かびやさびの発生、木材の腐食の原因となる。

ながら、部屋の広さや在室人数を考えて窓を開け、新鮮な空気を定時的に入れ換える（30分に1回以上、数分間程度、窓を全開にする）必要があります。有効に換気が行われるためには、風上側に入り口、風下側に出口を確保して風が抜けやすいような風の通り道をつくることが必要です。また、換気される空気の量は、窓の位置や形状、風の強さ、風向きに左右されます。

（2）機械換気

とくに台所、浴室、トイレなど水蒸気や臭気が多く発生する場所では、機械による換気が有効です。

2003（平成15）年より、新築住宅を対象として、24時間換気システムの導入が法的に義務化されました。24時間換気システムとは、室内の空気の入れ換えを自動的に行うことを可能とした換気設備のことです。これにより、住まいの全室が窓を閉め切った状態でも2時間で空気が入れ換わることとなり、**シックハウス症候群**[5]の対策としても有効であるとして急速に普及してきています。

さらに近年では、24時間換気システムに全館空調設備を取りつけた一体型の全館空調システムを採用するケースも徐々に増えてきています。建物一棟の熱環境を全体的に管理し、各居室や階段部分、廊下などの温度差を少なく保つことが可能となり、ヒートショック対策としても取り入れられています。

[5]シックハウス症候群
新築や改築（リフォーム）直後の室内空気汚染によって引き起こされるさまざまな健康障害の総称。目がチカチカする、鼻水、吐き気、頭痛など症状は人によって異なる。

3　明るさの調整

人の活動・生活に必要な明るさをえるためには、自然の太陽光を採り入れる“採光”と、人工的な“照明”によります。明るさは照度（**ルクス**[6]・lx）であらわされます。

[6]ルクス
照度＝ルクス（lx）は明るさを示す1つの単位で、照らされた面の明るさを数量化したもの。JIS（日本産業規格）では、空間と行為ごとに細かく推奨照度を規定している（p.58参照）。

1　採光

快適な住まいの条件として、日当たりがよいことがあげられます。室内に差しこむやわらかな日差しは、室内を明るく暖かくし、精神的なやすらぎも与えてくれます。また、紫外線による殺菌作用や湿気の除去など、健康で快適な暮らしには不可欠です。

昼光の利用は、省エネルギーの観点からは効果的です。その場合、窓の面積が大きいほど、窓の位置が高いほど室内が明るくなります。

自然光による明るさは、天候によって大きく異なります。**全天空照度**[7]は、明るい日は3万ルクス、ふつうの日は1万5000ルクス、暗い日は5000ルクス程度です。

日照のうちの日射は避け、明るさだけを室内に取り入れるために、庇や**ルーバー**[8]、すだれが用いられ、やわらかな拡散光をえるために、障子やレースのカーテンを用います。また、外が見渡せるように、居室では透明ガラスにカーテンを設置することが多くなっています。

7 全天空照度
すべての障害物を取り払った全天空から、直射日光を除いた照度。

8 ルーバー
p.55参照

2 照明

太陽の光は季節、時刻、天候などの自然条件や、建物の向きや近隣の建物との関係などに左右されるので、人工照明によっておぎなう必要があります。

各生活行為に必要な照度の基準は、JIS[9]で定められています（**JIS照度基準（住宅）**[10]）。一般的な読書では500ルクス程度、手芸や裁縫などでは1000～1500ルクス程度となります。また、視力が低下する傾向にある高齢者は、若年者の2倍以上の明るさが必要とされています。

9 JIS
JISとはJapanese Industrial Standardsの略で、日本産業規格のこと。日本の産業製品について統一の決まりをつくることにより、異なるメーカー製品でも組み合わせて使うことができたり、規格にそった図面があればだれがつくっても同じものができるなど、産業界の標準となるものをさまざまな分野で定めたもの。

10 JIS照度基準（住宅）

照度lx	居間
2000	―
1500～1000	○手芸 ○裁縫
750～300	○読書 ○化粧 ○電話
300～150	○団らん ○娯楽
150～75	―
75～30	全般
30～1	―

（1）照明器具と明るさ

明暗の差があると目が疲労しやすいため、部屋全体の明るさの分布も重要です。そのためには部屋全体を照らす全般照明と必要な部分を照らす局部照明との組み合わせで、作業や各部屋に応じた明るさを確保します。

また、光源からの光がまぶしくて、ものの見えづらさや不快感を生じることがあります。高齢者は若年者以上に光が散乱し、まぶしく感じるので、照明器具などの光源の光とその反射光が直接目に入らないように照明器具や家具を配置することが必要となります。光源からの光が直接照らす直接照明は、明るさの効率はよいのですが手元などに影ができます。これに対し、光を壁や天井に反射させる間接照明は、まぶしさがなくやわらかな光となります。

同じ照明器具であっても、部屋の形や壁面の反射率、さらに器具の汚れなどによって明るさは異なります。なかでも、器具の汚れは明るさに大きく影響するため、こまめに清掃する必要があります。

（２）照明の種類

照明の光源としては、以前から白熱電球と蛍光灯が長く利用されてきました。白熱電球は、赤みがかった暖かな光の色で安価であり、頻繁な点灯・消灯にも強いものの、電気代がかかり寿命も短く、発熱量も多いという特徴があります。一方、蛍光灯は、白熱電球よりも電気代が安く寿命が長いので多く使われてきました。しかし、近年では、住宅を含めたほとんどの照明において、LED（発光ダイオード）光源へと切り替わっています。LEDは、消費電力が少なく長寿命であり、熱放射もほとんどないため安全性が高く、現在も光の効率性や演色性などのいっそうの向上に向けて技術改良が進められています。

4　音環境の調整

1　騒音

人の生活には何らかの音がともないますが、人が耳で感じる音の大きさ（dB：デシベル）は、音源からの距離や風向き、壁などさえぎる物の状況により影響を受けます。音の感じ方には個人差があり、そのときの生理、心理状態などによっても異なります。どんなによい音楽であっても、聞きたくない者にとっては騒音でしかないなど、音の問題は大変デリケートです。そのため、とくに、住まいが密集して建てられる都市部では、騒音を原因とした近隣トラブルが発生することも多く、音環境に関しての配慮が必要です（図２－８）。

2　音の伝わり方と防ぎ方

騒音防止のためには、まず、音源と伝わる経路を明らかにし、音源と居室との距離をできるだけ離します。また、遮音塀の設置や植樹により音が直接到達しないようにする方法もあります。固体を伝わる音に対し

図2－8　騒音の許容値

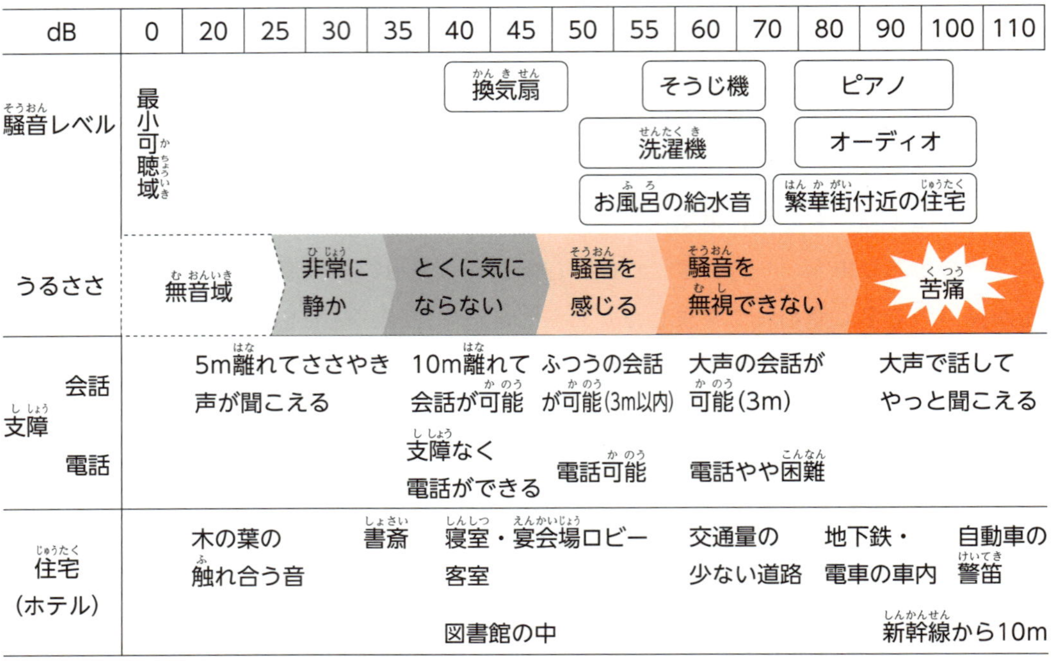

dB	0	20	25	30	35	40	45	50	55	60	70	80	90	100	110
騒音レベル	最小可聴域					換気扇		洗濯機 お風呂の給水音		そうじ機		ピアノ オーディオ 繁華街付近の住宅			
うるささ	無音域			非常に静か		とくに気にならない		騒音を感じる		騒音を無視できない			苦痛		
支障　会話		5m離れてささやき声が聞こえる			10m離れて会話が可能		ふつうの会話が可能(3m以内)			大声の会話が可能(3m)			大声で話してやっと聞こえる		
支障　電話					支障なく電話ができる			電話可能		電話やや困難					
住宅(ホテル)		木の葉の触れ合う音			書斎	寝室・宴会場ロビー 客室 図書館の中				交通量の少ない道路		地下鉄・電車の車内	新幹線から10m	自動車の警笛	

出典：日本建築学会編『コンパクト建築設計資料集成〈住居〉』丸善、p.158、1995年を参考に作成

ては、基本的には、緻密で重量のある材料を用いて遮音性の高い床や壁とすることが有効ですが、靴音などの軽い音に対しては、衝撃を吸収するやわらかい材料のゴムシートや絨毯などを敷くことが効果的です。

一方、音の感じ方は、音が発生する時間帯や頻度、周辺環境、生活習慣、音を発生させる人との人間関係など、きわめて心理的なものに左右される場合が多く、物的な対応には限度があります。生活していくうえでは、まったく音を出さないわけにはいきません。日ごろから近隣と顔見知りの関係をもちながら、音に対するマナーや心配り、ルールづくりがなされることによって、多少の騒音もそれほど気にならない住み方ができれば理想的でしょう。

3　高齢者と音

加齢にともなって聞こえる音の範囲はせまくなり、高い音から徐々に聞こえにくくなる傾向があります。60歳代以降からさらに高齢になるにつれて、高い音だけでなく低い音も聞きとりにくくなり、音の高低を聞き分けることも困難となってきます。また、音の大小についても判別が困難となり、とくに小さな音が聞こえにくくなることから、明瞭度の高い音環境が求められます。

騒音に関しては、被害を受ける立場での対処を優先して考えがちですが、聴力が低下している高齢者は、大声で話す、テレビの音量を上げるなどして、家族や近隣からの非難を受けることがあります。会話をしたりテレビを見たりする際には、窓を閉めて騒音を防ぎ、聞きとりやすい環境にするといった工夫や、テレビ、ベッド等の家具配置、部屋を変更するなどの配慮も必要です。また、必要な音以外の音も増幅されやすい補聴器の場合、床に吸音性のある絨毯などを敷いて音を適度に吸収させ、雑音や残響音の少ない環境をつくることが効果的です。

高齢者は一般に、ゆったりと起きてうとうと眠り、横になっている時間が長いなど、家族と生活時間が異なることが多く、家族と同居していても孤独感を感じがちとなります。高齢者の居室は、間仕切りや窓などの開口部を工夫し、遮音しながらも人の気配が感じられるようにしたいものです。広く居住環境全体を考えても、音のない静寂があればよいのではなく、時間や季節を感じさせてくれる音や人の声に適度に囲まれることも、うるおいのある毎日に欠かせません。

5 住まいの維持・管理

住まいの寿命には、**表2－4**に示した3種類があります。

近年では、物理的寿命を迎える前に、経済上や機能上の理由から建て替えられる場合も多くなっています。

住み慣れた住まいに手入れや修繕を行うことにより、老朽化を防ぎ長持ちさせることができます。住まいの老朽化を防ぎ耐用年数を延ばすためには、定期的な点検・修理および日常的な手入れや清掃が必要です。傷みや汚れが軽いうちに対処することで、手間や時間もかからず経済的な負担も少なくすみます。

表2－4 住まいの寿命

物理的寿命	建物の主要な構造材（木材、鉄筋コンクリートなど）の老朽化による耐用年数
機能的寿命	設備の高性能化、生活様式の変化等による耐用年数
社会的寿命	地域の再開発、土地利用の変化など、社会的経済的要因による耐用年数

1 点検と修理

高温多湿な環境条件にある日本では、住まいが傷みやすく、シロアリや腐朽菌が繁殖しやすくなっています。なかでも湿気対策は重要であり、雨漏り、外壁のひび割れ、床下の通風・換気、外まわりの水はけ・排水等の定期的な点検は欠かせません。また、シロアリなどによって木材が侵食される虫害を防止するためには、床下の湿度や日当たりに気をつけること以外に、羽アリとなった成虫を発見次第、専門業者に相談して早急に駆除を依頼する必要があります。

2 汚れとそうじ

室内で汚れやすい部分は、人の手がよく触れられる電気のスイッチまわりやドアノブ付近です。高さとしては、床から100～160cmくらいにあたり、足が触れる床から30cmくらいまでの範囲も汚れやすい部分となります。

そうじでは、汚れの性質や場所にあわせた方法と用具を用いて、汚れを取り除きます。

一方、気密性が増した近年の住まいでは、高温多湿環境のなか、かびやダニの発生が問題となっています。かびが発生しやすい浴室や押し入れの中などは、そうじにより栄養分となる汚れを取ったうえで、通風・換気を十分に行うことが大切です。ダニは、ぜんそくやアレルギーの要因ともなるため、通風・換気をよくし、布団や絨毯は日光によく当て、床にはていねいにそうじ機をかけることが必要です。畳の上に絨毯を敷いている場合、温度・湿度・栄養など、ダニの生育条件がそろってしまうため、とくに気をつけなければなりません。

長時間居室で過ごす高齢者や病人の場合は、そうじのための換気によって、暖まった室内に冷気を急に入れないことや、舞い上がったほこりが顔面にかからないような配慮をすることが大切です。具体的なそうじの仕方については、第 5 章第 2 節で学びます。

第4節

安全に暮らすための生活環境

学習のポイント

- 住宅内における転倒・転落、火の不始末などに備えた日常安全の重要性と対応策について理解する
- 災害や病気など、さまざまな緊急事態に対処するための非常時安全のポイントを理解する

関連項目 ②『社会の理解』▶第4章第3節「介護保険制度」

1 日常安全

1 住宅内事故の現状

消費者庁の分析によると、毎年約3万人以上の高齢者が「不慮の事故」で死亡しています。なかでも、「誤嚥等の不慮の窒息」「転倒・転落」「不慮の溺死及び溺水」については増加傾向にあります。「交通事故」「自然災害」を除いた総死亡者数に占める高齢者の割合は、8割以上となっています（**図2－9**）。

高齢者による事故は、その7割以上が住宅内で発生し、家庭内事故の発生場所は、居室や階段、台所・食堂が多く（**図2－10**）、そのきっかけは歩行していたときの転倒・転落事故が多くなっています。若年層ではちょっとした打撲ですむような場合でも、高齢者では骨折などの重篤化のリスクが高く、回復に時間がかかり、骨折がきっかけで寝たきりになる場合も少なくありません。

住宅内事故の原因は、本人や周囲の人の不注意によるところも多いのですが、住まいの構造や設備の不備などに起因する事故も多くなっています。

図 2－9　高齢者の「不慮の事故」(「交通事故」「自然災害」を除く)による死亡者数(年次別)※

年	死亡者数（左軸）(人)	総死亡者数に占める高齢者の割合（右軸）(高齢者/全年齢層)
平成19	21,935	78%
平成20	23,101	78%
平成21	23,304	79%
平成22	24,911	81%
平成23	25,992	82%
平成24	27,255	83%
平成25	26,448	84%
平成26	26,777	84%
平成27	26,473	86%
平成28	27,207	86%

※：厚生労働省「人口動態調査」調査票情報を基に消費者庁で作成。

出典：消費者庁「高齢者の事故の状況について」p. 2、2018年を一部改変

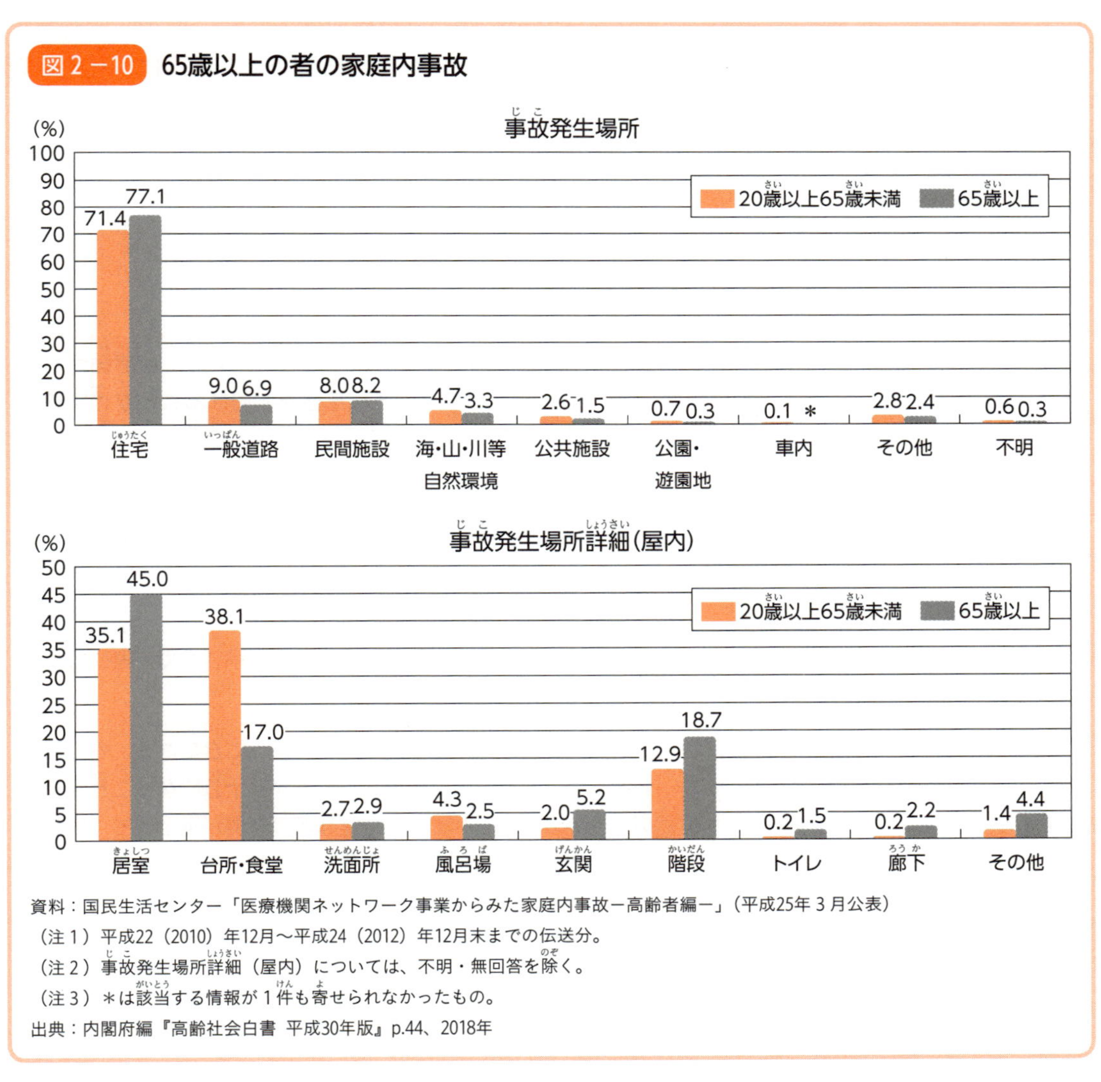

資料：国民生活センター「医療機関ネットワーク事業からみた家庭内事故－高齢者編－」(平成25年 3 月公表)

(注 1) 平成22 (2010) 年12月～平成24 (2012) 年12月末までの伝送分。

(注 2) 事故発生場所詳細 (屋内) については、不明・無回答を除く。

(注 3) ＊は該当する情報が 1 件も寄せられなかったもの。

出典：内閣府編『高齢社会白書 平成30年版』p.44、2018年

2 日本家屋の問題点

日本の住宅、とくに一戸建て住宅の多くは、伝統的な木造によってつくられています。一方、集合住宅などでは、鉄筋コンクリートや鉄筋鉄骨コンクリートなどでつくられるものも多いのですが、住宅内の設備機器・建具などは従来の日本の住様式によって構成されています。こうした日本の伝統的なデザインは、時代を超えてひきつぐべき住文化の一端をになう一方で、住宅内事故に結びつく要因ともなっています。**表2－5**は、安全な生活環境整備に向けて、確認しておきたい日本家屋の問題点をまとめたものです。

このような日常生活をさまたげる障壁（バリア）は、その人の状況によって異なりますが、こうしたバリアを取り除こうとする**バリアフリー**の考え方は、さまざまな分野で注目されてきました。今では、高齢者や障害者だけでなく、すべての人がいつでも利用できるように、住宅や環境を整えようとする**ユニバーサルデザイン**という考え方が浸透してきています。

表2－5　日本家屋の問題点

①段差が多い	高温多湿の日本では、湿気対策のために地盤面から450mm離れたところに床面を設置することが建築基準法で定められている。そのため、玄関などに段差が発生する。
②幅員がせまい	尺貫法（伝統的な日本の寸法体系で、基準寸法は910mm）を用いた木造軸組工法による住宅は、福祉用具などを使用する際はせまい。
③身体的負担が多い	ユカ座を取り入れた住まいは、高齢者や障害者にとって身体的な負担が大きい。
④冬の寒さに弱い	夏の暑さ対策を重視してつくられてきたため、冬の寒さ、とくに温熱環境への配慮が不十分になることが多い。廊下やトイレ、浴室などの暖房が不十分で、居室間の温度差が大きくなり、身体的な負担がかかることが多い。

3 日常安全のための対応策

（1）段差をなくす

敷居など数cmのわずかな床の段差は気づきにくく、つまずきによる転倒事故の原因となります。段差の解消が困難な場合には、段差部分に足元灯を設置したり、段差部分の床材を変更したりして、はっきり段差があることを認識できるようにしましょう。

また、めくれた絨毯や電化製品のコード、床に散らばった物が段差となってつまずく場合もあります。転倒による骨折から廃用症候群におちいってしまうこともあるため、まず物を片づけ、ちょっとした段差を解消すると同時に、すべりやすい敷物、足が引っかかりやすい形状の敷物や床材などを避けるなどが必要となります。

階段は、スムーズな動作で昇降ができるように、**蹴上げ**❶と**踏面**❷の寸法が適切となっている必要があります。建築基準法上では、蹴上げ23cm以下、踏面15cm以上と最低基準が定められていますが、実際には蹴上げ18cm以下、踏面26cm以上で勾配が35度以下となっていると、健常者にも昇降しやすいとされています。また、階段の手すりは、両側に設置するとより安全ですが、両側設置が困難な場合は降りるときの利き手側に設置します（降りるときに転落事故が多いため）（図2－11）。図2－11は安全な階段の各種条件を示したものですが、安定した姿勢で階段を利

❶**蹴上げ**
階段の一段の高さ

❷**踏面**
階段の足をのせる板の奥行き

図2－11　安全な階段の条件

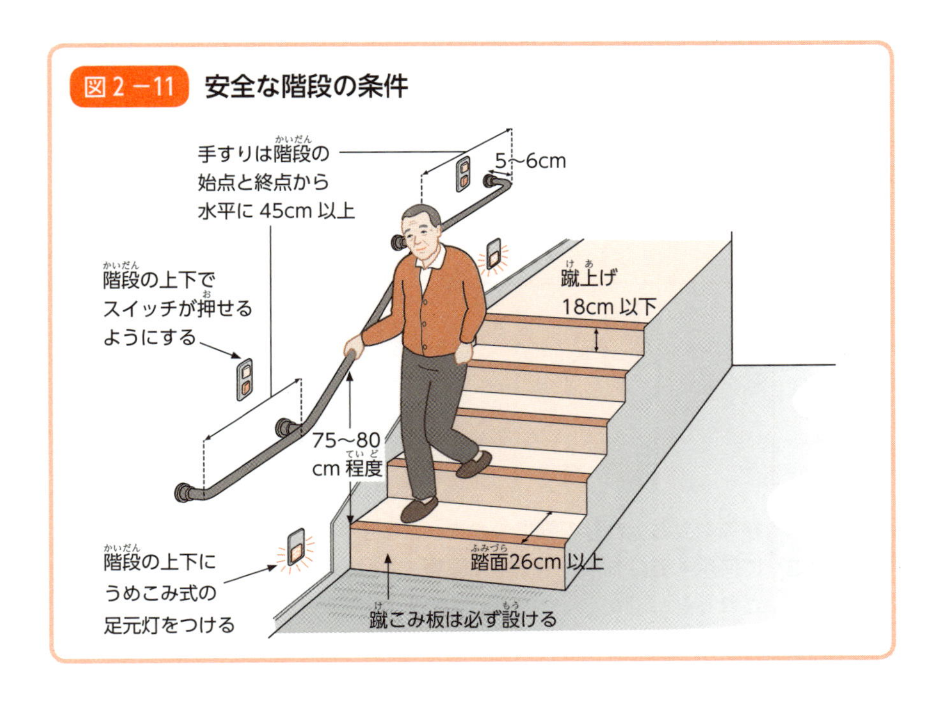

用することが困難な場合は、原則として利用を避け、おもに生活する部屋は１フロアにするなど、できる限り同一平面上で生活できるように整えていくことが求められます。

屋内外の段差解消には、ゆるやかな階段、またはスロープの設置が一般的です。安全な傾斜が確保できない場合は、段差解消機やホームエレベーターの利用・併用の検討も考えられます。

（２）手すりの取りつけ

手すりには、**横手すり（ハンドレール）**と**縦手すり（グラブバー）**、**複合手すり（Ｌ型、波型など）**の３種類があります（**表２－６**）。手すりの形状は丸型が基本ですが、肘をのせてすべらせて利用するなど目的に応じて必要な形状を検討していきます。

ハンドレールは、にぎらずに手をすべらせて使うことから、直径32～36㎜程度とします。グラブバーは、力が入りやすいよう、にぎったときに親指とほかの指先が重なる28～32㎜程度がよいとされます。

また、手すり端部は、衣服袖口を引っかけないように、壁面側または下方に曲げこみます。ハンドレールは、高さ750～800㎜で切れ目なく連続させて設置し、グラブバーは移乗や立ち座り動作が必要な場所ごとに設置することを検討していきます。いずれにしても、使用者が決まっている場合には、本人の身体状況・身体寸法にあわせることが基本となります。

表２－６　手すりの種類

横手すり	縦手すり	複合手すり（Ｌ型、波型など）
身体を移動する際に、手をすべらせて使う。廊下や階段に設置される。	移乗や立ち上がりの際につかまって使用する。トイレや浴室に設置される。	横手すりと縦手すりの機能をあわせもつ。

図2－12　ドアの種類

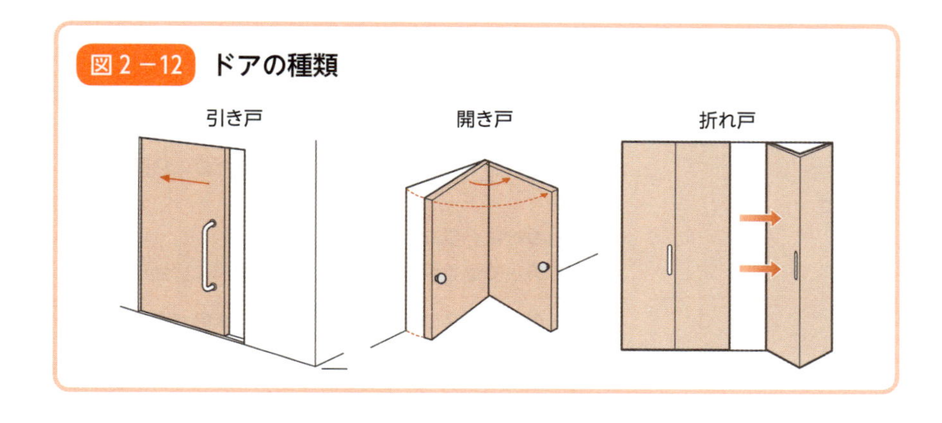

(3) ドアの形状

ドアには、引き戸、開き戸、折れ戸などがあり、一般には引き戸がよいと考えられています（図2－12）。

引き戸は、障子やふすまなどの開閉方法で、開閉のためのスペースが少なく空間を有効利用できます。また、開き加減の調節が簡単で、風による影響が少ないこと、ドアのそばまで行って開閉するため姿勢が安定しているなどから、近年は多用されています。

開き戸は、押すか引くかの動作で開閉するもので、開閉時の前後移動が大きいため、杖使用者や歩行困難者などにとっては使いにくい形状です。やむをえず、開き戸を使用する場合は、外開きを基本とします。とくに、トイレなどのせまい部屋で倒れるなどの緊急時にも、外開きであれば救出が容易となります。

折れ戸は、クローゼットなどの収納仕切りや簡易間仕切りなどに用いられる、折りたたんで開閉するしくみのドアです。引き戸や開き戸が設置できない場合（戸の引きこみスペースが確保できない場合など）に使用されます。引き戸や開き戸に比較して、気密性やプライバシーの確保は困難ですが、ドア開閉時の移動量が少なく、広い間口をとることが可能なため、介助面で便利な場合もあります。

(4) 住宅改修と介護保険制度

2000（平成12）年に介護保険制度が開始され、そのなかで、在宅の要介護者・要支援者を対象とし、居宅介護住宅改修費・介護予防住宅改修費の支給および福祉用具の貸与・購入費の支給が行われています（表2－7）。介護を必要とする状態となっても、できる限り自立した生活が送れるよう、また、介護を必要としない場合でも、従来の生活を続けら

表2－7　介護保険制度で利用できる住宅改修・福祉用具

区分		項目	内容
住宅改修費の支給		① 手すりの取りつけ	・廊下、トイレ、玄関、玄関から道路までの通路などでの転倒予防・移動・移乗動作を助けるために設置するもの ・取りつけに必要な下地補強を含む ・取り外しできる手すりは除く（福祉用具に該当）
		② 段差の解消	・段差の撤去、スロープの設置、浴室の床のかさ上げなど、段差を除去するための住宅改修 ・福祉用具のスロープの設置やすのこなど、工事を要しないものは除く ・昇降機やリフトなど動力による段差解消機は除く
		③ すべりの防止および移動の円滑化等のための床または通路面の材料の変更	・居室や浴室の床材の変更 ・床材の変更にともなう下地の補修や補強（地盤整備も含む）
		④ 引き戸等への扉の取り替え	・扉の取り替え、ドアノブの変更、戸車の設置などを含む ・自動ドアの動力部分は除く ・扉の取り替えにともなう壁または柱の改修工事を含む
		⑤ 洋式便器等への便器の取り替え	・和式便器から洋式便器への取り替えなど ・工事を要しない腰かけ便座などは除く ・水洗化などの工事は除く ・便器の取り替えにともなう床材の変更を含む
		⑥ 各工事に付帯して必要になるもの	
福祉用具	貸与	① 車いす　② 車いす付属品　③ 特殊寝台　④ 特殊寝台付属品 ⑤ 床ずれ防止用具　⑥ 体位変換器　⑦ 手すり　⑧ スロープ　⑨ 歩行器 ⑩ 歩行補助杖　⑪ 認知症老人徘徊感知機器　⑫ 移動用リフト（つり具の部分は除く） ⑬ 自動排泄処理装置	
	購入費支給	① 腰かけ便座　② 自動排泄処理装置（交換部品）　③ 入浴補助用具　④ 簡易浴槽 ⑤ 移動用リフトのつり具の部分	

れるように介護予防を通じて支援するしくみの１つです。

介護保険制度での**住宅改修**は、原則として介護支援専門員（ケアマネジャー）のケアマネジメントにより進められていきます。夫婦のどちらかが要支援、または要介護の認定を受けていれば、改修費用から自己負担分（収入により異なる）を除いた額が保険から支払われることになります。支払われる改修費用の支給限度額は20万円、超える部分は全額自己負担となりますが、数回に分けて利用することもできます。ただし、新築や増改築には使えません。

福祉用具に関しては、貸与が原則ですが、ポータブルトイレや浴槽チェアなど再利用に心理的抵抗感がともなうもの、使用により形態・品質が変化するものは**特定福祉用具**として購入費も支給の対象となります。これらも要介護度によって使用できる種目に制限があるので、身体状況や特性に応じて作業療法士（OT）、理学療法士（PT）、福祉用具専門相談員等と相談しながら決めることが必要です。

2 災害に対する備え

自然災害に対する予防と安全な避難について、次のような対策を考えておくことが必要です。

・家具の転倒・移動を防ぐために、できるだけ建物本体に固定する。
・戸棚の中の収納物が飛び出すと、負傷や避難のさまたげとなるので、飛び出し防止の機能があるものとするか、外づけのストッパー等を利用する。
・重いものは下方に収納する。
・窓や食器棚などのガラス扉には、ガラス飛散防止フィルムを貼る。
・屋根や外壁、塀の落下や倒壊予防のため定期点検を実施すると同時に、ベランダ等外部に落下の危険があるものなどを置かない。
・戸外への避難経路を少なくとも2方向確保しておく。
・避難時に持ち出す物品（常備薬、食料、貴重品等）は小さめのリュック等にまとめておく。

そのほか、1人暮らしの高齢者や老夫婦、障害者が火災や救急など緊急の場合にすみやかに救急車を要請できる緊急通報システムというものがあります。しかし、緊急性の有無の判断が本人にゆだねられることが前提となるため注意が必要です。

また、火災発生時に、自力で避難することが困難な人が利用している社会福祉施設等では、原則として延べ面積に関係なくスプリンクラー設備を設置することが義務づけられました。また、火災通報装置を自動火災報知設備と連動して自動的に起動させることも義務づけられています。

緊急通報は、警備会社のセキュリティサービスとあわせて検討することが可能です。しかし、こうしたシステムの活用を考慮しつつ、いざというときに助け合えるような近隣関係を確立していくことが望まれます。

◆参考文献

- 中川英子編著『新版 福祉のための家政学――自立した生活者を目指して』建帛社、2017年
- 水村容子・井上由紀子・渡邉美樹編『私たちの住まいと生活』彰国社、2013年
- 岩井一幸・奥田宗幸『図解すまいの寸法・計画事典 第２版』彰国社、2004年
- 日本建築学会編『第２版 コンパクト建築設計資料集成 住居』丸善、2006年
- 井上千津子・阿部祥子編著『生活支援の家政学』建帛社、2009年
- 後藤久・飯尾昭彦・定行まり子・下村律・鈴木賢次・水沼淑子『リビングデザイン』実教出版、2015年
- 長澤泰監、浅沼由紀『高齢者のすまい――IS建築設計テキスト』市ヶ谷出版社、2014年
- 中根芳一編著『私たちの住居学――サスティナブル社会の住まいと暮らし』理工学社、2006年
- 日本建築学会編『第３版 コンパクト建築設計資料集成』丸善、2005年
- 吉田桂二『間取り百年――生活の知恵に学ぶ』彰国社、2004年
- 日本家政学会編『住まいの百科事典』丸善、2021年

第5節

居住環境の整備における多職種との連携

学習のポイント

- 居住環境整備にかかわる職種とその役割について学ぶ
- 事例からチームケアのあり方を具体的に学ぶ

関連項目
①『人間の理解』 ▶第3章「介護実践におけるチームマネジメント」
④『介護の基本Ⅱ』 ▶第4章「協働する多職種の機能と役割」

1 居住環境の整備における多職種連携の必要性

加齢にともない生活機能が低下し、疾病や障害があってもできるだけ住み慣れた自宅で自分らしく生活したいとだれもが考えるのは自然なことです。国の施策でも、地域包括ケアの推進がはかられています。高齢者が住み慣れた地域でいつまでも住みつづけるためには多職種による連携が必要です。

介護が必要になっても住み慣れた自宅で自立した生活を送るためには、福祉用具の活用のほかに住宅改修を考えます。住宅改修のおもな目的は、①利用者の日常生活動作を助け自立生活をうながす、②転倒や転落などの事故を予防する、③家族の介護負担を軽減する、④地域とのつながりがもてる、ということなどがあげられます。とくに高齢者の居住環境の整備については、住宅改修や福祉用具の導入に関連して介護の専門職だけでなく、医療関連職種や福祉関連職種、建築関連職種との連携が必要です。

介護福祉職は、利用者の日常生活に直接かかわっているため、利用者や家族の求めに応じて福祉用具の活用や住宅改修に関する助言を行う場面もあります。そのため、居住環境を整備する視点をもち、利用者とかかわります。

ここではおもに介護保険制度からみた在宅における住宅改修に焦点を

あて、関連職種の役割と機能について理解を深め、介護福祉職の連携のあり方について学びます。

2 他職種の役割と介護福祉職との連携

（1）医療職（医師・看護師・理学療法士・作業療法士）

医師（かかりつけ医）から情報提供される利用者の既往歴や現病歴、障害の有無、服薬の状況や予後の見通し、日常生活を送るうえでの留意点などは、介護福祉職が移動や食事、排泄、入浴、その他の介護等を安全に行ううえで重要なものです。たとえば、リウマチやパーキンソン病がある利用者の病状として、日内変動があり、進行性であることのほか、具体的な病状などをかかりつけ医から提供されます。それを受けて、介護福祉職は、利用者の日常生活の状況を観察、把握し、状態の悪化がみられる場合は、かかりつけ医に情報を伝えることが必要です。今後は、多様な疾患をもち、医療依存度の高い利用者が、在宅生活を選択するケースも増えていくことが考えられます。利用者の心身機能に応じた居住環境整備を考えるうえで、介護福祉職はかかりつけ医と情報共有し協働することが求められます。

看護師は、利用者の健康状態をチェックするとともに健康状態の変化をかかりつけ医へ報告し、医師の指示にもとづいた処置を行います。看護師は利用者の病状や治療内容を把握しているため、たとえば、老衰などにより臥床状態にある利用者が褥瘡を併発するおそれがある場合には、介護福祉職と協働し、定期的な体位変換を行うことがあります。経管栄養や痰の吸引、ストーマなどの医療的ケアを必要としている利用者には、介護用ベッドや車いすなどの福祉用具の活用に加えて、日中は寝室で過ごすのか、離床し居間で過ごすのかによって、室内の温度や換気、照明やにおいも含めた過ごしやすい生活空間を整え、安全・安楽で安心して生活できるよう介護福祉職と協働します。

理学療法士（PT）は、身体に障害がある利用者の起居動作、移乗、移動、歩行や階段昇降など、基本動作能力の評価や評価にもとづくリハビリテーションの指導等を行う専門職です。たとえば、便座から起立できない場合に下肢筋力の低下か、それとも下肢の関節の動きが悪いためか、あるいは、身体全体の体重移動が困難となっているのか、など機能面を評価し、運動療法や物理療法を行います。

作業療法士（OT）は、応用的な動作である整容や食事、更衣などのセルフケアや洗濯、調理、そうじなどのIADL（Instrumental Activities of Daily Living：手段的日常生活動作）、趣味や余暇活動など作業を通じて利用者の身体機能の回復や維持をはかる専門職です。住宅改修では、理学療法士や作業療法士が利用者宅を訪問し、身体機能の評価とともに家屋の状況と照らしあわせ、住宅改修のアドバイスを行います。

理学療法士や作業療法士は、介護福祉職からえる情報を利用者の在宅生活における問題点の発見と動作分析やADL（Activities of Daily Living：日常生活動作）の評価に役立てます。単に「できる」か「できない」か、「自立」か「介助」かだけではなく将来を見すえ、住宅改修後の安全性や快適性も含めて判断します。また、介護福祉職は、理学療法士や作業療法士からの情報を共有し、住宅改修後の利用者の生活動作の観察や動作介助の方法を確認し、家族に適切な助言をするなど介護の支援にいかします。

（2）介護支援専門員（ケアマネジャー）

介護支援専門員（ケアマネジャー）は、要支援・要介護状態となっても住み慣れた地域や環境のなかで、家族や友人とともにこれまでの生活を継続したいという利用者の思いを尊重し、利用者の相談に応じ利用者みずからが必要なサービスを選択できるように、ケアプラン（居宅サービス計画）を作成することが役割となっています。介護福祉職は、利用者の1日の生活を把握し、移動・移乗や食事、排泄、更衣、入浴などの動作がどの程度可能なのか、自宅ではどのような動線で動いているのか、どのように介助されているかなどの情報を介護支援専門員へ伝えます。その情報は、介護支援専門員が利用者により適したケアプランを作成するのに重要なものとなります。

また、住宅改修をすれば連携が終わるのではなく、利用者の心身の変化にともない、生活動作のどこが制限されているのか、何をどう改善すれば無理なくできるようになるのか、など情報共有します。ケアプラン作成にあたり、介護支援専門員は、居宅サービス事業者とサービス担当者会議を開き調整を行います。住宅改修や福祉用具の導入を検討する際には、介護福祉職のほか、行政や医師、理学療法士、作業療法士、建築士、工務店など関係する事業者と連絡調整をはかります。

（3）市区町村職員（行政職）

市区町村は、介護保険の保険者であり、住宅改修については、市区町村職員が窓口となり、保険給付の決定を行っています。介護支援専門員は、ケアプラン作成の際に、生活環境を整える必要性から住宅改修について提案したり、利用者からの住宅改修の申し入れがあった際には、相談にのり、住宅改修の工事着工前に市区町村の窓口で必要な書類（住宅改修が必要な理由書等）をそろえ申請手続きを行います。介護福祉職は、利用者の移動動作や日常生活動作に困難さがみられた場合に、利用者や家族の住宅改修についての相談に応じ、情報提供することがあるため、住宅改修の制度やしくみについて理解しておくことが必要です。

（4）建築関係者

建築士は、建築物の設計や工事の監理を行う技術者です。住宅の改修にあたっては、住まいの工夫や適応の可能性など専門的な立場からアドバイスをします。自治体によっては、介護保険制度の住宅改修を適切に活用してもらおうと、リフォームヘルパー制度、住宅改修アドバイザー制度（市が委託した建築士、理学療法士、作業療法士等で構成されている）等が整備され、家屋の条件や本人の身体状況にあわせて、もっとも使いやすく安全な住宅改修を行うために専門的な立場からの助言を行っているところもあります。住宅改修の申請は、介護支援専門員が市区町村窓口の介護保険、住宅改修の担当者へ提出する流れになっていますが、建築士は、利用者の身体状況や生活環境に考慮した改修プランを作成するスキルをもっているとは言い切れないため、介護支援専門員や介護福祉職からの情報提供が求められます。

住宅改修を依頼できるおもな業者には、工務店やハウスメーカー、建築設計事務所があります。工務店とは、おもに個人需要の住宅建築を請け負う比較的小規模な建設業者のことです。その多くは、設計から施工までを一括して依頼することができます。施工業者は、改修工事の専門家ですが、介護保険制度の内容や介護に関する知見がないため、申請された改修計画が、利用者の身体状況に合ったものとなるように介護支援専門員や介護福祉職、理学療法士や作業療法士、看護師などが情報を共有し、連携することが求められます。

住宅改修では、建築関係者の専門的知識と技術を参考に多職種が利用者の状況をアセスメントし、よりよい環境の整備に向けて連携します。

3 居住環境の整備における多職種連携の実際

事例

自宅に手すりを設置したことにより、退院後も自宅での生活が継続できたAさんの事例

1 Aさんの状況

Aさん（88歳、女性）は、長男（65歳）と2人暮らしです。Aさんは認知症があり、4か月前に嘔吐と下痢が続き、食事摂取が困難となりました。病院に行ったところ、逆流性胃腸炎と診断され入院加療していました。病状が安定したので退院することになりましたが、歩行が不安定な状況で、自宅に戻るには住宅改修を行う必要が出てきました。自宅の1階は長男が営んでいる店舗で、2階は店舗と店舗の厨房、3階がAさんの居住スペースとなっています。

住宅改修をするにあたり、長男が知人に相談したところB居宅介護支援事業者の介護支援専門員（以下、ケアマネジャー）を紹介され、相談につながりました。まず、要介護認定の申請をしたところ、Aさんは要介護2と認定されました。

2 家屋評価

ケアマネジャーは、退院前にAさんと長男、病院のソーシャルワーカー、理学療法士、看護師長、福祉用具事業者等とともに家屋の評価を行いました。

その際に、Aさんは、早く退院したいが自宅の階段昇降が1人でできないこと、ベッドとトイレの往復が不安であること、長男は店を営んでおり介護の負担はかけたくないこと、長男に仕事は続けてほしいと思っていることがわかりました。長男は、日中母親につきそうことはできないが、Aさんを自宅で生活させたい、仕事は続けていきたいとの思いがあることを確認しました。

家屋評価により、①玄関から居住スペースの3階までは、急な勾配のある階段を上り下りしなければならないため、Aさん1人での昇降がむずかしいこと、②長男の介護負担を軽減すること、③退院に向けた階段昇降のリハビリテーションと退院後の継続的なリハビリテーションが望ましいことなど、課題が出されました。

3　ケアプランの作成

ケアマネジャーより「通所リハビリテーション」（デイケア）による歩行訓練、通所リハビリテーション利用時の送り出しの支援として「訪問介護」（ホームヘルプサービス）を利用すること、また、「訪問リハビリテーション」による階段昇降や日常動作の機能訓練の実施、室内の移動を安全にするための住宅改修による階段の手すりの設置、「福祉用具貸与」による置き型手すりと室内の移動が可能となる「ベストポジションバー」（天井から床まで伸びている支柱のこと）の設置とあわせて検討され、ケアプランが作成されました。

ケアプランの長期目標は、長男に介護の負担をかけたくないというAさんの思いから、昼・夜ともにトイレでの排泄が自力でできること、短期目標は、ベッドとトイレの移動が人の手を借りずに手すりにつかまり移動できること、としました。

訪問介護では、週に3回の通所リハビリテーションを利用するにあたり排泄や着脱介助、外出準備、移動では階段昇降の介助を支援内容としました。

4　住宅改修の実施

退院後住宅改修のための申請書や工事の見積書、「住宅改修が必要な理由書」を事前に作成し、行政へ申請するという流れで住宅改修の施工となります。早く自宅に戻りたいというAさんの思いもあり、住宅改修以外のサービス開始とともに自宅での生活がスタートしました。はじめは、手すりにつかまりながらトイレへ移動する際に尻もちをついたり転倒したりすることもありました。また、階段では訪問介護員（ホームヘルパー）がつきそいをしても両手をついて上り下りをしている状況でした。

退院から1か月後には、トイレ入り口の縦手すりとらせん階段の横手すりの取りつけ工事が完了しました（自宅平面図参照）。Aさんは、訪問介護員の介助が必要であった当初に比べると、声かけや見守りにより手すりを上手に使い、階段昇降ができるようになりました。介助を通して福祉用具の手すりの正しい使い方も認識できるようになり、からだの支えも安定してきました。通所リハビリテーションや訪問リハビリテーション、訪問介護等のサービスが一体となり、それぞれの専門職が専門領域をいかしてAさんの自立に向けたサポート体制を築くことができたことで、住宅改修後は、転倒することなく過ごすこと

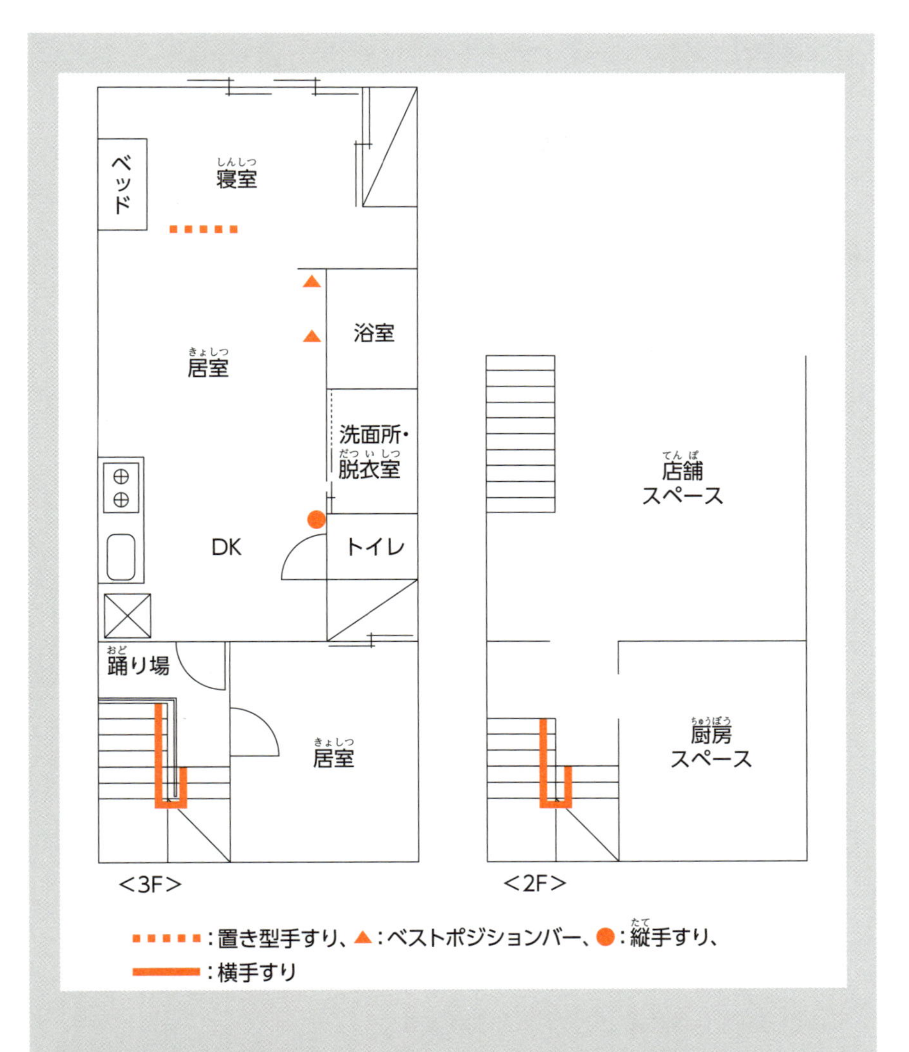

ができるようになりました。

5　住宅改修後のAさんの状況

ある日、Aさんは、訪問介護員に通所リハビリテーションでの過ごし方について「もう少し歩きたいと思っているのよ。でも私、言いづらいわ。１日座っているだけだから」とつぶやきました。訪問介護員は、そのことをケアマネジャーに相談しました。そのときのAさんは、個別に行う機能訓練時は歩行訓練をしていますが、ほかは車いすで過ごすという状況でした。ケアマネジャーは理学療法士と相談し、サービス利用の１か月後から訓練以外のときも手引き歩行で過ごすこととし、２か月後には自力歩行ができるまで改善されました。

その後、退院から８か月後には訪問リハビリテーションは終了し、訪問介護員の通所リハビリテーションの送り出しの支援も、訪問介護員からの「ヘルパーはもう卒業してもいいのでは」という申し出により、サービス担当者会議を経て退院後1年で終了となりました。要介護認定の区分変更を申請したところ、1年で要介護1へ軽度変更となり、介護保険のおもなサービスは通所リハビリテーションと福祉用具貸与の置き型手すりのみで在宅生活を送れるようになりました。

6 まとめ

住宅改修の相談先で多いのは、居宅介護支援事業所です。退院後も自宅での生活が継続できるように相談が寄せられ、その際、居宅介護支援事業所にいるケアマネジャーが相談窓口となっています。

住宅改修では、本人と家族がおかれている状況や困っていることのほか、今後の予測も含めてアセスメントし、居住環境を整えることが求められます。Aさんの事例のように、手すりを取りつけることで生活機能やQOL（Quality of Life：生活の質）の向上につながることもあります。住宅改修は、ケアマネジャーを中心として、医療や福祉、行政や施工業者とがそれぞれの専門性をいかし連携することで、利用者の望む生活が実現されることが重要です。また、日々利用者と接している介護福祉職からの情報提供は、居住環境の整備にかかわるほかの専門職にとっても共有したい情報となります。介護福祉職は、利用者の日々の暮らしを支える専門家です。生活支援の観点から利用者の自立を支援するには、多職種協働によるチームケアを実現するための能力を向上させることが求められます。

◆参考文献

- 川井太加子編『最新 介護福祉全書5　生活支援技術Ⅰ』メヂカルフレンド社、2014年
- 土屋典子・大渕修一・長谷憲明『ケアプランの作り方・サービス担当者会議の開き方・モニタリングの方法』瀬谷出版、2015年
- 中川英子編著『新版 福祉のための家政学――自立した生活者を目指して』建帛社、2017年
- 大阪介護支援専門員協会学術研究部監『居宅ケアプラン作成事例集32――ビギナーからエキスパートまで』新元社、2017年
- 内閣府編『高齢社会白書 平成30年版』2018年
- 内閣府「高齢社会対策大綱」2018年
- 平成29年度老人保健事業推進費等補助金老人保健健康増進等事業「『住宅改修に係る専門職の関与のあり方に関する調査研究事業』報告書」シルバーサービス振興会、2018年
- 真継和子・宮島朝子・相良二郎「研究活動報告 介護保険制度による住宅改修に関する研究動向」『京都大学医学部保健学科紀要：健康科学』第4号、2007年
- 岡本久子「介護保険制度の住宅改修におけるケアマネジャーの役割」『花園大学社会福祉学部研究紀要』第17号、2009年
- 蛭間基夫・鈴木浩・坂田実花・小池青磁「高齢者の居住継続のための住宅改善における理学療法士の役割――墨田区を中心として」『住宅総合研究財団研究論文集』第37号、2010年
- 平成25年度老人保健事業推進費等補助金老人保健健康増進等事業「住宅改修事業者の市区町村における状況把握、管理状況に関する調査研究事業調査結果報告書」シルバーサービス振興会、2014年

演習2－1　快適な室内環境の条件

快適な住まいの条件を整えるためには、どのようなことに注意をすればよいのか、次の表に留意点をあげてみよう。

光の調整	
音の調整	
温度・湿度の調整	
通風・換気の調整	
かび・ダニの排除	
シックハウスの注意	

演習2－2　自宅で生活を続けるための環境整備

1人暮らしのCさん（90歳、女性）は、変形性膝関節症を患っており、立ち上がり、歩きはじめなどに痛みがある。歩行時の姿勢は、O脚と円背のため、ふらつきがみられる。また、階段昇降もだんだんと困難になってきている。Cさんは、できるだけ自宅で生活したいと思っている。

Cさんが自宅で生活していくために、住まいに必要とされる環境整備と留意点について、グループで話し合ってみよう。

生活空間	Cさんが自宅で生活を続けるために必要な環境整備と留意点
階　段	
浴　室	
トイレ	
台　所	
廊　下	
玄　関	
寝　室	
居　間	

第3章

自立に向けた移動の介護

第1節　自立した移動とは
第2節　自立に向けた移動・移乗の介護
第3節　移動の介護における多職種との連携

※本章のAR動画は『根拠に基づく生活支援技術の基本』（白井孝子、櫻井恵美＝監修／中央法規出版＝発行）の映像を使用しています。

第1節

自立した移動とは

学習のポイント

- 自立した移動のあり方について理解する
- 自立した移動の一連の流れを理解する
- 自立に向けた移動の介護をするために介護福祉職がすべきことを理解する

1 自立した移動とは

移動という字は、「移り動く」と書き、一般的には場所から場所へと移ることをさします。狭義にとらえれば、ベッドや布団で寝返りをうち姿勢を変える、身体の位置を上方や下方、あるいは側方へずらす、起き上がり座るといった動作も移動に含まれます。

この移動は、人が生活をしていくうえであらゆる生活行為に密接に関連しているといえます。

家の中での生活をイメージしてみると、就寝中における寝返りや姿勢の変換、起き上がり座るといった起居動作、食事をとるために食卓まで移動する、排泄するためにトイレまで移動する、入浴するために浴室まで移動する、洗面のために洗面所に移動する、テレビを観るためにリビングに移動する、就寝するために寝室に移動するなど、さまざまな場面において、移動して自分の目的とする行為をしていることがわかります。

外出場面においては、学校や職場に行く、スーパーに買い物に行く、映画を観に行く、友人に会いに行く、散歩に行く、レジャーや旅行に行くなど、こちらもさまざまな場面で移動することによって目的とする行為を果たしており、行動範囲を広げることで社会生活を豊かにしているといえます。

このように、移動は生活のなかで欠かせない重要な役割をになっているのです。

そして、この移動という行為を行う際には、必ず目的が存在しているということに注目する必要があります。人間の行動には何らかの意味や理由が存在しています。就寝中は、無意識のうちに寝返りをうっていますが、そこには体圧を分散させ背中や腰の痛みをとるといった意味があります。また、場所から場所への移動においても、自身の目的とする行為を成り立たせるために移動を行っており、そこには、その人の意欲や意思が必ず存在しています。

本来、人が移動するときには、自身の目的にそって行動しています。まず目的とする行為が思い浮かび、移動しようとする意欲が生まれます。そして、移動することの意思決定がなされて、行動に移しているのです。

この移動することに対する意思決定は、その人固有のものです。たとえば、食事をとろうと思う時間や、排泄のタイミング、入浴の時間、外出等の時間は人それぞれ違うものです。その人の目的に応じて、自由に移動することの選択がなされることが、自立した移動において不可欠となります。

そして、実際に移動する際の手段には、自分の足で歩く、車いすに乗り自分で操作する、自転車に乗る、車を運転する、バスや電車、タクシーを利用するなど、さまざまなものがあります。このときも、自身の身体機能や能力、移動にかかる距離、行き先、疲労度などを考慮したうえで移動手段を選択し、移動という行為を成り立たせています。

もし、利用者に何らかの心身の障害があり、みずからの力のみでは移動することができないとしても、みずからの意思を示して介護者の支援を受け、目的とする行為が果たされるのであれば、これも自立した移動ということになります。

また、利用者がみずからの意思を示すことができない場合であっても、その人の立場に立って意思をくみとり、何のためにどのような行動をするのかをしっかりと説明し、移動の支援を行っていくことが、自立した移動を支えるうえで大切になります。

2 自立した移動の一連の流れ

生活のなかで移動は、なにげなく自然に行っている行為ですが、そこには必ず目的があり、さまざまな意思決定がなされて行動していることがわかります。

たとえば、朝起きてから目的地に出かけるまでの移動のプロセスについて、一例をあげてたどってみると**表３－１**のとおりとなります。

具体的に**図３－１**を見ながらイメージしてみましょう。①～⑥までは家の中での移動、⑦～⑩は玄関を出てからの移動行為を示しています。

家の中での移動では、目的とする生活行為の場所から場所へと歩く、もしくは車いす等の福祉用具を使用して移動しています。外に出た後は、歩く、車いすを使用することのほかに、バスや電車、自転車、車といった交通手段を用いて目的地まで移動しています。

介護が必要な利用者に対しては、一連の流れのどこに支援が必要かを分析し、利用者のこれまでの生活習慣や社会参加状況をふまえて、適切な支援方法を身につける必要があります。

3 自立に向けた移動の介護をするために介護福祉職がすべきこと

介護を必要とする利用者は、何らかの疾患・障害のために、自立した移動の一連の流れのどこかに何らかの支援が必要になります。

たとえば、麻痺や筋力低下等により、寝返りや起き上がりといった起居動作が自力でできない利用者に対しては動作の介助が求められます。また、車いすを使用する場合においても、自力で移乗ができない場合は移乗介助が必要となります。

歩行や車いすを使用しての移動にあたっては、安全に留意して目的とする場所まで誘導したり、必要に応じて介助をすることが求められます。

さらに、車やバス、電車等の交通手段を活用する場合には、乗降の見守りや介助が必要となります。

いずれの場合においても、利用者のできるところは見守りを行い、できないところを見きわめ、必要に応じた介助をする姿勢でかかわります。また、利用者の残存機能を活用したり、福祉用具を活用することで、少しでも自力で移動することが可能となるように取り組んでいくことが求められます。

表3－1　移動の一連の動作

① 起床して、排泄するためにトイレに移動する。
② トイレから洗面所に移動して、顔を洗う。
③ 洗面所から食卓に移動して、食事をとる。
④ 食卓から洗面所に移動して、歯みがき、整髪、化粧等を行う。
⑤ 洗面所から部屋に移動して、着替えを行う。
⑥ 部屋から玄関まで移動する。
⑦ 玄関を出てバス停まで移動する。
⑧ バスに乗り、駅に移動する。
⑨ 電車に乗り、目的地の最寄駅まで移動する。
⑩ 駅から目的地まで移動する。

図3－1　移動の一連の動作

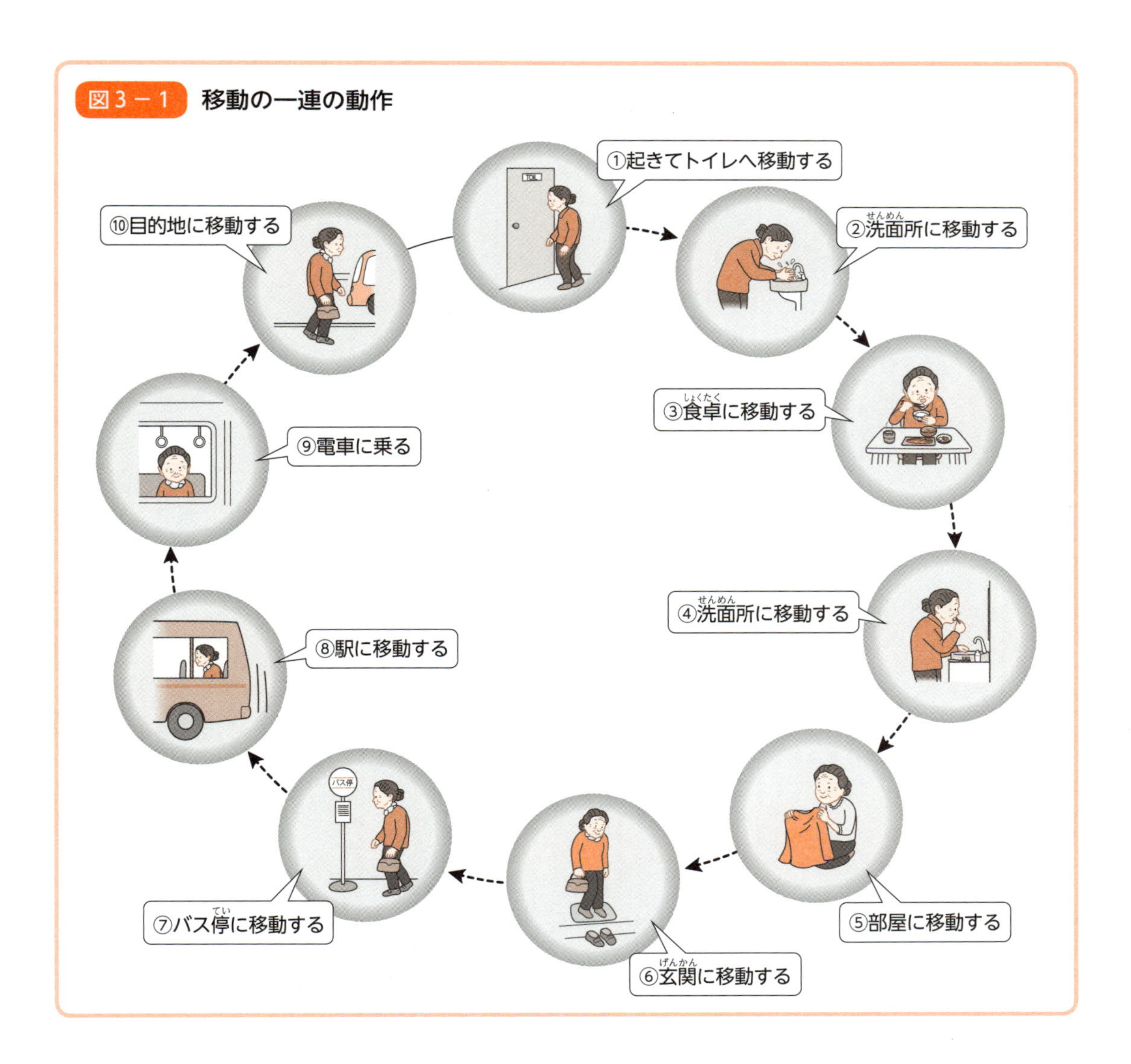

また、介助にあたっては、移動には必ず目的が存在するということを頭に入れ、利用者の希望を尊重する姿勢をもつよう心がけましょう。利用者が自由に思いどおりの移動ができるよう支援にあたることが大切です。

移動は、生活のなかでなくてはならない非常に重要な行為です。移動することができないと、ベッドや布団の上での生活を余儀なくされることになります。そうなると必然的に生活の空間は居室に限定されることになり、いわゆる寝たきりの状態となるため生活が不活発になります。その結果、**廃用症候群（生活不活発病）**[1]を招くことになり、自立した生活からますます遠ざかってしまいます。

介護福祉職は利用者が離床して、自身の主体的な意欲をもって目的とする生活が送れるよう、移動の支援にあたっていくことが求められます。

❶廃用症候群（生活不活発病）
動かない（生活が不活発な）状態が続くことにより心身の機能が低下して、動けなくなること。

第2節

自立に向けた移動・移乗の介護

学習のポイント

- ボディメカニクスを応用した、利用者と介助者の身体的負担が少ない介助方法を学ぶ
- 介護の原則「安全・安楽、自立支援、個人の尊厳」にのっとり、利用者が安心して活動・運動するための基本技術を学ぶ
- 移動・移乗のための環境と整備、福祉用具について学ぶ

関連項目　⑪『こころとからだのしくみ』▶第3章「移動に関連したこころとからだのしくみ」

1 移動・移乗の基本的理解

1 移動動作の基礎となっている理論

私(わたし)たちは、日常生活のなかで食べる、つくる、話す、読む、書く、遊ぶなどの活動をしています。活動は「こころとからだに刺激(しげき)を与(あた)えること」であり、健康と切り離(はな)して考えることができない重要な生活行動です。活動は、その人がその人らしく生きることにつながる、重要な意味をもっています。活動とは、意図をもって行動することであり、それは、運動（からだを動かすこと）によって、移動（ある場所からほかの場所へ移(うつ)ること）することが必要になります。

その支援のためには、支援する利用者の身体構造(こうぞう)・運動学的、力学的な理解も必要となってきます（**表3－2**）。また、その視点(してん)をもってボディメカニクスを意識(いしき)した支援を構築(こうちく)する必要もあります。

表3－2　動作の基礎となっている理論と内容

理論	内容	介助時の視点、応用
支持基底面積	物体や身体を支える（支持）ための基礎となる、床と接している部分を結んだ範囲のこと。	・広くする→安定する、重心移動が安定する→接地面、摩擦面が増えて動かしにくくなる。 ・せまくする→不安定になる→接地面、摩擦面が減って動かしやすくなる。
重心	物体を一点で支えてバランスをとろうとした場合の点。その物体のすべての重さがかかっていると考えられる点のこと。	・高くする→不安定→慣性の法則がはたらきやすくなる。 ・低くする→安定→動かしにくくなる。 ・寄せる→力を入れやすく、安定し動かしやすくなる。 ・離す→支えるなどの力を入れにくい、一方で慣性の法則がはたらきやすくなる場合もある。
重心線	重心から床面に垂直に下ろした線のこと。	重心線が支持基底面の内側に入っていないと、身体が倒れる。介助者が膝を曲げて、腰を落とす（重心を低くする）ことで、姿勢が安定する。また、腰への負荷が小さくなる。
ベクトル	大きさと向きをもった量のこと。力をはたらかせて物を動かすと、同じ大きさの力でも、押すのと引くのとではその効果はまったく異なる。力は大きさだけではなく、向きももつ。	介助の際は、押すのではなく引くことでベクトルを集め、意図した方向に確実に動かすことができる。
慣性の法則	電車が急ブレーキをかけると、乗車している人が倒れそうになるように、静止している物体はそのまま静止しつづけて、運動している物体はそのまま等速直線運動をしつづけること。	仰臥位から側臥位に体位変換する際に、膝を立て下肢から先に動かすと、慣性の法則がはたらき（てこの原理もはたらく）、倒れこむ形で身体の向きが変わる。
慣性モーメント	回転させたり止めたりするときの手ごたえの大小（回転運動に対する抵抗の大小）をあらわす量のこと。傘をたたんでいるときよりも開いているときのほうが回転させたり止めたりするのに大きな力を要する。	膝を立てられない利用者の下肢を組ませる（重ねる）ことで、小さな力で利用者を回転（仰臥位から側臥位に変換）させることができる。

トルク	物体を回転させる力のこと。自転車を例にすると、ペダルを押す（こぐ）力。	利用者の身体を小さくまとめ、膝を立てて、肩と腰を支えて回転させ、体軸回旋運動を誘発させると、トルクの原理がはたらきやすくなる。この方法によって、小さな力で利用者を回転（仰臥位から側臥位に変換）させることができる。
てこ	小さな力を大きな力に変えたり、小さな移動距離を大きな移動距離に変えたりする目的で使われるしくみのこと。	てこの原理の応用で「少ない力で同一の結果をえる」「運動範囲の増大」「運動の速度の増大」につながる。
摩擦力	接触している 2 つの物体のうち、どちらかがすべりやころがり運動をするとき、あるいはしようとするときに、その接触面においてこれらの運動をさまたげる方向にはたらく力のこと。	上方移動に感じる抵抗のように、摩擦力がはたらくので、何かに接して止まった状態のものを、押して動かすには力がいる＝身体の接触面に、動作の方向と逆方向の力がはたらく。 ・つるつるした床＝摩擦力が低くすべりやすい。 ・粘着性のある床＝摩擦力が高くひっかかりやすい。

2　ボディメカニクス

ボディメカニクスとは、骨格や筋肉などの相互関係で起こる身体の動きのメカニズムです。ボディメカニクスを応用することで、利用者・介助者双方の負担を少なくすることができます。以下、ボディメカニクスのポイントを解説します。

（1）支持基底面積を広くとり、重心位置を低くする

介助者が足を前後・左右に開き支持基底面積を広くすることで、立位姿勢の安定性を高めます。また、重心位置を低くすることで、身体がより安定します。

（2）介助する側とされる側の重心位置を近づける

介助者と利用者双方の重心を近づけることで、移動の方向性がぶれずに一方向に大きな力がはたらくため、より小さい力での介助が可能になります。

（3）より大きな筋群を利用する

腕や手先だけではなく、足腰の大きな筋肉を意識しながら介助します。腹筋・背筋・大腿四頭筋・大殿筋・大胸筋などの大きな筋肉を同時に使うことで、1つの筋肉にかかる負荷が小さくなり、大きな力で介助することができます。その結果、介助者の身体にかかる負担を少なくし、腰痛などを防ぐことができます。

（4）利用者の身体を小さくまとめる

利用者の腕や足を組んだり膝を立てたりして、身体を小さくまとめます。これにより、摩擦面が減少し、利用者の身体を小さな力で回転させることができます。

（5）「押す」よりも手前に「引く」

ベッド上で移動するときは、押すよりも引くことでベクトルが集まり、移動の方向性がぶれずに一方向に大きな力がはたらくため、より小さな力で介助できます。

（6）重心の移動は水平に行う

介助者は足を広げて立ち、下肢の動きを中心に水平に移動することで、安定して移動できます。

（7）介助者は身体をねじらず、骨盤と肩を平行に保つ

身体をねじると、力が出しにくいだけでなく、重心がぐらついて不安定になります。また、腰部への負担が大きくなり、腰痛の原因にもなります。骨盤と肩が常に同じ方向を向くようにすると、身体をねじらずに姿勢が安定します。

（8）てこの原理を応用する

てこの原理を使えば、小さな力を大きな力に変えることができます。利用者は腰を支点にし、肘を力点にして起き上がります。介助する場合は、利用者の腰が支点となり、肩甲骨付近を力点にして起こします。このように、介助の場面では、てこの原理が多く用いられています。

3 移動・移乗の介助における基本的な視点

(1) 動線を考えた動きをする

ボディメカニクスをふまえたうえで、環境・状況に最適な動線を考え、無駄な動きにならないようにします。最適な動線で介護することで、利用者・介助者両方の負担を減らすことができます。また動線を考慮することで、利用者が自分でできる場合もあります。

(2)「自然な動き」を意識する

たとえば、いすからの立ち上がりの介助では、「足を引いて前かがみになる」「殿部が浮いてきたら重心が足底にのるように、円を描くように上体を起こしていく」など、ふだん無意識に行っている「自然な動き」を、利用者の心身の状態も勘案したうえで、介助に反映させると、利用者・介助者双方にとって無理のない動きになります。利用者にとっては、「みずからの自然な身体の動きを介助者に補助してもらう」という意識にもつながります。常に「自立支援」を意識した介助を行いましょう。

(3) 事前に、利用者の体調等を確認する

移動できるかどうかを判断するため身体の状態を利用者に聞いたり、観察したり、記録を見たりして、利用者の移動能力、痛み、障害、疾病の状態、心理面等を確認します。また、関係する他職種の指示や、申し送り事項の有無と内容も確認します。

(4) 介助の目的・内容・方法を伝え、同意をえる

利用者の心身の状況や**対人距離（パーソナルスペース）**❶をふまえたうえで適切な距離をとり、目線をあわせます。

利用者の自律（＝自己選択、自己決定）を尊重するためにも、何をみずからやってもらい、何をどのように介助するのか、その際にどんな注意点があるかなどを専門職として伝えます。

認知症の利用者に対しても、中核症状に配慮しながら、**言語的コミュニケーション**❷・**非言語的コミュニケーション**❸両方を用い、「これから何をするのか」を伝えます。そのとき単に「○○ですよ」「○○しましょう」とだけ伝えると、認知症の利用者は十分に理解することができ

❶対人距離（パーソナルスペース）
他人に侵入されると不快に感じる、個人の身体を取り囲む空間領域で、「距離と時間」が要素となる「心理的な縄張り空間」。その範囲は人種・民族・性別・文化などにより異なる。

❷言語的コミュニケーション
話す言葉と、その内容・手話、筆談なども含まれる。

❸非言語的コミュニケーション
身ぶり、手ぶり、からだの姿勢、目線、表情、しぐさ、相手との距離、服装、髪型、香り、声の調子（高低、強弱、抑揚、速度）や声質など。コミュニケーションによってやりとりされる全情報のうち、7～8割が非言語的内容といわれている。

ず、「驚く」「強制感をもつ」「不快や恐怖、混乱をきたす」ことにつながり、結果としてBPSD（行動・心理症状）につながる可能性もあります。その人の状態に応じて伝え方を工夫しましょう。

目的と手順がわかれば、利用者も反応しやすく、みずから動きやすくなります。できることは自分で行おうとする意欲・意思決定をうながす意味もあり、またやり方に慣れて、自分で行える部分の拡大につながります。

（5） 1つひとつの介助ごと、動作ごとに説明をする

認知症の有無にかかわらず、利用者は説明をしないことで、混乱する場合があります。混乱を防止するため、動作ごとの説明はとくに重要です。説明をするときは、命令口調や号令口調にならない配慮が必要です。また、利用者の尊厳を守るために幼児向けの言葉づかいにならないように注意しましょう。場合によっては、利用者にわかりやすい表現（**オノマトペ**[4]）を使いましょう。

（6）適切な言葉で、体調・気分を確認する

開かれた質問（オープン・クエスチョン）[5]と**閉じられた質問（クローズド・クエスチョン）**[6]を使い分けます。たとえば、立ったときは立ちくらみなどを即時に確認するため、「目まい、立ちくらみはありませんか？」など、閉じられた質問を使います。

（7）適切な方法で介助する

利用者のニーズや目標を意識し、利用者の心身の状況と、環境の状況に適した方法・速度で、安全・安楽に介助します。利用者のズボンをつかんで介助しないなど、利用者の尊厳の保持に配慮します。また、危険行為や不潔行為にならないように注意しましょう。

ケアチームで話し合い、利用者に合った介助方法について共通認識をもつ必要があります。

（8）利用者の四肢は、「点」ではなく「面」で支える

介助者が、利用者の上肢や下肢を保持したり、保持して動かしたりする際には、「片手で上からつかむ」のではなく、介助者の両手で関節と関節の2点で保持します。片手だけ使う場合は、前腕全体を使って下か

❹オノマトペ
onomatopoeia、物の音や声などをまねた擬声語（ざあざあ、じょきじょきなど）、あるいは状態などをまねた擬態語（てきぱき、きらきらなど）をさす言葉。介護場面では「がらがら、ぺー」「ぐじゅぐじゅ、ごっくん」など。

❺開かれた質問（オープン・クエスチョン）
「なぜ?」「どのように?」など、相手に考えや気持ちを自由に答えてもらう質問のこと。

❻閉じられた質問（クローズド・クエスチョン）
「はい」「いいえ」など、一言で簡単に答えられる質問のこと。

ら面で支えるようにします（**図3－2**）。

「片手で上からつかむ」と、皮膚や関節に悪影響を及ぼす可能性があると同時に、利用者の心理的ストレスになってしまう可能性もあります。

図3－2　「面」を使った保持の仕方

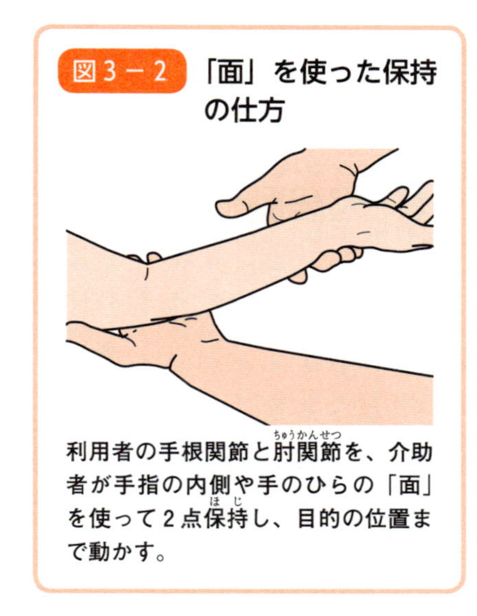

利用者の手根関節と肘関節を、介助者が手指の内側や手のひらの「面」を使って2点保持し、目的の位置まで動かす。

（9）麻痺側の状態に注意を払う

麻痺のある利用者の患側は、運動麻痺や感覚麻痺があり、みずからの力で適切な位置に動かせなかったり、痛みやしびれを感じにくかったりします。関節や皮膚に障害を起こすことを防止するため、**麻痺側**⑦の状態を把握したうえで、位置や動かし方、経過時間などに注意を払います。

側臥位で、麻痺側を下にするときや、麻痺側を保護しつつ身体を小さくまとめるときなどがあげられます。

⑦麻痺側
片麻痺がある場合は半側空間無視を有していることがある。そのため、麻痺側を下にした体位変換により患側に刺激を与えることで、感覚遮断による弊害を軽減したり、筋緊張が亢進することを緩和したりする効果が期待されることから、場合によっては必ずしも禁忌事項ではないとの判断がされることもある。

（10）介助に必要な物品は、事前に用意して持参する

介助に必要な物品は、利用者に介助の同意、物品を使用することの同意をえたあとに用意し、介助を行う場所に持ちこみます。その際にはキャスターワゴンなどにのせていくようにします。

介助に入る前に利用者に了承をえて、環境を整えます。たとえば、床頭台の位置を移動させてスペースを確保したり、介助者がふまないように利用者の履き物を移動するなどがあげられます。物品は、利用者の身体状況にあわせて調節・点検してから使用します。介助が終わったら、物品は利用者のベッドの上など、プライベートゾーンに安易に置かず、もとの位置に戻して、環境を整えます。

（11）身だしなみのマナーを守る

利用者に失礼のない身だしなみになっているか確認しましょう（**口絵**参照）。とくに、伸びた爪、名札、アクセサリー類、ズボンベルトの金

具等は、利用者にけがをさせる可能性もあります。介助をする前に確認し、必要なければはずすなど、利用者に危害が及ばないようにします。

4 起居動作

移動するためには、臥位の状態から起き上がり、そこから立ち上がる必要があります。寝返り（**図3－3**）、起き上がり（**図3－4**）、立ち上がり（**図3－5**）といった一連の流れを**起居動作**といいます。それぞれの流れでどのようにからだが動くかは、『こころとからだのしくみ』（第11巻）第３章で詳しく学びましょう。

図3－3 **寝返り動作**

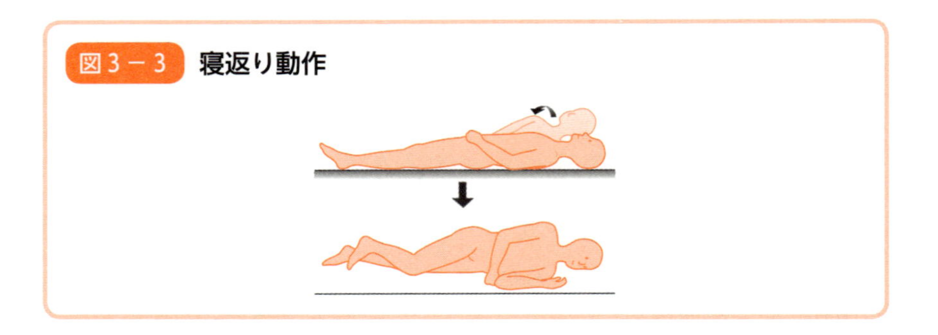

図3－4 **起き上がり動作**

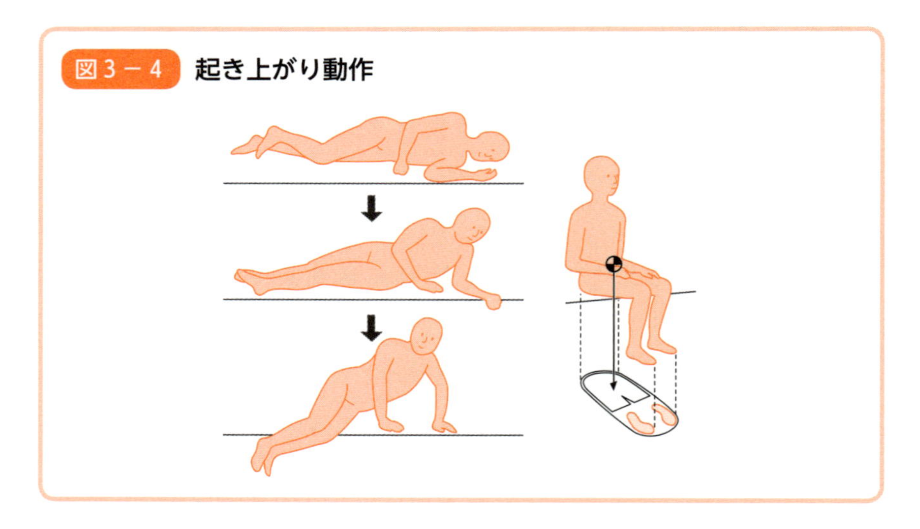

図3－5　立ち上がり動作

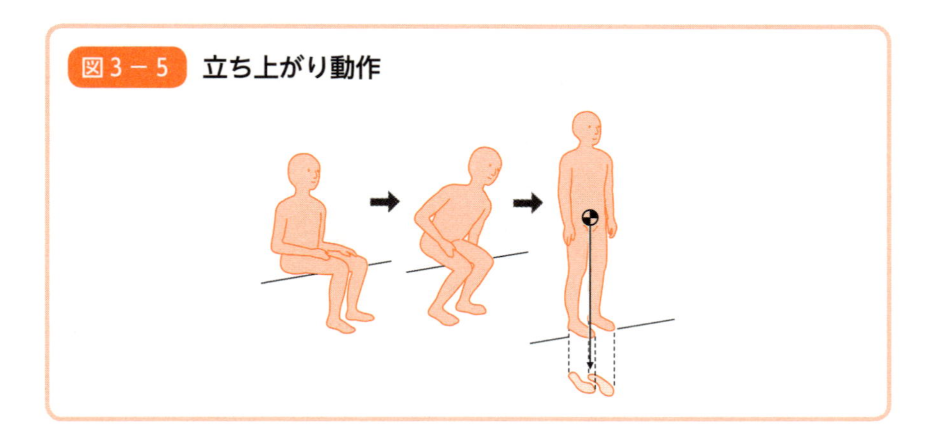

2 起居動作（寝返り、起き上がり、立ち上がり）の介助

1 体位変換の介助を行うにあたって

同じ姿勢を長く続けると、心身の機能低下が生じます。安静にしている時間が長くなるにつれて、筋力低下、心肺機能の低下、関節の拘縮が引き起こされます。とくに高齢者の場合は、うつ状態やせん妄、見当識障害など、こころや脳の機能低下も引き起こされます。そうなれば、さらに活動性が低下する悪循環を招き、全身の身体機能に複合的な悪影響をもたらします。また、同じ姿勢でいると体重で圧迫された部分の血流が悪くなり、褥瘡の原因にもなります。

それらを防止し、悪循環を断ち、活動につなげていくためにも**体位変換**をする必要があるのです。

2 姿勢と体位の違い

姿勢とは、「身体の状態、構え」のことです。姿勢には、「動いているとき（運動）の身体の状態＝動的姿勢」と、「止まっているとき（静止）の身体の状態＝静的姿勢」があります。**体位**は、そのうちの静的姿勢をさします。おもな体位については、**口絵**を参照してください。

3 良肢位

関節拘縮[8]などにより関節が動かなくなっても、日常生活動作を行ううえで支障の少ない関節角度をとった肢位を**良肢位**といいます（**図3－6**）。良肢位は、からだの各部分の位置関係に無理がない、安楽な状態です。関節の拘縮や変形の予防のほか、**関節可動域**[9]の維持のためにも行います。そのため、枕やクッションなどを使って正しい姿勢を整えること（**ポジショニング**）が必要です。まずは利用者にとっての安楽な姿勢を知り、利用者が長時間同じ体位とならないよう、身体の状況、拘縮の程度などに応じて体位を工夫することが大切です。

図3－6　良肢位の角度

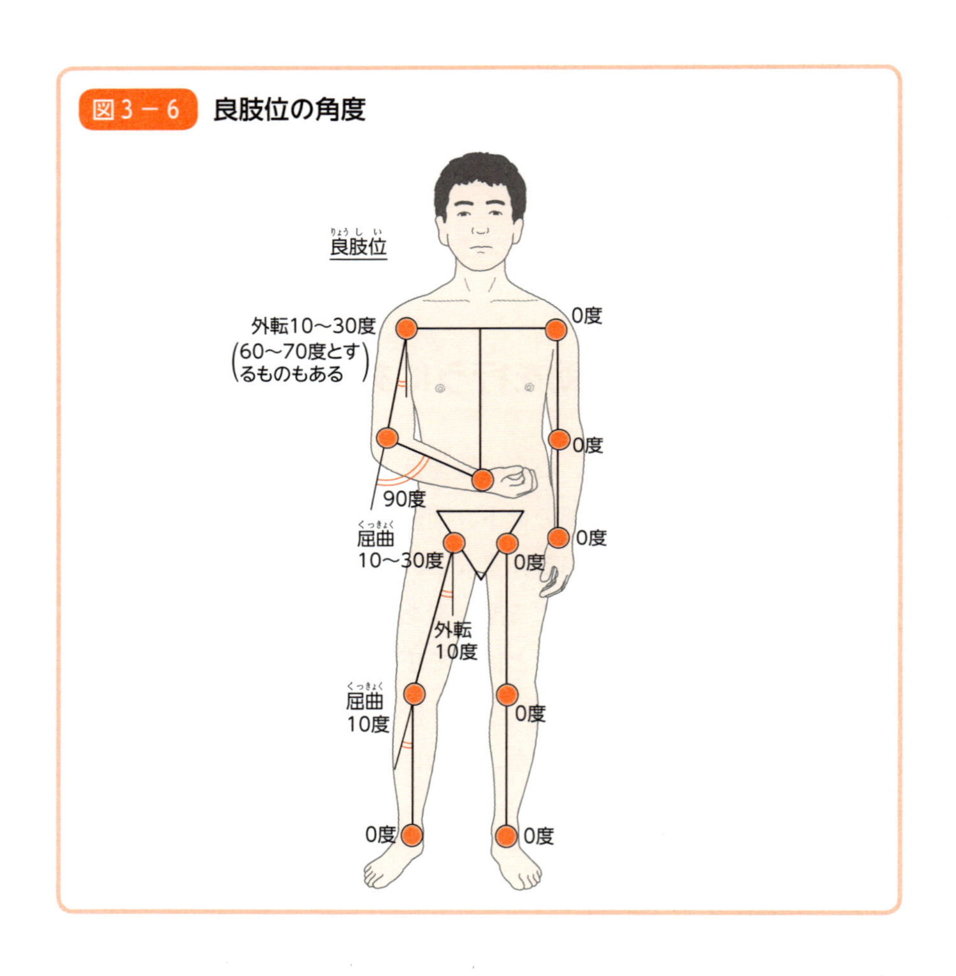

❽関節拘縮
関節の動きが制限された状態。

❾関節可動域
関節が動く範囲。

4 体位変換の介助の実際

以下に手順を明示しますが、これはあくまで基本的なプロセスであり、実際の介護においてはこれを参考にしながら、利用者に合った介助手順を構築する必要があります。なお、ここでは「動作のたびごとに説明する」「体調や気分を確認しながら行う」といった基本の遵守事項は省略してあります。

介助のポイント

① 利用者の状態を把握したうえで、「自分でできる部分はやってもらう」視点をもつ
② 麻痺や痛みに配慮し、安全・安楽を保つことを心がける
③ 基本の介助方法を理解したうえで、自立支援のための適切な介助方法を構築・共有し、実施する

（1）上方移動

1 左片麻痺のある利用者の介助

介助手順	留意点と根拠
①利用者に介助の目的・内容を説明し、同意をえます。気分や体調を確認し、必要な物品を整えます。	①利用者の意向を確認し、自己決定を尊重します。これから行う介助の方法・手順を理解してもらいます。 介助内容を知ることで、利用者が安心・納得して行うことにつながる。
②ベッドを介助しやすい高さに調整します。	②必要に応じて介助に適した高さにします。その際は、利用者の心身状況（ベッドの高さを上げることで生じる気分不快や転落リスク）を考慮します。 ベッドの高さを調整することで、介助者の腰にかかる負担が減ると同時に、力を入れやすくなる。
③利用者に身体を小さくまとめてもらいます。	③利用者の健側の手で患側の前腕を胸の上にすくい上げた状態にしてもらいます。そのあと

AR

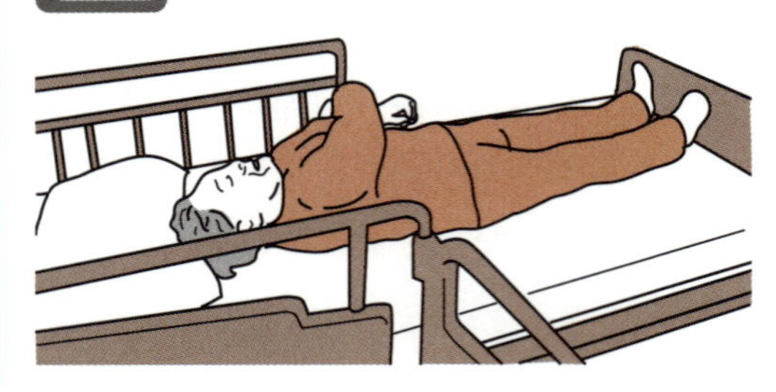

健側の手で、右側のベッド用手すりをにぎるように伝え、自分の力で右側臥位になってもらいます。可能であれば健側の足のつま先を患側の足関節裏から差し入れ、すくい上げて重ねます。

患側の手を健側の手で保護する。また、身体を小さくまとめることで、摩擦力と慣性モーメントを減らし、動きやすくする。

④側臥位の状態が不安定な場合は、声かけをし、少し腰を引いて「く」の字になってもらいます。

④安定のため、必要に応じて利用者の腰部などに軽く手をそえます。

「く」の字になることで、支持基底面積が拡大し安定する。関節を曲げることで、次の行動の準備体勢にもなる。

⑤健側の手と健側の足に力を入れて、少しずつベッドの上方に移動してもらいます。

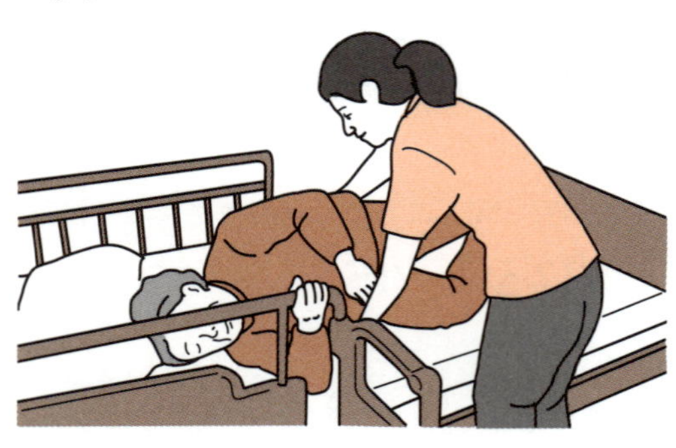

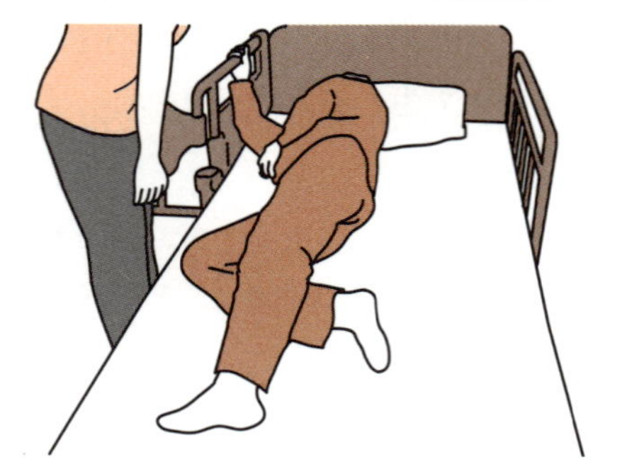

⑤手すりをにぎる位置を、手の力が入りやすい場所に変えてもらいながら行います。どこまで移動できたか、利用者自身がわかりにくいようなら、介助者が位置を伝えます。

関節を曲げたり伸ばしたりして力を入れることを段階的に行うことで、調整しながら適切な位置に移動できる。また、過度の摩擦による皮膚障害などの防止にもなる。

⑥ちょうどよい位置まで移動できたら、仰

⑥ちょうどよい位置は、枕の位置やベッドの背

介助手順	留意点と根拠
臥位になるように声かけをします。	上げ基点などを目安にします。
⑦安楽な姿勢になり、枕やシーツ、衣服を整えます。	⑦声かけや一部介助で行います。 衣服やシーツのしわは、寝心地が悪くなるだけでなく、褥瘡の発生要因にもなる。 ・利用者自身が皮膚の摩擦や圧迫を感じにくく、身体を動かしにくい場合は、介助者が**圧抜き**⑩を行います。
⑧ベッドをもとの高さに戻し、環境を整えます。	⑧必要に応じて利用者に寝具をかけ、介助をする前の状態に戻します。また、室温・採光などを利用者に確認し、調整します。
⑨気分・体調・寝心地などを確認します。	⑨口頭で確認するだけでなく、顔色・表情なども観察します。 ※基本的な気分・体調確認は介助場面ごとに適宜行われているため、ここでは環境面も含めた最終確認を実施する。
⑩記録します。	⑩状態や状況を記録します。

2 下肢に力がなく、腰を上げることができない利用者の介助

＜必要物品＞

スライディングシート

介助手順	留意点と根拠
①利用者に介助の目的・内容を説明し、同意をえます。気分や体調を確認し、必要な物品を整えます。	①利用者の意向を確認し、自己決定を尊重します。これから行う介助の方法・手順を理解してもらいます。 介助内容を知ることで、利用者が安心・納得して行うことにつながる。

⑩圧抜き
体位変換後に、圧がかかったり、摩擦が生じたりしている身体の部分に、介助者が手を差し入れスライドさせたり、一度、接触面から離したりして、圧を分散させること。褥瘡の予防だけでなく、筋肉の緊張が緩和されることにより、拘縮の予防にもなる。圧抜きをする身体の部位により「背抜き」「腰抜き（尻抜き）」「足抜き」「かかと抜き」などの固有名称を用いる場合もある。

②ベッドを介助しやすい高さに調整し、必要に応じてベッド用手すりやサイドレールの位置を変えたり、はずしたりします。

②ベッドの高さを上げることで生じる気分不快や転落リスクに配慮しながら、必要に応じてベッドの高さを調整します。

ベッドの高さを調整することで、介助者の腰にかかる負担が減ると同時に、力を入れやすくなる。

③利用者を側臥位にし、身体の下にスライディングシートを敷きこみます。

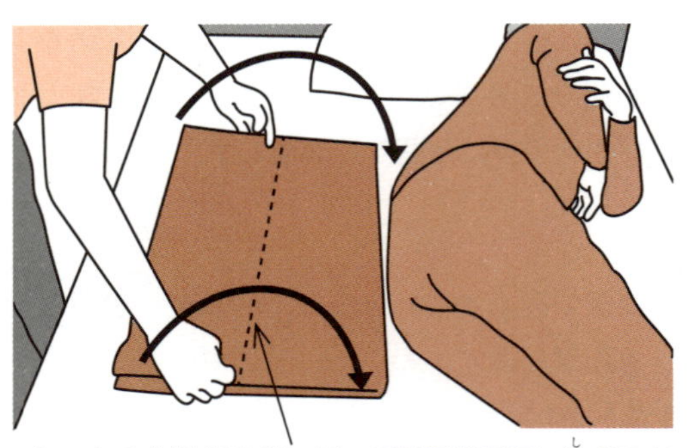

シートの上側を半分に折って利用者の下に敷きこむ

③無理に敷きこむと不快であり、皮膚障害を起こすことにもなります。

・側臥位にして敷く方法のほか、利用者の首の後ろから背中側にすべりこませて敷く方法があります。利用者の状況で使い分けます。

④反対側を向いてもらい（対面法側臥位）、シートを引き出します。

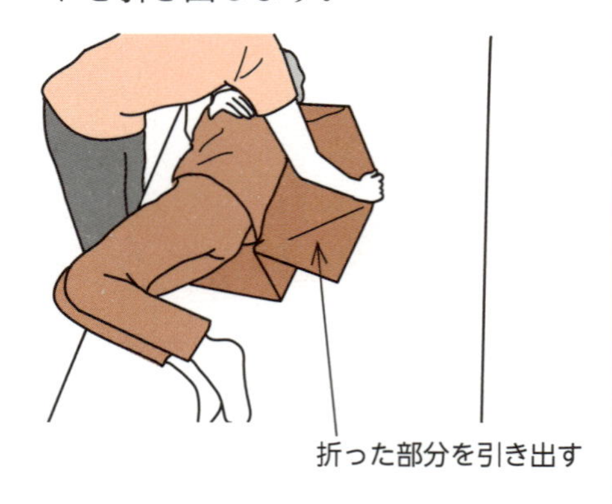

折った部分を引き出す

④頭が枕から落ちないか、手が身体の下に敷きこまれていないか、などに注意します。

加齢にともない皮膚の弾性・皮膚の痛点（痛みを感じる部位）の減少、触覚・圧覚の低下、感覚神経の伝達速度の低下が生じるため、高齢者は痛みなどを感じにくく、その対応も遅れがちとなるため、皮膚障害や関節障害を起こしやすい。

⑤仰臥位に戻ってもらいます。

⑤対面法側臥位から仰臥位にする際は、上側の肩峰と下側の膝頭を保持し、押すようにして体位を変えます。

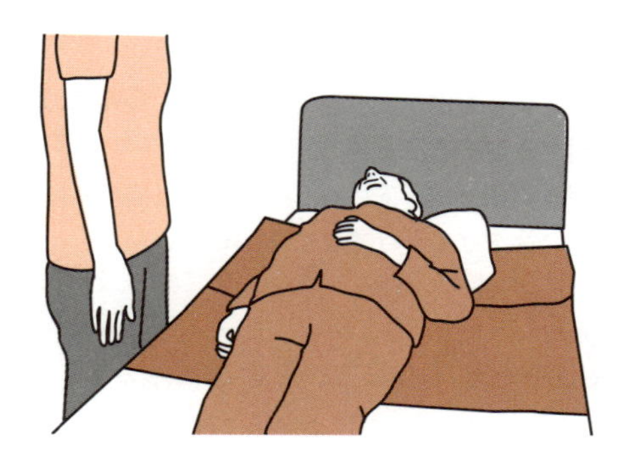

上側の肩峰と、対角線上に位置する下側の膝頭を保持することで、利用者の身体にねじれを起こすことなく、体位を変えることができる。

⑥利用者に身体を小さくまとめてもらいます。

⑥両腕を組み、両手で両肘を保持してもらいます。また、両膝を立ててもらい、ベッドとの摩擦面を減らすように身体を小さくまとめます。

身体を小さくまとめることで、摩擦力と慣性モーメントを減らし、動きやすくする。

⑦介助者は利用者の立てた膝頭を保持しながら、もう片方の手でベッド面に近い殿部を面で支えます。

AR

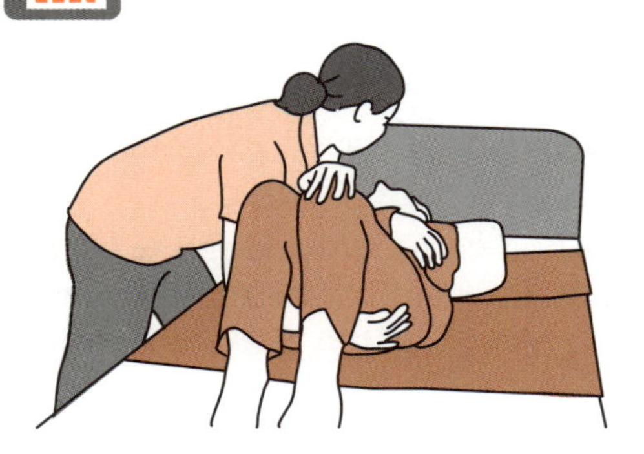

⑦殿部を支えることが、利用者の不快や尊厳をおかすことになる場合は、介助者の片方の腕を利用者の首の後ろにまわし、肩峰を保持します。もう片方の腕で両足の膝裏と奥側の大腿部を面で支える、などに変更します。

殿部を支える＝体幹を保持することは、介助者の力が入れやすく、また力が分散することを防ぐ。

⑧利用者の身体を上方に移動させます。

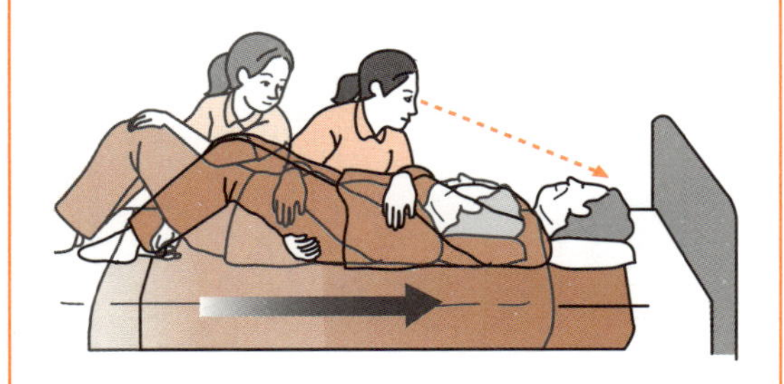

⑧「身体が上に動きます」など声かけをし、手に軽く力を入れて利用者の身体を押し上げます。スライディングシートはすべりやすいため、視線を利用者の頭部に向けて、頭がベッドのヘッドボードにぶつからないように注意しながら行います。

・足底をベッド面につけて、利用者の下肢に力を入れてもらうために、足底にすべり止め

	シートを敷くことも検討しましょう。 ※スライディングシート自体を保持し、利用者の身体を引き上げる方法もある。 ※利用者の頭がベッドのヘッドボードにぶつからないように枕を立てかけておく方法もある。
⑨適切な位置まで身体が移動したら、スライディングシートをはずし、安楽な姿勢をとります。	⑨良肢位を基準として、膝を伸ばしたり、組んだ腕を下ろしたりします。四肢を移動させる場合は、近接する2点の関節を、下から面（手を広げる・指の腹にのせる）で支えます。
⑩枕やシーツ、衣服を整えます。	⑩声かけをしながら行います。 衣服やシーツのしわは、寝心地が悪くなるだけでなく、褥瘡の発生要因にもなる。 ・利用者自身が皮膚の摩擦や圧迫を感じにくく、身体を動かしにくい場合は、介助者が圧抜きを行います。
⑪気分・体調・寝心地などを確認します。	⑪口頭で確認するだけでなく、顔色・表情なども観察します。
⑫ベッドやサイドレールの位置をもとに戻し、環境を整えます。	⑫必要に応じて利用者に寝具をかけ、介助をする前の状態に戻します。また、室温・採光などを利用者に確認し、調整します。 ※「**1** 左片麻痺のある利用者の介助」（p. 99）とは、心身の状況が異なり、体調が変化しやすいため、⑪と⑫の順番が入れ替わり、体調確認が先となる。
⑬記録します。	⑬状態や状況を記録します。

（2）水平移動（手前に寄せる）

1 左片麻痺で健側下肢の力が弱い利用者の介助

＜必要物品＞

スライディングシート

介助手順	留意点と根拠
①利用者に介助の目的・内容を説明し、同意をえます。気分や体調を確認し、必要な物品を整えます。	①利用者の意向を確認し、自己決定を尊重します。これから行う介助の方法・手順を理解してもらいます。 介助内容を知ることで、利用者が安心・納得して行うことにつながる。
②ベッドを介助しやすい高さに調整し、必要に応じてベッド用手すりやサイドレールの位置を変えたり、はずしたりします。	②ベッドの高さを上げることで生じる気分不快や転落リスクに配慮しながら必要に応じてベッドの高さを調整します。 ベッドの高さを調整することで、介助者の腰にかかる負担が減ると同時に、力を入れやすくなる。
③利用者の身体の下にスライディングシートを敷きこみます。 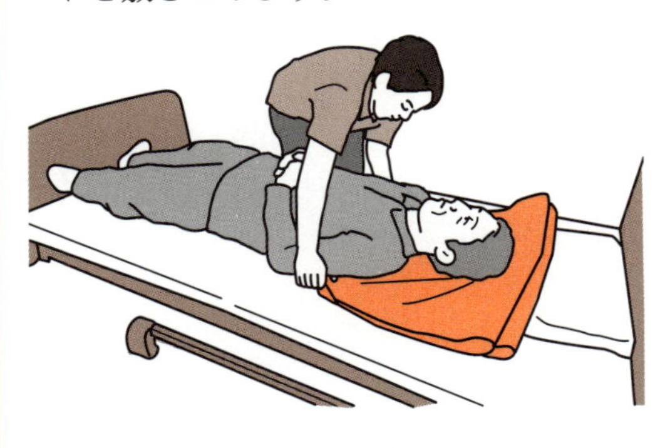	③利用者の首の後ろから背中側にスライディングシートをすべりこませます。無理に敷きこむと不快であり、皮膚障害を起こすことにもなります。 ・側臥位にして敷く方法もあります。利用者の状況で使い分けます。
④利用者に身体を小さくまとめてもらいます。	④利用者の健側の手で患側の前腕を胸または腹の上にすくい上げ、胸の上で組んで、健側の手で患側の肘を保持してもらいます。必要に応じて介助しながら両膝を立て、身体を小さくまとめます。利用者が頭部を上げられそう

ならば、「おへそをのぞきこむように首を上げられますか」など声かけをし、やってもらいます。

患側の手を健側の手で保護する。また、身体を小さくまとめることで、摩擦力と慣性モーメントを減らし、動きやすくする。

⑤殿部と奥側の肩の下を、手前に引きます。

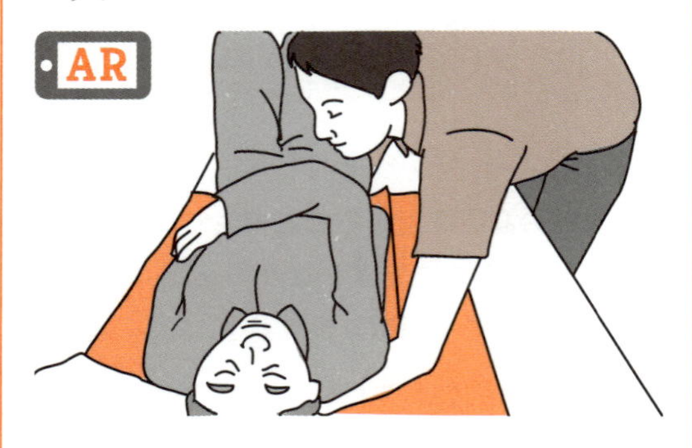

⑤力がしっかり伝わるよう、また、不快感や皮膚障害を起こさないよう、「つかむ」のではなく「面で支えながら」実施します。

⑥適切な位置まで身体が移動したら、スライディングシートをはずし、安楽な姿勢をとります。

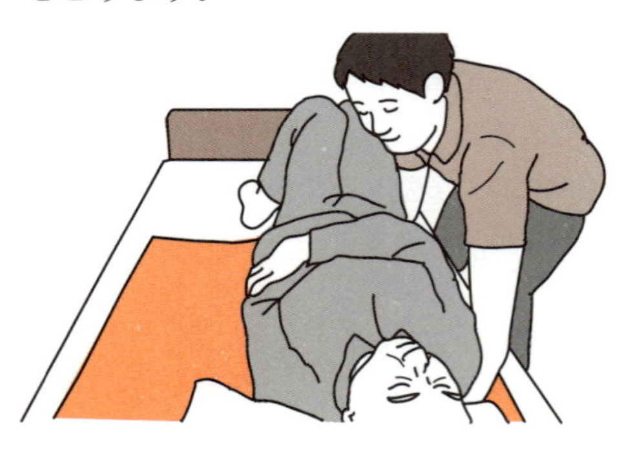

⑥良肢位を基準として、膝を伸ばしたり、組んだ腕を下ろしたりします。四肢を移動させる場合は、近接する２点の関節を、下から面（手を広げる・指の腹にのせる）で支えます。

⑦枕やシーツ、衣服を整えます。

⑦声かけや一部介助で行います。

衣服やシーツのしわは、寝心地が悪くなるだけでなく、褥瘡の発生要因にもなる。

・利用者自身が皮膚の摩擦や圧迫を感じにくく、身体を動かしにくい場合は、介助者が圧抜きを行います。

⑧気分・体調・寝心地などを確認します。	⑧口頭で確認するだけでなく、顔色・表情なども観察します。心身の状態によって、気分・体調確認を先に実施するか、環境を整えたあとで最終的に気分・体調確認をするか判断します。
⑨ベッドやサイドレールの位置をもとに戻し、環境を整えます。	⑨必要に応じて利用者に寝具をかけ、介助をする前の状態に戻します。また、室温・採光などを利用者に確認し、調整します。
⑩記録します。	⑩状態や状況を記録します。

（3）仰臥位から側臥位（横を向く）の介助

介助のポイント

① 身体の痛み・しびれ・麻痺・拘縮のある側が下に位置しないようにする
② １つひとつの動作をていねいに説明し、利用者に自主的に動いてもらう
③ 介助者が介助する位置は、介助者の手の長さや力が入れやすい位置、動かす方向などを考慮し、調整する

1 左片麻痺のある利用者の介助（右側臥位）

介助手順	留意点と根拠
①利用者に介助の目的・内容を説明し、同意をえます。気分や体調を確認し、必要な物品を整えます。	①利用者の意向を確認し、自己決定を尊重します。これから行う介助の方法・手順を理解してもらいます。 介助内容を知ることで、利用者が安心・納得して行うことにつながる。
②ベッドを介助しやすい高さに調整し、必要に応じてベッド用手すりやサイドレールの位置を変えたり、はずしたりします。	②ベッドの高さを上げることで生じる気分不快や転落リスクに配慮しながら必要に応じてベッドの高さを調整します。

ベッドの高さを調整することで、介助者の腰にかかる負担が減ると同時に、力を入れやすくなる。

③状況に応じて、利用者の身体を側臥位になる方向と反対側に水平移動させます。

③スライディングシートを使うなどして利用者の身体を移動します。

ベッドからの転落を防止するため、側臥位になったときに身体がベッドの中央にくるようにする。

④側臥位になる方向に枕をずらします。

④枕をずらすことを説明し、利用者に頭を上げてもらい健側の手を使って自力で枕をずらしてもらいます。

側臥位になったときに、枕から頭部が落ちないようにする。

⑤利用者に身体を小さくまとめてもらいます。

⑤利用者の健側の手で患側の前腕を胸や腹の上にすくい上げた状態にしてもらいます。側臥位になったときに、身体の下に患側の手を巻きこまないよう、患側前腕の角度に注意します。可能であれば健側の足のつま先を患側の足関節裏から差し入れ、すくい上げて重ねます。

患側の手を健側の手で保護する。身体を小さくまとめることで、摩擦力と慣性モーメントを減らし、動きやすくする。

⑥利用者に右側臥位になってもらいます。

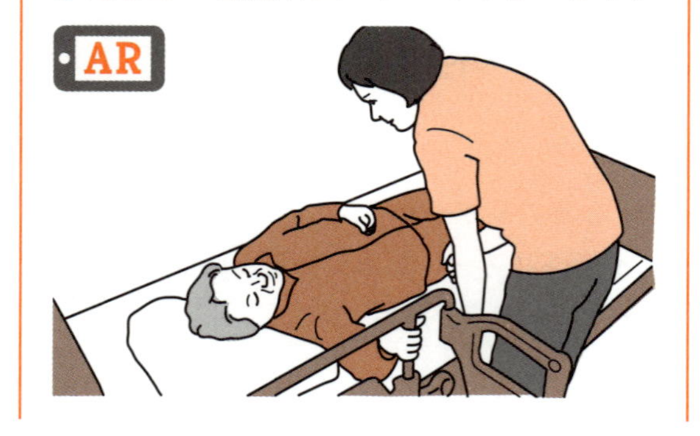

⑥健側の手で、右側のベッド用手すりをにぎるように伝え、自力で右側臥位になってもらいます。ベッド用手すりやサイドレールのどの部分をつかむと安定して力を入れられるか、伝えます。

・上肢の動きに下肢がついてこない場合は、介助者が手で腰部を引くなど、介助します。
・側臥位になったあと、気分・体調を確認します。

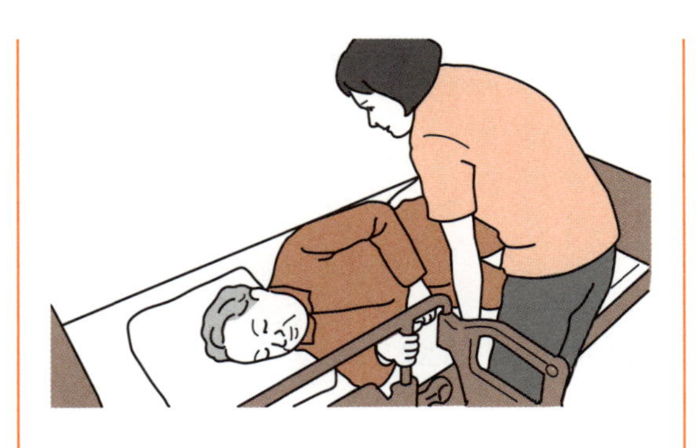

⑦側臥位が安定するように声かけをします。

⑦「腰を少し後ろに引くことはできますか」などと声をかけ、腰を「く」の字に曲げてもらいます。安定のため、必要に応じて利用者の腰部などに軽く手をそえます。

「く」の字になることで、支持基底面積が拡大し安定する。

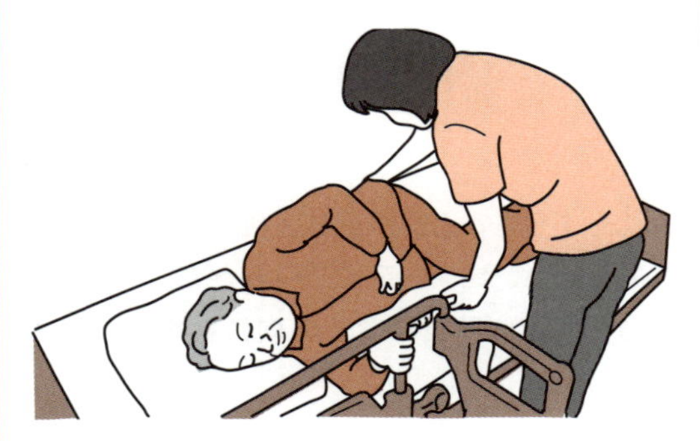

⑧側臥位での安楽な姿勢をとり、声かけや一部介助しながら枕やシーツ、衣服を整えます。

⑧良肢位を基準とします。四肢を移動させる場合は、近接する2点の関節を、下から面（手を広げる・指の腹にのせる）で支えて行います。

衣服やシーツのしわは、寝心地が悪くなるだけでなく、褥瘡の発生要因にもなる。

・利用者自身が皮膚の摩擦や圧迫を感じにくく、身体を動かしにくい場合は、介助者が圧抜きを行います。

⑨環境を整えます。

⑨必要に応じて利用者に寝具をかけ、介助をする前の状態に戻します。また、室温・採光などを利用者に確認し、調整します。

⑩気分・体調・寝心地などを確認します。

⑩口頭で確認するだけでなく、顔色・表情なども観察します。心身の状態によって、気分・体調確認を先に実施するか、環境を整えたあ

	とで最終的に気分・体調確認をするか判断します。 ※基本的な気分・体調確認は介助場面ごとに適宜行われているため、ここでは環境面も含めた最終確認を実施する。
⑪記録します。	⑪状態や状況を記録します。

2 左片麻痺で健側下肢の力が弱い利用者の介助（対面法）

介助手順	留意点と根拠
①〜③は「1 左片麻痺のある利用者の介助（右側臥位）」（p. 107）と同じです。	
④側臥位になる方向に枕をずらします。	④枕をずらすことを説明し、利用者に頭を上げてもらい、健側の手を使い自力で、または介助して、側臥位になる方向に枕をずらします。 側臥位になったときに、枕から頭部が落ちないようにする。
⑤利用者に側臥位になる方向に顔を向けてもらいます。	⑤過剰介護をせず、できることはみずからやってもらうことが、生活への意欲や実感、満足感となります。 身体を向ける方向に、あらかじめ顔を向けることは、安心・安全につながる。
⑥利用者に身体を小さくまとめてもらいます。	⑥利用者の健側の手で患側の前腕を胸や腹の上にすくい上げた状態にしてもらいます。側臥位になったときに、身体の下に患側の手を巻きこまないよう、患側前腕の角度に注意します。 患側の手を健側の手で保護する。身体を小さくまとめることで、摩擦力と慣性モーメントを減らし、動きやすくする。

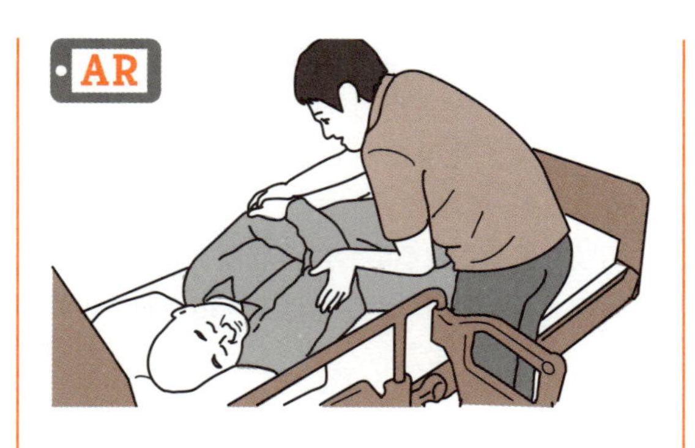

⑦利用者に両膝を立ててもらいます。

⑦利用者に自力で健側の膝を立ててもらいます。介助者が健側に触れながら「こちらの膝を立てられますか」など声かけをすると、自力で健側の膝を立てる合図になります。そのあと介助で患側の膝を立て、介助者は患側の足の膝頭を保持します。

⑧利用者を右側臥位にします。

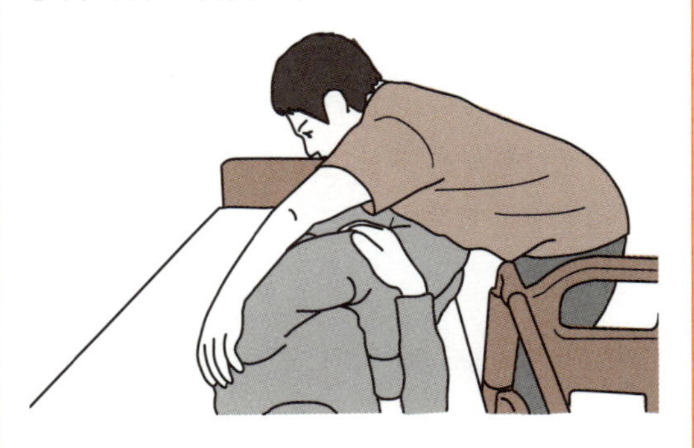

⑧患側の膝頭（または膝頭から、手をスライドさせ大腿部全体を介助者の前腕で支えるように保持しなおして）、患側の肩峰を保持して、「それではゆっくり右を向きます」など声かけをしてから行います。関節障害や皮膚障害を防ぐため、面で支えましょう。

・身体が大きく動くので、介助したあとは、気分・体調の確認を忘れずに行います。

⑨側臥位が安定するように介助します。

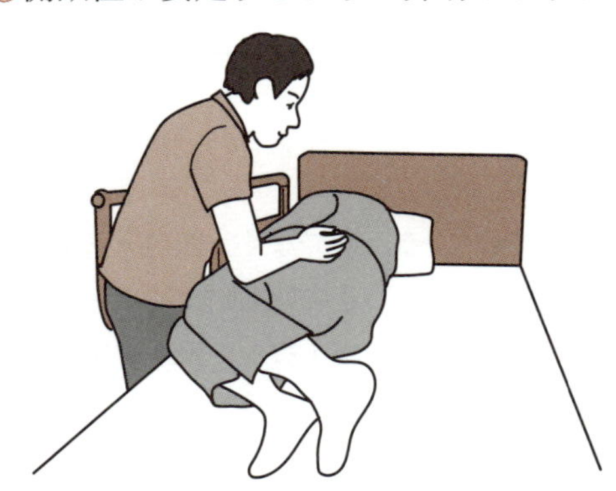

⑨必要に応じて介助しながら腰を「く」の字に曲げてもらいます。

「く」の字になることで、支持基底面積が拡大し安定する。

⑩健側の足を安楽な位置に移動してもらい

⑩介助者が利用者の患側の足を両手で支え、

ます。

「左足を支えていますので、右足を楽な位置に動かしてください」など声かけをしながら行います。利用者ができることは利用者にやってもらいます。

・四肢を移動させる場合は、近接する2点の関節を、下から面（手を広げる・指の腹にのせる）で支えます。

⑪患側の足を安楽な位置に移動します。

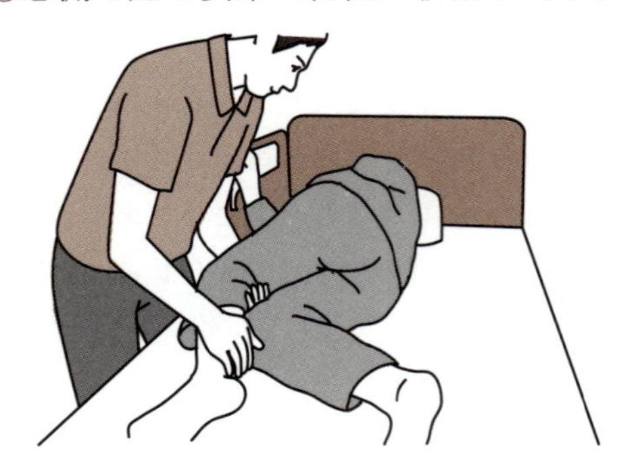

⑪「左足はこの位置で痛くありませんか」など声かけをしながら移動させます。左右の足が重なった部分に圧迫や摩擦、痛みやしびれが生じていないか確認します。

※除圧と安定のためにクッションなどを差し入れる場合は、上下の足のあいだに差し入れ、足が交差しないようにし、上側の足の股関節・膝関節・足関節が同じ高さになるようにする。

⑫手を安楽な位置に置いてもらいます。

⑫手すりをにぎっていた右手を離してもらい、「右手は楽なところに置いてください」など、声かけをします。

⑬枕やシーツ、衣服を整えます。

⑬声かけや一部介助で行います。

衣服やシーツのしわは、寝心地が悪くなるだけでなく、褥瘡の発生要因にもなる。

・利用者自身が皮膚の摩擦や圧迫を感じにくく、身体を動かしにくい場合は、介助者が圧抜きを行います。

⑭気分・体調・寝心地などを確認します。

⑭口頭で確認するだけでなく、顔色・表情なども観察します。心身の状態によって、気分・体調確認を先に実施するか、環境を整えたあとで最終的に気分・体調確認をするか判断します。

⑮ベッドの高さをもとに戻し、サイドレー

⑮必要に応じて利用者に寝具をかけ、介助をす

ルの位置を戻すなど、環境を整えます。	る前の状態に戻します。また、室温・採光などを利用者に確認し、調整します。
⑯記録します。	⑯状態や状況を記録します。

3 左片麻痺で、寝返り動作全般に介助が必要な利用者の介助（対面法）

介助手順	留意点と根拠
①気分や体調の確認を行います。	①寝返り動作全般に介助が必要な身体状況なので、介助の前にも、利用者の気分や体調の確認をします。表情や声、顔色などからも状態を把握します。
②利用者に介助の目的・内容を説明し、同意をえます。必要な物品を整えます。	②利用者の意向を確認し、自己決定を尊重します。これから行う介助の方法・手順を理解してもらいます。 介助内容を知ることで、利用者が安心・納得して行うことにつながる。
③ベッドを介助しやすい高さに調整し、必要に応じてベッド用手すりやサイドレールの位置を変えたり、はずしたりします。	③ベッドの高さを上げることで生じる気分不快や転落リスクに配慮しながら必要に応じてベッドの高さを調整します。 ベッドの高さを調整することで、介助者の腰にかかる負担が減ると同時に、力を入れやすくなる。
④状況に応じて、利用者の身体を側臥位になる方向と反対側に水平移動させます。	④スライディングシートを使うなどして利用者の身体を移動します。 ベッドからの転落を防止するため、側臥位になったときに身体がベッドの中央にくるようにする。
⑤側臥位になる側に、枕の位置をずらします。	⑤利用者の頭部を手のひらで支えるなど、必要に応じて介助しながら枕の位置をずらします。

側臥位になったときに、枕から頭部が落ちないようにする。

⑥声かけをして、側臥位になる方向に、自力または介助で顔を向けてもらいます。

⑥「寝返り動作全般に介助が必要な状況」であっても過剰介護をせず、できることはみずからやってもらうことが生活への意欲や実感、満足感となります。

身体を向ける方向に、あらかじめ顔を向けることは、安心・安全につながる。

⑦利用者に身体を小さくまとめてもらいます。

⑦利用者の健側の手で患側の前腕を保護する形で胸の上で組んでもらいます。側臥位になったときに、身体の下に患側の手を巻きこまないよう、患側前腕の角度と保持の位置に注意します。

患側の手を健側の手で保護する。身体を小さくまとめることで、摩擦力と慣性モーメントを減らし、動きやすくする。

⑧介助で利用者の膝を立てます。

⑧介助で健側の膝、患側の膝の順に立てます。介助者は患側の膝頭を保持します。介助者が健側に触れながら「こちらの膝を立てていきます」など声かけをしながら行うと、意識づけや安心感をもたらします。

・近接する2点の関節（膝裏・足首）を、下から面（手を広げる・指の腹にのせる）で支えます。

⑨利用者を右側臥位にします。

⑨患側の大腿部全体を介助者の前腕で支えるように保持するとともに、患側の肩峰を保持して、「ゆっくりと私のほうを向いていきます」など声かけをしてから行います。関節障害や皮膚障害を防ぐため、面で支えます。

・身体が大きく動くので、介助したあとは、気分・体調の確認を忘れずに行います。

⑩手を安楽な位置に置いてもらいます。

⑩「寝返り動作全般に介助が必要な状況」であっても過剰介護をせず、できることはみずからやってもらうことが生活への意欲や実感、満足感となります。

⑪側臥位が安定するように介助します。

⑪「腰を引いていきます」など声かけをしてから、介助者が利用者の腰を「く」の字にする介助を行います。

「く」の字になることで、支持基底面積が拡大し安定する。

・ベクトルを集めるためには、介助者が背部から両手で利用者の腸骨を保持し「引く」ことが必要です。環境により利用者の背部側に立てない場合は、利用者の前方から左右の腸骨を支え、腰を「くの字」にする場合も生じます。

⑫足を安楽な位置に移動します。

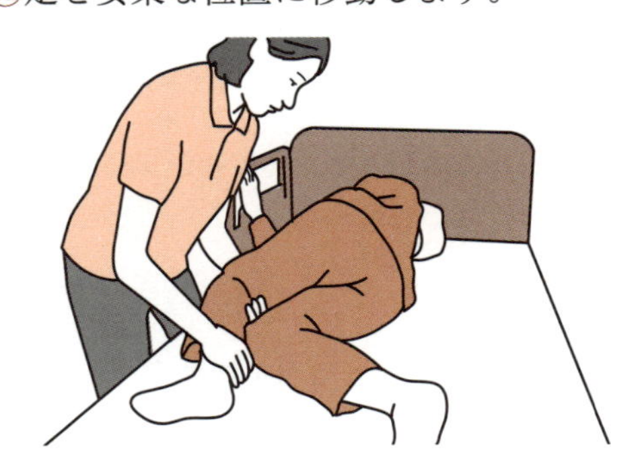

⑫「足を楽な位置に動かします」など声かけをしながら、両足の重なり具合など調整しつつ動かします。

・このとき、近接する2点の関節（膝裏・足首）を、下から面（手を広げる・指の腹にのせる）で支えます。

⑬気分・体調・寝心地などを確認します。

⑬口頭で確認するだけでなく、顔色・表情など

	も観察します。心身の状態によって、気分・体調確認を先に実施するか、環境を整えたあとで最終的に気分・体調確認をするか判断します。
⑭環境を整えます。	⑭ベッドの高さやベッド用手すりなどを戻します。必要に応じて利用者に寝具をかけ、介助をする前の状態に戻します。また、室温・採光などを利用者に確認し、調整します。
⑮記録します。	⑮状態や状況を記録します。

（4）起き上がりから端座位への介助

介助のポイント

① 起き上がりの介助時には、介助者の方向に起き上がりを誘導する
② 介助時には、利用者の身体のどの部分を、どのように支えるかを意識する
③ 身体を起こした際に発生しやすい、起立性低血圧に注意する
④ 座りなおしの際の介助では、安定のために、まずしびれや痛み、麻痺や拘縮が生じていない側の足が、先に床につくようにする
⑤ 座位の安定では、足の向きや肩の高さなど左右均等になるように調整し確認する

1 座位保持ができる左片麻痺の利用者の介助

介助手順	留意点と根拠
①利用者に介助の目的・内容を説明し、同意をえます。気分や体調を確認します。	①利用者の意向を確認し、自己決定を尊重します。これから行う介助の方法・手順を理解してもらいます。 介助内容を知ることで、利用者が安心・納得して行うことにつながる。
②ベッドの高さを調整します。	②必要に応じてベッド用手すりやサイドレールの位置を変えたり、はずしたりします。 ベッドの高さは、利用者の端座位が安定する高さ（利用者の両足底が床につき、足関節が

90度になる高さ）にする。

③利用者に身体を小さくまとめてもらいます。

③健側の手で患側の前腕を保護する形で胸の上で組んでもらう介助をします。側臥位になったときに、身体の下に患側の手を巻きこまないよう、患側前腕の角度と保持の位置に注意します。

患側の手を健側の手で保護する。身体を小さくまとめることで、摩擦力と慣性モーメントを減らし、動きやすくする。

④利用者に両膝を立ててもらいます。

④利用者に自力で健側の膝を立ててもらいます。そのあと介助で患側の膝を立てます。介助者は患側の膝頭を保持します。介助者が健側に触れながら「こちらの膝を立てていきます」など声かけをしてから行うと、意識づけや安心感をもたらします。
・介助するときは、近接する2点の関節（膝裏・足首）を、下から面（手を広げる・指の腹にのせる）で支えます。

⑤利用者に右側臥位になってもらいます。

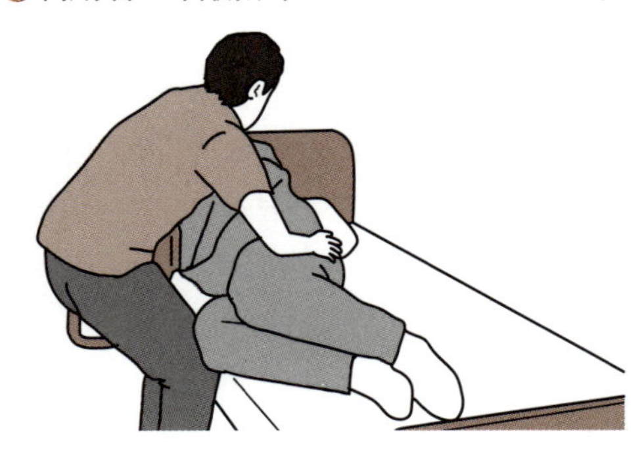

⑤健側の手で、右側のベッド用手すりをにぎるように伝え、自力で右側臥位になってもらいます。手すりやサイドレールのどの部分をつかむと安定して力を入れられるか、伝えます。
・上肢の動きに下肢がついてこない場合は、介助者が手で腰部を手前に引くなど、介助します。
・側臥位になったあと、気分・体調を確認します。
・側臥位になったときに利用者がベッドから転落しないよう、位置を確認しながら行います。

⑥気分・体調を確認します。

⑥身体が大きく動いたあとは、忘れずに確認します。

⑦利用者に、力を入れやすい場所をつかんでもらいます。

⑦力を入れやすい場所（手すり・マットレス等）をつかんでもらいます。

⑧利用者の両足を、ベッドの端まで動かします。

AR

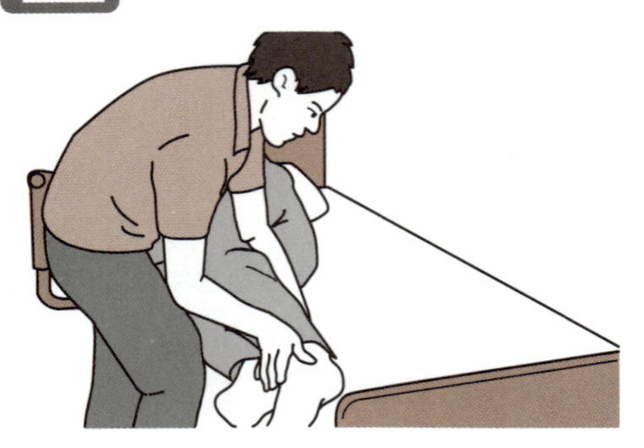

⑧利用者の両足を、ベッドの端まで動かします。このとき利用者の両足を、介助者の両手の「面」で支えます。

⑨利用者の両足をベッド外に下げながら、上体の起き上がりを介助します。

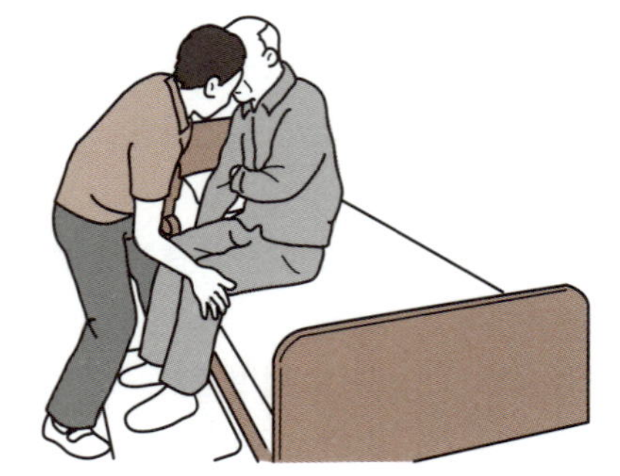

⑨介助者は、片手で利用者の肩甲骨付近、もう一方の手で両膝裏全体を保持します。「私の方向に起き上がってください」などと声かけをし、利用者にも右肘でマットレスを押すように力を入れてもらい、両足をベッド外に下げながら、上体の起き上がりを介助します。

・ボディメカニクスを意識したうえで、介助者自身の動線（軸足の位置・もう片方の足の位置と、それをいつ、どの位置まで移動させつつ、重心を移動させるか）と、利用者の安全（介助者の膝などにぶつけないか、ねじれは生じないか）に配慮しながら行います。

⑩気分・体調を確認します。

⑩身体が大きく動いたので、起立性低血圧などに注意し、めまいがないかなど忘れずに確認しましょう。口頭で確認するだけでなく、顔色・表情なども観察します。

⑪安定した端座位になるため、座りなおしをします。 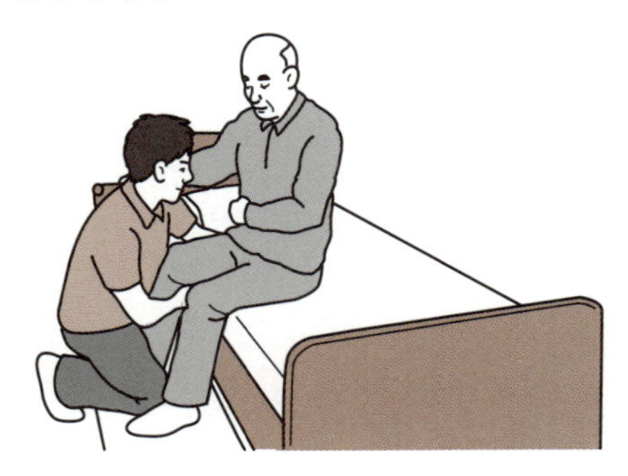	⑪健側の手で手すりを持ってもらい、両足底が床につき、足関節が90度になるように調整します。
⑫気分・体調、座り心地を確認します。	⑫口頭で確認するだけでなく、顔色・表情なども観察します。
⑬記録します。	⑬状態や状況を記録します。

2 座位姿勢が不安定な左片麻痺がある利用者の介助

※車いすの準備は省略しています。背上げ機能つき電動介護ベッドの使用を前提としています。

※事前に、背上げの支点部分と殿部の位置が合っていて、身体に負担がかからない位置になっているかを確認します。

介助手順	留意点と根拠
①、②は「1 座位保持ができる左片麻痺の利用者の介助」(p. 116) と同じです。	
③ベッドを起こします。 AR	③利用者にコントローラーボタンを押してもらい、ギャッチアップ（背上げ）を60～80度くらいの角度までゆっくりと行います。このとき、利用者の腹部の圧迫や苦痛、めまいがないか顔色や表情を観察しながら見守ります。

④枕をはずします。

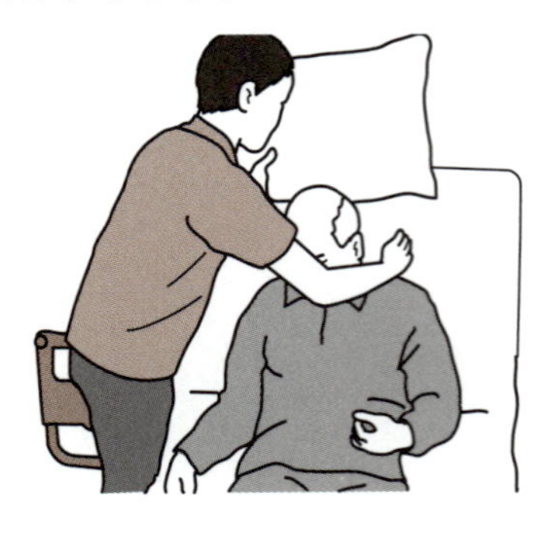

④枕をはずすことを説明し、利用者に頭を上げてもらいます。必要に応じて介助します。

⑤利用者に身体を小さくまとめてもらいます。

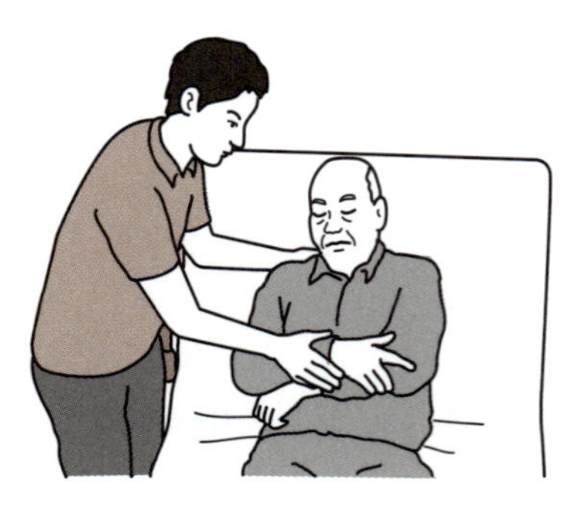

⑤健側の手で患側の肘を保持してもらう介助をします。姿勢の安定を確認します。

患側の手を健側の手で保護する、身体を小さくまとめることで、摩擦力と慣性モーメントを減らし、動きやすくする。

⑥利用者の両足をベッドの端まで動かします。

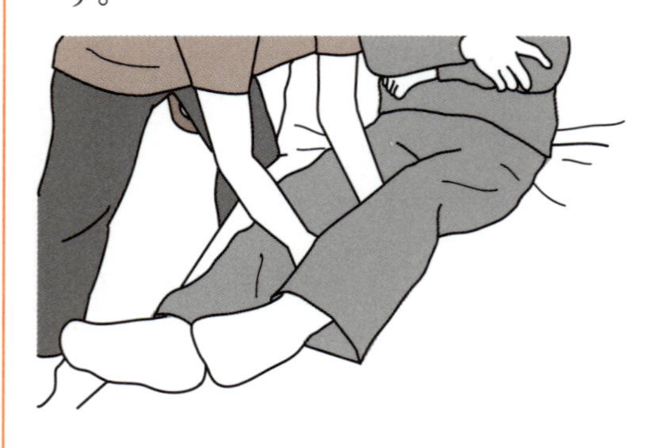

⑥利用者の足を両手で支え、健側、患側の順に、少しずつベッドの端まで動かします。

⑦利用者の足をゆっくり下ろします。

⑦片手で利用者の肩甲骨付近、もう片方の手で膝裏全体を保持して、ゆっくりと足を下ろします。利用者の仙骨部分を支点とした回転をうながすため、上体・下体の摩擦面が少なくなるように、身体をしっかり保持します。

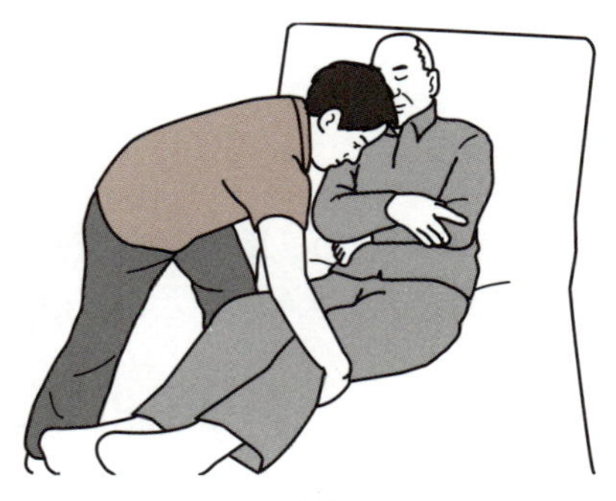 	
⑧気分・体調の確認を行います。	⑧身体が大きく動いたので、起立性低血圧などに注意し、めまいがないかなど忘れずに確認します。口頭で確認するだけでなく、顔色・表情なども観察します。
⑨安定した端座位になるため、座りなおしをします。	⑨健側の手で手すりなど持ってもらい、両足底が床につき、足関節が90度になるように調整します。
⑩気分･体調、座り心地などを確認します。	⑩口頭で確認するだけでなく、顔色・表情なども観察します。
⑪記録します。	⑪状態や状況を記録します。

（5）端座位から立位への介助

介助のポイント

① 立位の際の気分・体調確認は、起立性低血圧に対応するため、即時性を重視し「ご気分は悪くないですか」「めまいや立ちくらみはありませんか」という閉じられた質問で確認する
② 立位の際に、患側の肩が下がり左右非対称になることを避け、左右対称になるよう支える
③ 立ち上がり準備の「浅く座りなおす」際は、殿部の荷重が足底に移行できるように意識して実施する
④ 立ち上がりの際は、常に前方に荷重がかかっているようにする

1 左片麻痺のある利用者の介助

介助手順	留意点と根拠
①利用者に介助の目的・内容を説明し、同意をえます。気分や体調を確認します。	①利用者の意向を確認し、自己決定を尊重します。これから行う介助の方法・手順を理解してもらいます。 介助内容を知ることで、利用者が安心・納得して行うことにつながる。
②浅く座りなおす介助をします。 AR 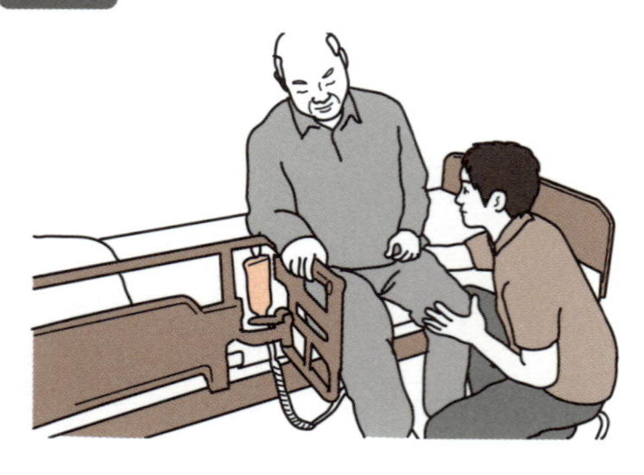	②座位姿勢を保つことができ、健側の手足に力が入れられる場合は、健側の力を使って、健側→患側の順番で浅く座りなおしてもらいます。ADL（Activities of Daily Living：日常生活動作）が低下している場合は、その逆の順番で介助にて行う場合もあります。座りなおしたあとに健側と患側の膝の位置がそろうようにします。
③健側の足を後ろに引いてもらいます。	③足底が床についていることを確認しましょう。 足を後ろに引くと前かがみになりやすく、重心移動により立ち上がりやすくなる。

④介助のための体勢を整えます。

④介助者は利用者の患側に立ちます。また、利用者が前かがみになるのをさまたげないようにします。

患側には力が入らないため、バランスをくずしたときに患側に倒れる。そのため、患側から介助する。

⑤立ち上がってもらいます。

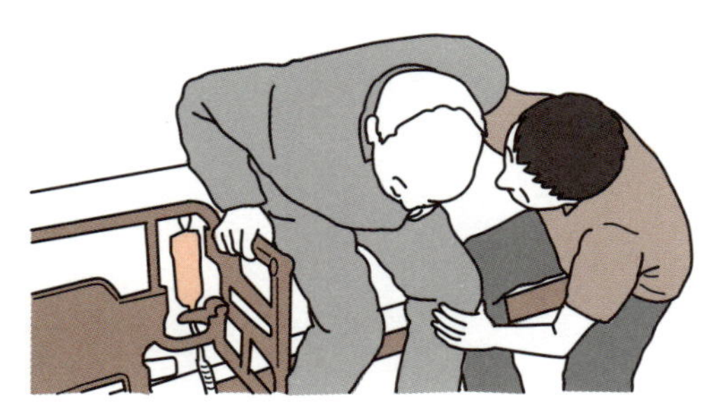

⑤「こちら（麻痺がないほう）の足に力を入れて、前かがみになりながら立ち上がりましょう」など声かけをして、利用者の重心移動をうながし、いっしょに立ち上がるように介助します。

・利用者の患側の足の膝頭を保持し、膝折れを防ぎます。利用者の膝が伸びはじめたら、膝を支えていた手を肩に移動させ、上体の起き上がりを補助しつつ、患側に荷重がかからないように支えます。立ち上がったあとで、利用者の患側の肩が前方に残っている場合は、まっすぐになるように修正します。

・利用者の状態に応じて、以下のように配慮しましょう。

A：患側の足に重心がかからないよう患側の肩付近を支える

B：立ち上がりやすいように仙骨の上あたりを支える

C：患側の足のつま先が前にすべりだすことを防止する、など

⑥気分・体調を確認します。

⑥「ご気分は悪くないですか」「めまいや立ちくらみはありませんか」など、閉じられた質問を用いて確認します。口頭で確認するだけでなく、顔色・表情なども観察します。必要に応じて、安定のため上体を支えます。

起立性低血圧に対応するため、早く簡単に答えられる閉じられた質問を用いる。

⑦記録します。

⑦状態や状況を記録します。

3 安楽な姿勢・体位を保持する介助

1 安楽な姿勢・体位を保持する介助の目的

休息や睡眠は、人間の基本的欲求＝生理的欲求の１つです。それが疲労を回復させ、細胞の修復促進にもつながります。また、よい姿勢や安楽な姿勢・体位をとるということは、力学的に安定しており疲労しにくいということでもあります。それは、こころのリラックスももたらします。

また、同じ体位をとりつづけることは、苦痛や疲労を招き、**褥瘡**の原因にもなります（**表３－３**）。褥瘡は、身体の骨の突出部に生じます（**図３－７**）。できてしまうと進行が早く、治りにくいので、一定時間で**体位変換**するなどして予防することが重要となります。介助者は、利用者の特性を見きわめ、安楽な姿勢・体位を保持する介助をします。

表3－3　褥瘡の原因と具体例

原因	具体例
①圧迫	・シーツや衣服のしわ、長時間同じ体位をとったことにより生じる血行の減退 ・窮屈な寝衣、腰ひも等のしめすぎ、衣服の縫い目や結び目 ・感覚麻痺や鈍麻で長時間かたいものがあたったままの状態、補装具等の圧迫
②摩擦・ずれ	・皮膚と皮膚の接触、衣服の縫い目や結び目、糊のききすぎた（柔軟性に欠く）シーツや寝衣による摩擦 ・シーツや衣服のしわ ・補装具等との摩擦、ベッドのギャッチアップ時や、座位時にからだがずり落ちる際に生じる摩擦 ・ベッドをギャッチアップしたときや、体位変換をしたときに、皮膚の表面と皮下組織や骨に加わる力のずれ
③身体の不潔と湿潤	・おむつ類、防水シーツ、吸湿性に欠く衣服等による皮膚の蒸れ ・発汗、排尿・排便、流涎（よだれ）、飲食物のこぼれ等による皮膚の汚染と湿潤
④心身機能の低下	・栄養不足や栄養バランスの悪さ（良質なたんぱく質、ビタミンA・B群・C） ・血行障害、浮腫 ・麻痺、知覚障害や鈍麻、運動機能障害、認知機能障害 ・皮膚の乾燥・萎縮、筋肉・皮下脂肪の減弱・萎縮

図3－7　褥瘡の好発部位

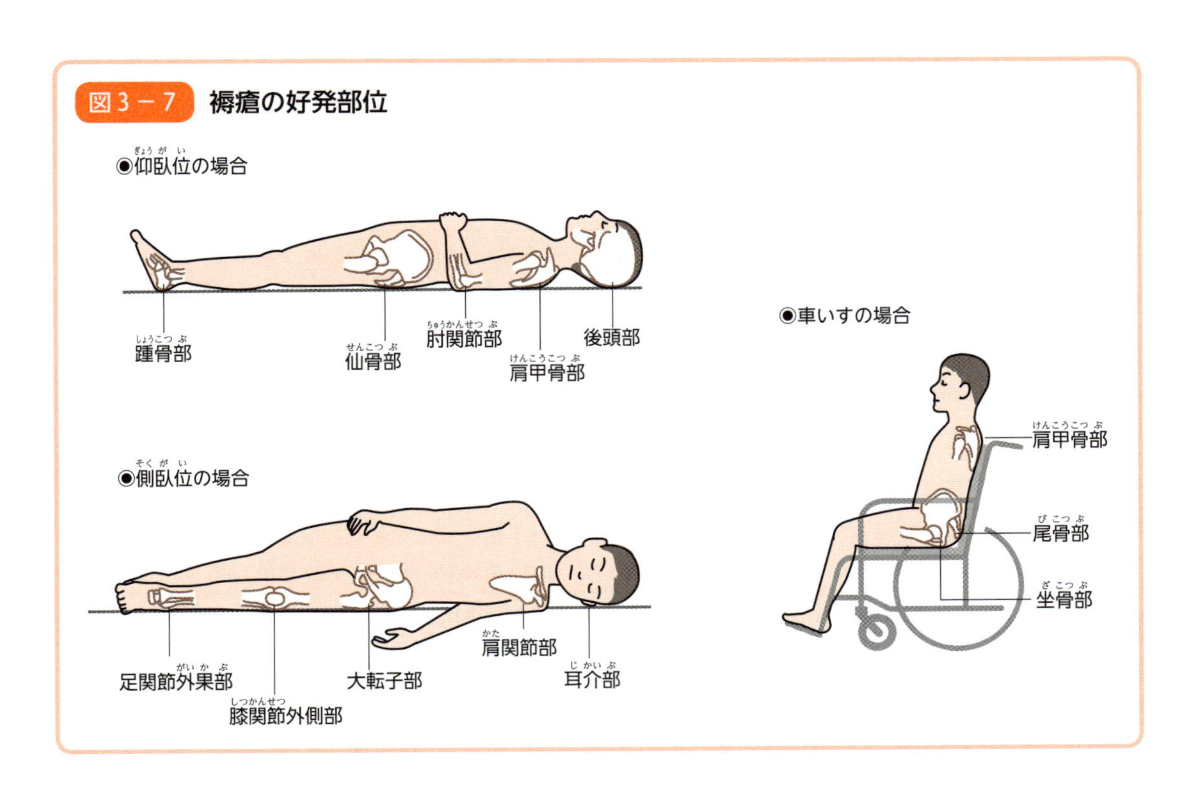

2 褥瘡の予防

褥瘡の予防は、先述した原因（①圧迫、②摩擦・ずれ、③身体の不潔と湿潤、④心身機能の低下）を取り除くことがポイントとなります（**表3－4**）。

表3－4 褥瘡予防のポイント

予防のための援助・対応	どの原因への対応か	留意点など
2時間を超えない範囲で、定期的な体位変換を実施し、圧迫部位を変える。	①②③④	粘弾性フォームマットレス（低反発マットレス）を使用している場合は4時間を超えない範囲で実施する。（※1）
褥瘡好発部位に、ビーズマット・クッション・ムートン等を用いたり、体位変換が困難な場合は、エアマットや褥瘡予防マットを用いたり、除圧のために各種予防用具を使用する。	①②	円座は殿部周辺が圧迫され、また周辺の皮膚が引っ張られるため、使用しない。（※2）
衣服・寝衣は、肌触りがよいものを選び、背縫いなど内側に縫い目が出っ張っていない、ゆったりとしたものを着る。	①②③	靴下の縫い目が褥瘡の原因となることもある。
衣服（とくに寝衣）やシーツに、しわやたるみをつくらない。	①②	しわやたるみは、段差となって圧迫の原因となり、皮膚の移動量に部分的差異を生じさせることで摩擦の原因となる。
ベッドのギャッチアップ時や、座位時のずり落ちを修正する際など、身体を動かすときには、身体のどこが何に接触していて、動かすとどうなるか、を衣服との接触面も含め配慮する。	①②	ベッドの背上げの支点と、利用者の殿部が合っていないと、ずれが生じやすくなる。
離床し、適切な座位姿勢をとるようにする。	①②④	身体状況にあわせて、長座位や端座位・椅座位（両足底を床につき、膝関節を90度にし、かつ背骨と大腿部の角度も90度にして座る）にすることで、体重が分散されると同時に、安定した座位がとれる。
圧迫を受けやすい部分の血液の循環をよくする。	④	褥瘡のない健常部分に実施してもよいが、骨突出部や褥瘡の部分は皮膚がダメージを受けるので実施しない。（※3）
皮膚を清潔にし、濡れたままにしない。	②③	落屑（皮膚が粉状にはがれ落ちること）が生じるような乾燥状態は、皮膚の保護機能を失い、炎症を生じさせ、褥瘡の原因となるため、保湿に努める。
入浴できない場合は、清拭を行い、皮膚の清潔を保つ。	③④	血液循環がよくなるため、褥瘡があっても入浴は可能。全身状態を確認し、実施後は水分を除去し、保湿する。
おむつを着用している場合は、濡れたら即座に交換	③④	尿路感染症予防でもある。尿路感染症になると全身状

し、清拭を実施する。		態が悪化し、褥瘡の原因につながる。 皮膚と排泄物の接触を減少させるため、撥水クリームや皮膚保護剤を用いることもある。
吸湿性・通気性のよい衣類やおむつを選択する。	③④	形状・サイズにも留意する。
寝具類は清潔で乾燥したものを使用する。	②③④	ゴムシーツ使用時は、蒸れに注意する。
発汗・飲食物のこぼれ・流涎（よだれ）は、早めにふき取る。	①②③④	こぼれた固形飲食物が身体の下に入りこみ、圧迫や皮膚の傷の原因になる。
おむつ交換時や、差しこみ便器・尿器を使用する際は、無理やり差し入れない。	①②	無理やり差し入れることで摩擦が生じ、皮膚を傷つける。腰を上げるなどして行い、便器・尿器が当たる部分への配慮や防護をする。
おむつ交換時を含む更衣時や、衣服のしわを伸ばす際には、服を強く引っ張らない。	①②	強く引っ張ることは、皮膚の移動量に差異を生じさせ、皮膚が伸ばされ、圧迫の影響を受けやすくし褥瘡の原因となる。
良質なたんぱく質、高エネルギー、ビタミン類等を含んだバランスのよい食事摂取をする。	④	栄養不良時には、補助食品を用いる。
全身状態の観察をし、かつ日中の覚醒と活動を確保し、生活リズムを空腹や安眠、排泄リズムの適切化につなげていく。	①②③④	コミュニケーションのとり方、量、質、他者との交流、役割をもつなど、複合的かつ個別性を重視しかかわる。

※1～3：『褥瘡予防・管理ガイドライン（第4版）』日本褥瘡学会より

3 安楽な姿勢・体位を保持する介助の実際（全般にわたり介助が必要な利用者の場合）

介助のポイント

① 利用者の状態を把握したうえで、「自分でできる部分はやってもらう」視点をもつ
② 良肢位を基準としながら、麻痺や拘縮、痛み、しびれに配慮し、安全・安楽を保つことを心がける
③ 利用者・介助者双方のボディメカニクスを意識し、活用する
④ 介助前・介助後だけではなく、介助中も体調・気分・痛み等の確認や観察をおこたらない

（1）仰臥位における安楽な体位を保持する介助

＜必要物品＞

枕、ムートン、クッションなど

介助手順	留意点と根拠
①利用者に介助の目的・内容を説明し、同意をえます。気分や体調を確認し、必要な物品を整えます。	①利用者の意向を確認し、自己決定を尊重します。これから行う介助の方法・手順を理解してもらいます。 介助内容を知ることで、利用者が安心・納得して行うことにつながる。
②ベッドを介助しやすい高さに調整します。	②ベッドの高さを上げることで生じる気分不快や転落リスクに配慮しながら必要に応じてベッドの高さを調整します。 ベッドの高さを調整することで、介助者の腰にかかる負担が減ると同時に、力を入れやすくなる。
③枕を入れます。	③枕の高さやかたさ、大きさや材質は、利用者の好みを尊重します。
④殿部の下にムートンなどを当てます。	④除圧を目的として用います。

<table>
<tr><td>⑤両上肢、両膝窩部、アキレス腱から踵骨部にかけた部分に枕やクッションを入れます。手の位置や角度も調整します。</td><td>⑤胸部、膝関節や下肢の筋肉の緊張をやわらげるために入れます。また、足首前面のリンパの流れを悪くしないように、足部は上げすぎないようにします。</td></tr>
<tr><td>⑥枕やシーツ、衣服を整え、気分・体調、寝心地などを確認します。
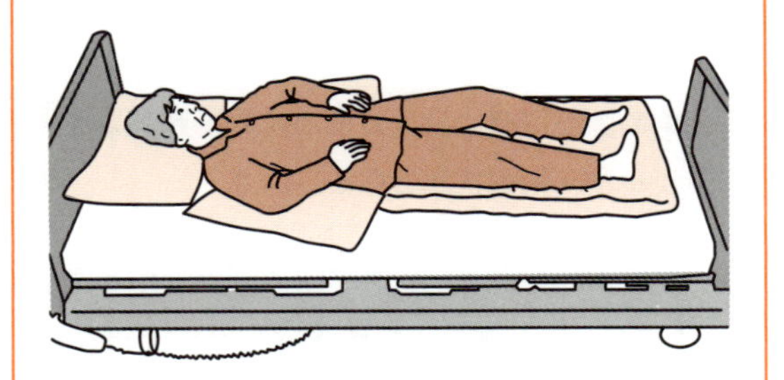</td><td>⑥口頭で確認するだけでなく、顔色・表情なども観察します。
衣服やシーツのしわは、寝心地が悪くなるだけでなく、褥瘡の発生要因にもなる。
・利用者自身が皮膚の摩擦や圧迫を感じにくく、身体を動かしにくい場合は、介助者が圧抜きを行います。
※「全般にわたり介助が必要な利用者」では、ADLや体調が低下している可能性があり、体調が変化しやすいため、体調確認が先となる。</td></tr>
<tr><td>⑦ベッドをもとの高さに戻します。</td><td>⑦必要に応じて利用者に寝具をかけ、介助をする前の状態に戻します。また、室温・採光などを利用者に確認し、調整します。</td></tr>
<tr><td>⑧記録します。</td><td>⑧状態や状況を記録します。</td></tr>
</table>

（2）側臥位における安楽な体位を保持する介助

＜必要物品＞

大きめの枕、クッションなど

介助手順	留意点と根拠
①、②は「（1）仰臥位における安楽な体位を保持する介助」（p. 128）と同じです。	
③枕を入れます。	③枕の高さやかたさ、大きさや材質は、利用者の好みを尊重します。顔の側面全体が枕に当たるようにします。

④利用者の上体を支えます。	④骨盤を後方に引いて「く」の字型にして姿勢を保持し、背部に大きめの枕やクッションなどを当てます。 「く」の字になることで、支持基底面積が拡大し安定する。
⑤胸部の前に枕を置きます。	⑤上側の腕を枕の上に置きます。肩の角度、向きなどの調整もします。枕は胸部の緊張をとるために入れます。 上側の腕が胸部に重なっていると、胸郭に荷重がかかり緊張状態となる。
⑥両下肢のあいだに大きめの枕やクッションなどを入れて支えます。下側の下肢の足もとにタオルなどを入れます。	⑥膝が重なると痛みや皮膚障害を生じさせるので、重ならないようにします。
⑦シーツ、衣服を整え、気分・体調、寝心地などを確認します。 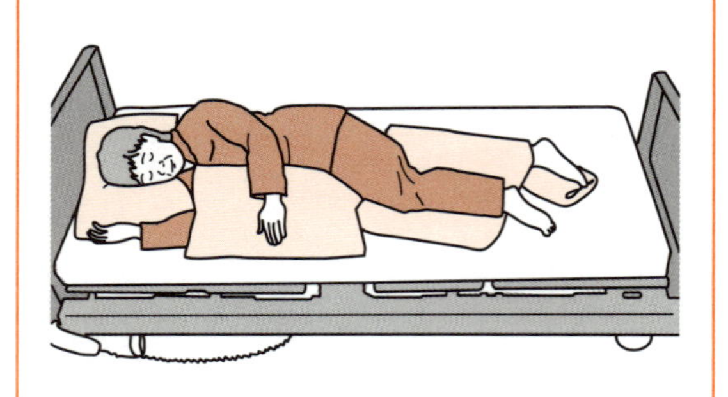	⑦口頭で確認するだけでなく、顔色・表情なども観察します。 衣服やシーツのしわは、寝心地が悪くなるだけでなく、褥瘡の発生要因にもなる。 ・利用者自身が皮膚の摩擦や圧迫を感じにくく、身体を動かしにくい場合は、介助者が圧抜きを行います。 ※「全般にわたり介助が必要な利用者」では、ADLや体調が低下している可能性があり、体調が変化しやすいため、体調確認が先となる。
⑧ベッドをもとの高さに戻します。	⑧必要に応じて利用者に寝具をかけ、介助をする前の状態に戻します。また、室温・採光などを利用者に確認し、調整します。
⑨記録します。	⑨状態や状況を記録します。

（3）半座位（ファーラー位）における安楽な体位を保持する介助

介助のポイント

① 半座位になることで横隔膜が下がり、呼吸面積が広がり、肺呼吸が容易となる
② 胸郭が伸展し、横隔膜や側腹筋の運動が活発になることで、内臓のはたらきも良好になる

＜必要物品＞

クッション、大きめの枕、ムートンなど

介助手順	留意点と根拠
①～③は「(1) 仰臥位における安楽な体位を保持する介助」(p. 128) と同じです。	
④殿部の下にムートンなどを当てます。	④除圧を目的として用います。
⑤両膝窩部をギャッチアップするか、大きめの枕などを入れます。	⑤下肢が伸展していると、膝裏に苦痛が生じ安楽ではなくなります。
⑥ギャッチアップし、上半身を45度の角度に保持します。	⑥ギャッチアップしたら利用者の背中を一度ベッドから離し、圧抜き（背抜き）をします。 **背抜き**⑪をすることで、褥瘡の発生要因となる「ずれ」を解消することができる。 ※角度が15～30度の半座位を「セミファーラー位」と呼ぶ。
⑦上肢の下にクッションなどを入れ、肘を軽く曲げます。手の位置や角度も調整します。	⑦枕は胸部の緊張をとるために入れます。

⑪背抜き
背部に行う圧抜きのこと。ベッド上で上体をギャッチアップまたはギャッチダウンした際、身体をマットレスからいったん離して戻す介助。

⑧枕やシーツ、衣服を整え、気分・体調、寝心地などを確認します。 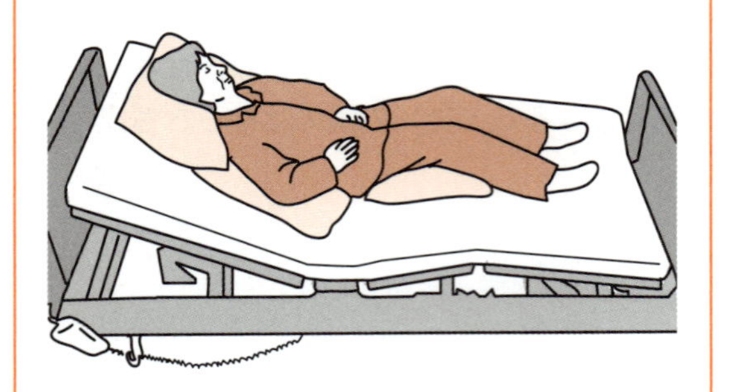	⑧口頭で確認するだけでなく、顔色・表情なども観察します。 衣服やシーツのしわは、寝心地が悪くなるだけでなく、褥瘡の発生要因にもなる。 ※「全般にわたり介助が必要な利用者」では、ADLや体調が低下している可能性があり、体調が変化しやすいため、体調確認が先となる。
⑨ベッドをもとの高さに戻します。	⑨必要に応じて利用者に寝具をかけ、介助をする前の状態に戻します。また、室温・採光などを利用者に確認し、調整します。
⑩記録します。	⑩状態や状況を記録します。

（4）起座位における安楽な体位を保持する介助

介助のポイント

① 起座位は横隔膜を下げ呼吸面積が拡張するので、肺活量が増加する。また、座位では下肢や腹部の静脈に血液がたまり、心臓に戻ってくる血液（静脈還流）が減少するので、肺うっ血が軽減され、呼吸が楽になる

② 心臓の位置を高くすることで、血液の循環の負担が少なくなるので、心疾患のある人に適している

＜必要物品＞

オーバーベッドテーブル、大きめの枕、クッションなど

介助手順	留意点と根拠
①は「（1）仰臥位における安楽な体位を保持する介助」（p. 128）と同じです。	
②利用者に上体を起こしてもらいます。	②利用者にコントローラーボタンを押してもらい、ギャッチアップ（背上げ）を60～80度くらいの角度までゆっくりと行います。このと

	き、利用者の腹部の圧迫や苦痛、めまいがないか顔色や表情を観察しながら見守りましょう。 ※背上げと膝上げを同時に自動で行うベッドもある。
③利用者の前にオーバーベッドテーブルを用意します。	③動かないようにしっかり固定します。
④オーバーベッドテーブルに上体を寄りかからせます。 	④オーバーベッドテーブルの上に大きめの枕やクッションを置き、その上に上体を寄りかからせ、オーバーベッドテーブルをかかえこむ姿勢をとってもらいます。腰や膝裏にもクッションなどを入れます。 ※背上げと同時に膝上げを行うベッドの場合は、腹部の圧迫や腹部・膝の苦痛を軽減するため、膝上げの角度を最終調整する。
⑤枕やシーツ、衣服を整え、姿勢や体調などを確認します。	⑤口頭で確認するだけでなく、顔色・表情なども観察します。拘縮がある利用者は関節障害や骨折の可能性が生じるので、無理に力を加えないようにします。 衣服やシーツのしわは、寝心地が悪くなるだけでなく、褥瘡の発生要因にもなる。 ・利用者自身が皮膚の摩擦や圧迫を感じにくく、身体を動かしにくい場合は、介助者が圧抜きを行います。
⑥記録します。	⑥状態や状況を記録します。

4　安楽な体位を保持するための道具・用具

重度の疾病や障害によって、姿勢を保つことや変えることが困難で、臥床が長時間にならざるをえない利用者の安楽な体位を保持することを「ポジショニング」といいます。ポジショニングにおいては、身体状態の評価をはじめ、身体各部の荷重や適切な角度を勘案し、クッションの素材・形状・かたさなども選定する必要があるため、関係専門職との連携が大切です。

安楽な体位を保持するため、**表3－5**のような道具・用具を使うことがあります。利用者の状態に応じて適切なものを使いましょう。

表3－5　安楽な体位を保持するための道具・用具

分類	物品名	目的・特徴	留意事項等
ベッド・マットレス	エアマット	身体にかかる圧力を分散させるマット。空気の入ったセル（ゴムやビニールを筒状や袋状にしたもの）をつなげて自動的にポンプで空気を送りこみ、一定間隔でセルを交互に膨張・収縮させる圧切り替え型と、エアポンプのない静止型がある。	揺れ・浮遊感を不快に感じることがある。また、力を入れても吸収されてしまうことでマットの上での身体の動きがさまたげられるため、自分で寝返りを打つ、起き上がりをする人にとって不都合な面もある。湿潤を除く換気機能がついているものもある。
	ウォーターベッド	水（ジェル）の流体移動により体圧の分散をはかる。	価格、保守、重量、移動の面を考慮する必要がある。力を入れても吸収されてしまうことでマットの上での身体の動きがさまたげられるため、自分で寝返りを打つ、起き上がりをする人にとって不都合な面もある。
	褥瘡予防マット	体圧分散機能をもったマット。ウレタン（低反発・高反発）、チップ、ジェル、エア、コイル、綿などの素材でつくられている。	構造や素材により種類がたくさんあるため、身体状況にあったものを選択する。消臭素材を使ったものもある。 マットレスの劣化を確認し使用する。「底づき」がないか注意する。
敷物など	ビーズマット	身体にはさむ、丸めて側臥位の背中の後ろに置き体位保持するなど、用途にあわせて調節し使用する。部位の除圧をしたり、蒸れを防いだり、姿勢を整えることにも使用する。	材質の劣化を確認して使用する。 外装が破損し、内容物が出たものを口に入れるなどの事故にも注意する。
	ムートン	羊毛でできているため、吸湿性、放湿性に優れている。部位の除圧をしたり、蒸れを防いだり、姿勢を整えることにも使用する。	
枕など	安楽枕・座布団クッション	部位の安定や固定に使用する。	褥瘡好発部位に敷いたり、身体の重なる部分（側臥位の両膝のあいだなど）にはさんだりする。
	クッション（ビーズ・パイプ・チップ・低反発・エア等）	部位の安定や固定に使用する。	
	フットボード・砂のう	部位を高く上げ、保持・安定のために使用する。	男性尿器を固定するときなどに砂のうを使用する。
	毛布・タオルケット・バスタオル	筋肉の緊張をやわらげるために使用する。	部位の保護や吸湿、防汚、保温の目的もかねて使用する場合がある。

4 歩行の介助

1 歩行の介助を行うにあたって

サルコペニア[12]や**フレイル**[13]、**ロコモティブシンドローム**[14]など、「歩く」機能の低下への関心が、社会的な広がりをみせています。「歩く」ことが日常生活において欠かせず、それに支障が生じると「生活活動制限」や「社会参加制限」につながり、廃用が進行するからです。すでに歩行に障害が生じている高齢者ではとくに顕著にみられるため、歩行の介助にあたっては相手の歩行状態を把握し、歩くペースにあわせて安全に配慮します。利用者の自立のレベルが上がるよう、活動領域の拡大につなげていく必要があります。

2 歩行のポイント

高齢者の歩行では、歩幅がせまく歩行速度がゆっくりで、歩くときの腕の振りも小さく、上体が左右に揺れるという特徴があります（**図3－8**）。歩くときの姿勢も猫背で、足元を気にして目線を下にして歩いていると、まわりの人や障害物にぶつかってバランスをくずし、転びやすくなります。

安定した歩行をするには、①目標を進行方向に定めて視野を広くもつ、②歩幅は少し広めにとる、③着地はかかとから行う、④ふみ出した足は後ろに強くける、⑤背筋を伸ばして視線は前方に向ける、ことがポイントです。

介護福祉職は、利用者が安定して歩けるように歩行困難の原因となっている障害の種類や部位、程度を把握し、適切な支援をしていく必要があります。また、ストレッチや体操の重要性を伝え、他職種と連携することが求められます。

⑫サルコペニア
加齢や疾患により筋肉量が減少することで、全身の筋力の低下、または身体機能の低下が起こること。ギリシャ語で筋肉をあらわす「sarx（sarco：サルコ）」と喪失をあらわす「penia（ペニア）」をあわせたもの。

⑬フレイル
加齢によって筋力や活力が低下した段階のこと。

⑭ロコモティブシンドローム
運動器の障害により移動機能の低下をきたした状態。進行すると介護が必要になるリスクが高くなる。

図３－８　高齢者と若年者の歩行の比較

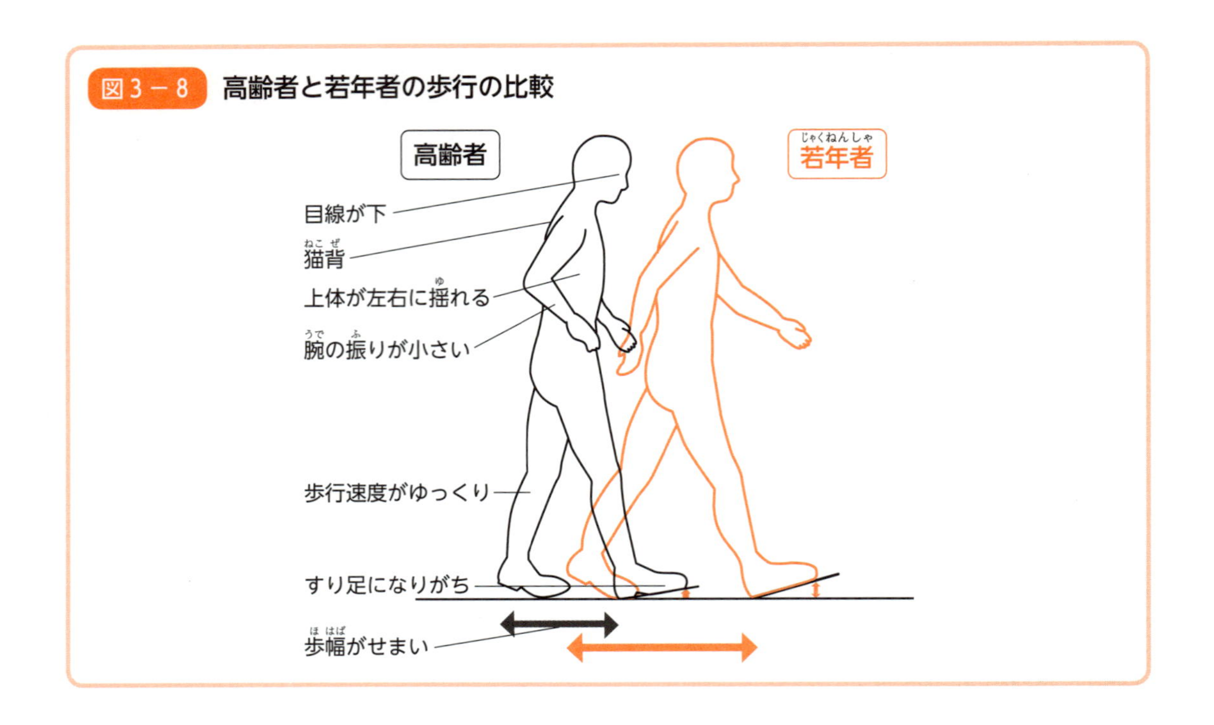

3　3動作歩行と2動作歩行

杖を使用して歩行する方法には、**3動作歩行**と**2動作歩行**があります（**表3－6**）。3動作歩行は、杖→患側の足→健側の足の順番で歩行します。2動作歩行は、杖と患側の足を同時に出し、次に健側の足を前に出します。3動作歩行から2動作歩行へ移行することにより歩行速度が増し、自立歩行に近い感覚をえることができます。

杖は、杖を持つ側の足のつま先から前へ15～20cm程度、外へ15～20cm程度の位置につくようにします。杖を出しすぎると、身体が曲がったり、杖がななめになって不安定になったりします。反対に杖を身体に寄せすぎると、杖をけってしまったり、バランスがとりづらくなったりします。

表3－6　3動作歩行と2動作歩行の比較

歩行	3動作歩行	2動作歩行
足を出す順番	杖→患側→健側	杖と患側→健側
機能レベル	低い	高い
スピード	遅い	速い
安定性	高い	低い

4　歩行の介助

以下に手順を明示しますが、これはあくまで基本的なプロセスです。実際の介護では、これを参考にしながら利用者に合った介助方法を考える必要があります。

介助のポイント

① 歩行介助をする場合は、介助者は利用者のやや後方（麻痺がある場合は、麻痺側の後方）に位置する。身体状況や道路などの環境にあわせて最適な位置につく
② 片麻痺の利用者の段差越えや溝越えでは、杖→患側の足→健側の足の順番で障害物（溝）を越える
③ 階段を上るときは「杖→健側の足→患側の足」、下りるときは「杖→患側の足→健側の足」の順になる。常に上の段に位置しているのが「健足」と意識する
④ 階段に手すりが設置されている場合は、利用者への適合および環境面のアセスメントをふまえ、使用の有無を判断する

以下では事前の介助内容の説明や同意、準備行動や介助ごとに行う体調確認は省略しています。

（1）3動作歩行の介助

介助手順	留意点と根拠
①利用者の患側後方に立ちます。利用者の患側の前腕を支え、もう一方の手は利用者の腰にそえて身体を支えます。 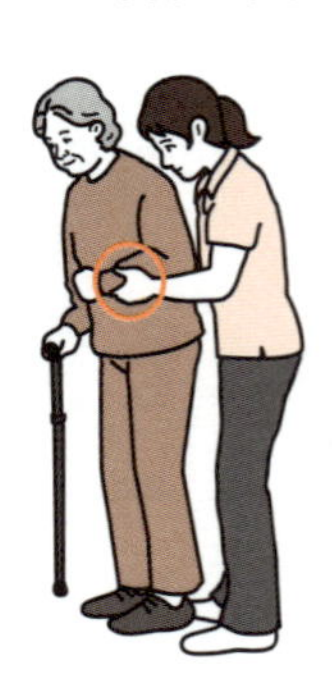	①利用者の患側後方に立ちます。 患側には力が入らないため、バランスをくずしたときに患側に倒れやすい。 ・利用者の患側を支える際には、歩行バランスやリズムをくずさないように注意して支えます。身体を支える部分は、利用者の安定性や歩行状態、介助者と利用者の身長差などによって、前腕、腋窩、肩峰、腰、背中などを使い分けます。 ・利用者の歩行が不安定な場合は、介助者がわきをしめて利用者に密着して介助することもあります。 密着することで介助者の動きを利用者に伝え、安定した介助を行う。
②杖をななめ前方に出してもらいます。 	②利用者が杖をつく位置の確認や助言などを行います。
③患側の足を1歩前に出してもらいます。 	③「左足を出しましょう。次に右足を出しましょう」など、歩行リズムにあわせて声かけをすることが効果的な場合もあります（利用者に強制感を与え、不快にさせることもあるため注意しましょう）。

④最後に健側の足を１歩前に出し両足をそろえます。 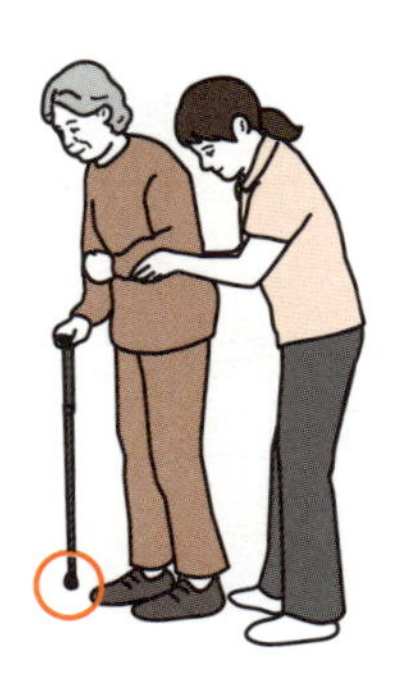	④利用者の歩行状況により、 A：健側の足を、患側の足と同じ位置にそろえて着地 B：健側の足を、患側の足の少し後ろに着地 C：健側の足を、患側の足の少し前に着地 など、違いがあります。介助者は利用者の特性を把握したうえで介助します。

（2）障害物（段差や溝）越えの介助

介助手順	留意点と根拠
①は「（1）３動作歩行の介助」（p. 138）と同じです。	
②障害物の向こう側へ杖をついてもらいます。	②利用者が杖をつく位置の確認や助言などを行います。

③患側の足を出して、障害物を越えます。  ④健側の足を出して、障害物をまたぎ、両足をそろえます。 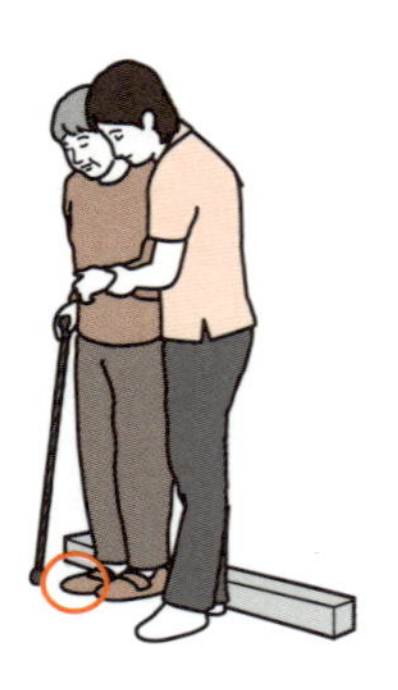	③越えにくそうであれば、利用者の状態に合った安全な補助を実施します。 【例】 A：体幹を支えつつ、健側に重心を移し、患側の足が溝を越えやすくする。 B：体幹を支えつつ、患側の足が溝を越えるときに膝裏などを保持し、つま先が引っかかるのを防止する、など。

（3）階段（段差）の上り下りの介助

1 階段を上る場合

介助手順	留意点と根拠
①は「（1）3動作歩行の介助」(p. 138)と同じです。	①健側のそばにある手すりを使用する場合は、平地歩行時に使用していた杖を介助者が預かります。

②利用者に、杖を上段についてもらいます。 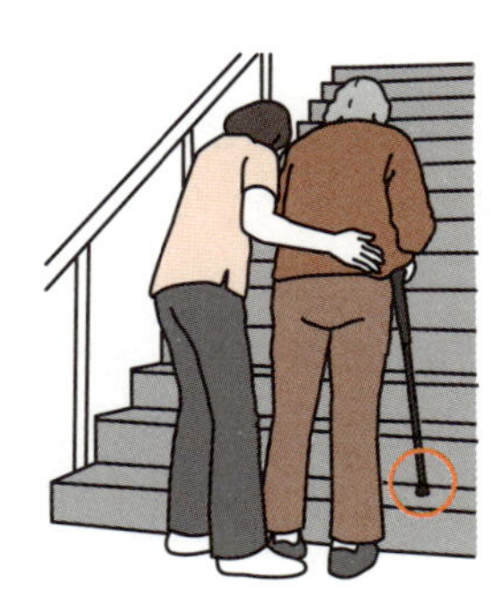	②介助者は、階段の形状（段の奥行・すべりやすさなど）をふまえたうえで、利用者が杖をつく位置などの確認や助言を行います。階段に杖をつく位置は、利用者の健側の手の力が入りやすい位置か、杖がぶれないように、階段の段のＬ字になっている奥の角につきます（階段の角に杖が当たり、固定されるため）。
③健側の足から階段を上ってもらいます。 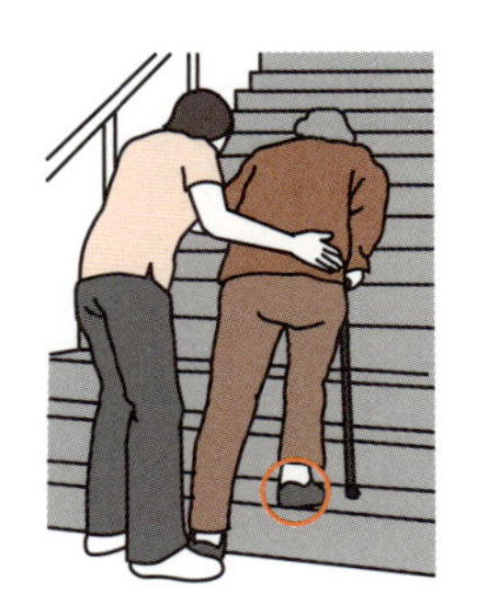	③杖に力を入れ、重心を杖側に寄せつつ健側の足を上段に上げてもらいます。 ・バランスをくずしやすいので、介助者は利用者の支え方、支える位置などに配慮しましょう。
④患側の足をそろえます。 	④杖と健側の足の両方を支えとし、健側に重心を寄せて、患側の足を引き上げるように上段に上げてもらいます。患側の足を上げにくそうであれば、利用者の状態に合った安全な補助を実施します。 【例】 Ａ：体幹を支えつつ、健側に重心を移し、患側の足が段を越えやすくする。 Ｂ：体幹を支えつつ、患側の足が上段のへりを越える瞬間のみ、膝裏などを保持し、つま先が引っかかるのを防止する、など。

2 階段を下りる場合

介助手順	留意点と根拠
①利用者の患側の前方で段をまたいで位置します。患側の腕を支え、一方の手は腰にそえて身体を支えます。	①利用者の患側を支えるときには、歩行バランスやリズムをくずさないように注意して支えましょう。 ・健側のそばにある手すりを使用する場合は、平地歩行時に使用していた杖を介助者が預かります。
②杖を下段についてもらいます。 	②バランスをくずしやすいので、介助者は利用者の支え方、支える位置などに配慮しましょう。
③患側の足から階段を下ります。 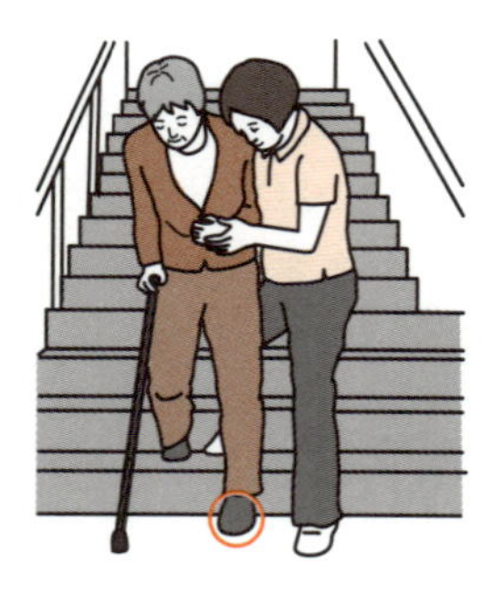	③介助者は利用者がバランスをくずしたり、膝折れしたりしないように支え、足をつく位置にも注意します。
④最後に健側の足をそろえます。 	

5 歩行のための道具・用具

歩行が困難になると、疲労や転倒を恐れて、移動に対して消極的になりがちです。歩行能力を助ける福祉用具は、「人の手を借りずに自分の足で歩いている」という自信にもつながり、移動の意欲をもたらします（**表3－7**）。

表3－7　歩行のための道具・用具

項目	種類	選択の視点・活用法
手すり		立ち上がり、歩行、姿勢の変換時などにこれをにぎったり、手や腕をのせたりして使用する福祉用具。体重を支えてバランスを保持することを目的とする。そのため、にぎり方、力のかけ方（押す・引く）を十分に検討することが重要となる。
歩行器	歩行器は、杖に比べて大きな支持性・安定性を必要とする人が使用する。	
	前腕支持式歩行器	脚部に車輪がついている歩行器。手のひらや前腕部で支持して操作するため、両手が使用できるか、立位で歩行器を操作するだけのバランス機能があるかを確認することが必要となる。 一般家屋で使用する場合は、廊下の通行幅を考慮する必要がある。また、方向転換をするためのスペースが必要となるため、使用する環境と用具の大きさを考慮する必要がある。
	固定式歩行器	フレームの中に立って、両側のパイプをにぎり持ち上げて動かす。

歩行器	交互式歩行器 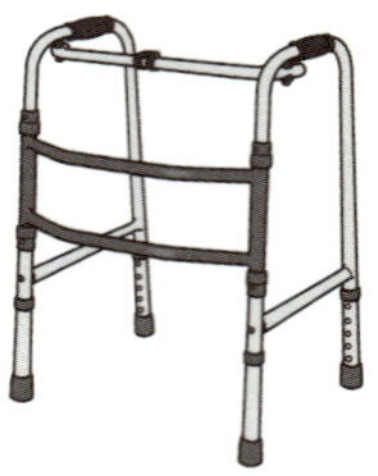	手で左右交互に動かすことができる歩行器。
歩行補助杖	①歩行時の患側下肢にかかる荷重（体重）を部分的に、またはその大部分を減らす、②歩行バランスの調整、③歩行パターンの矯正、④歩行速度と耐久性の改善、⑤心理的な支え、などを目的として、一般的には、杖のにぎり手をしっかりとにぎって体重を支えるように使用する。	
	T字杖 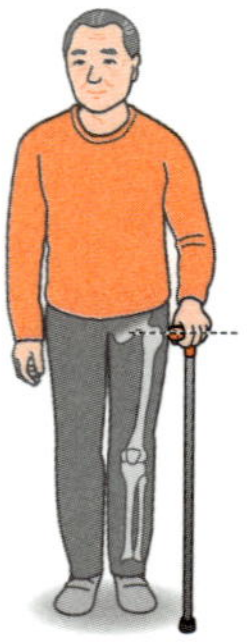	少ない支持で歩行が可能な利用者に用いる。にぎり手が大腿骨大転子の位置にくる高さが目安となる。
	ロフストランド・クラッチ 	にぎりと前腕の 2 点で体重を支えるタイプ。手指や手首に支障があり、握力が弱くにぎりだけで身体を支えることがむずかしい利用者に用いる。
	多点杖（多脚杖） 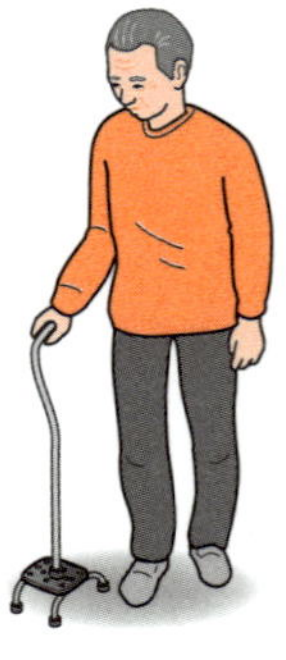	杖先が 3 脚や 4 脚に分かれており支持基底面積が広いため、歩行が安定する。

	サイドケイン（ウォーカーケイン／杖型歩行器）	多点杖よりもさらに支持基底面積が広く、立ち上がりの際などにも使用できる。ただし、重量があり、大きい。
シルバーカー（歩行車）	シルバーカー（歩行車）	かごや台を備えたフレームの下に車輪がついている歩行補助用具。荷物の運搬や、台の部分に座って休憩できるタイプもあり、外出時の使用に適している。

資料：「介護保険における福祉用具の選定の判断基準について」（平成16年 6 月17日老振発第0617001号）

5 車いす（移乗・移動）の介助

1 車いす介助を行うにあたって

歩行ができなくても、座位がとれれば車いすでの移動は可能になります。状況に応じて歩行と車いすを併用することが、利用者の疲労度の軽減や移動と活動の範囲を拡大させることにつながります。

2 車いすの基本構造

車いすを使用するときは、毎回、事前に点検をすませておくことが必要です。ここでは、車いすの基本構造と、その点検ポイントを押さえましょう（**図3－9**、**表3－8**）。

図3－9　車いすの構造名称

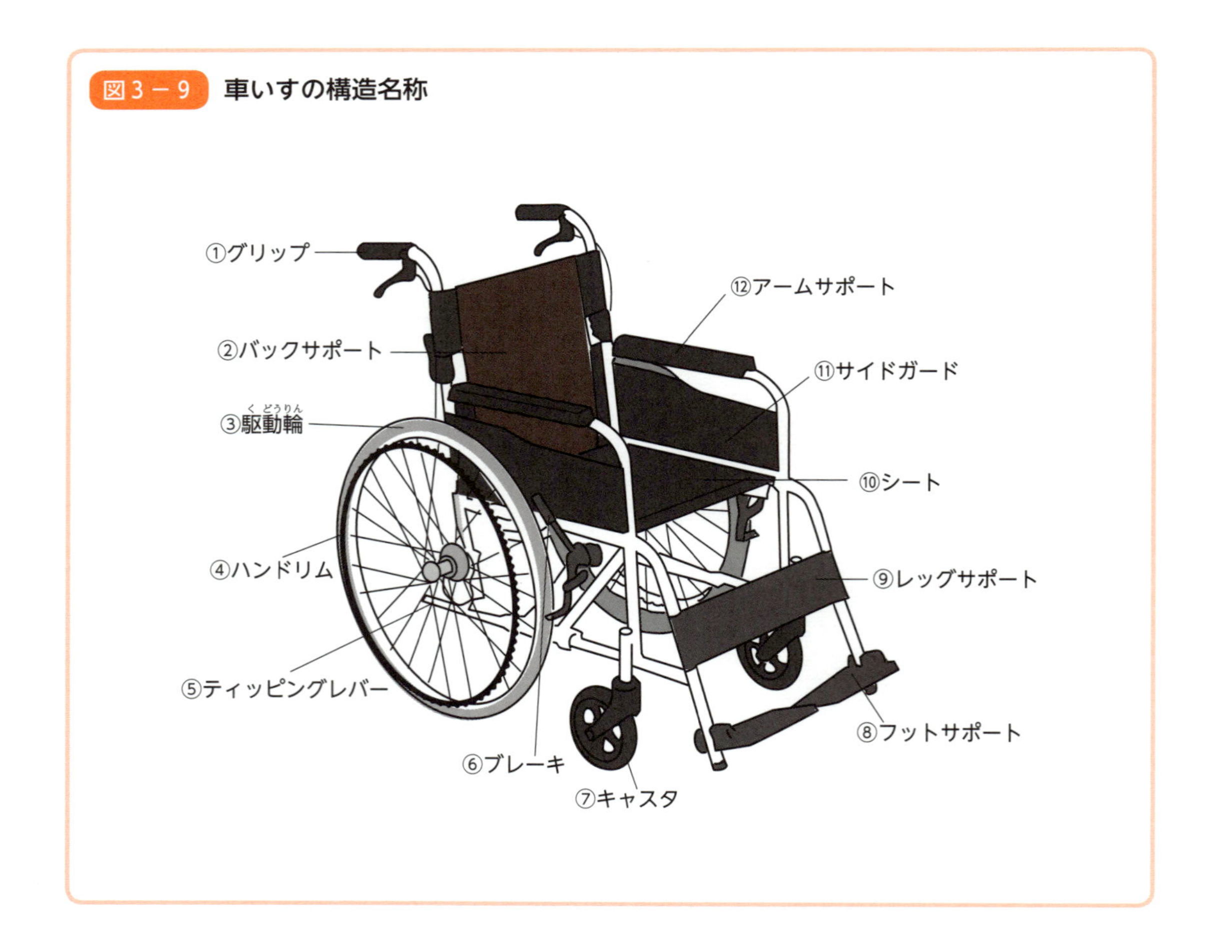

表3－8 車いすの構造と点検内容・フィッティング（適合）ポイント

名称	部分の説明・機能	点検ポイント	フィッティングポイント
①グリップ	介助者が押すにぎりの部分	ゆるみ、ぐらつき、亀裂、劣化など	
②バックサポート	背もたれの部分	バックサポートの形状や布の張り具合が、利用者の座位保持能力や円背など身体状況に合っているかなど	ハンドリムを動かす場合は肩甲骨下端の高さに調整する。座位バランスが悪い場合はそれよりも高くする
③駆動輪	後輪にあたる部分	タイヤの空気圧、回転、摩耗、汚れ、車軸の油漏れなど	
④ハンドリム	手の力を駆動輪に伝達し動かす	ぐらつき、手でうまく回せるか、汚れなど	
⑤ティッピングレバー	介助者がキャスタを上げる際に足でふむ部分	ぐらつき、汚れが付着し足がすべらないかなど	
⑥ブレーキ	駆動輪を止める	効き具合、レバーのぐらつき（空気圧とともに点検）など	
⑦キャスタ	前輪にあたる部分で回転する	傷、摩耗、車輪の大きさ、回転具合、車軸の付着物、汚れなど	大きいほど路面の凹凸に強く段差をのり越えやすくなる
⑧フットサポート	足をのせる部分	左右対称か、曲がり、ぐらつき、上げ下げの重さ軽さ、汚れなど	床から5cm以上の高さで、大腿部が軽くシートにふれる高さにする
⑨レッグサポート	フットサポートから足が落ちたりキャスタに巻きこんだりしないためのもの	取りつけ状態、張り具合、汚れなど	全介助の場合に装着し、自走の際に当たる場合ははずすなど調整する
⑩シート	殿部をのせる部分	破損、張り具合、たるみ、汚れ、シート左右にはさまった食べこぼし、汁ものをこぼしてできたしみや汚れやにおい、座り心地など	幅：自走用の場合は、腰幅＋3～4cm程度。介助用の場合は、腰幅＋4～5cm程度が目安 奥行き：仙骨が当たらないよう、シートの前端がふくらはぎに当たらない長さが目安 高さ：移乗しやすい高さにする。足で操作する場合はかかとが床につく高さにする 角度：角度をつけると座位が安定するが、移乗や足での操作がしにくくなる
⑪サイドガード	駆動輪に衣服が巻きこまれたり汚れたりするのを防ぐ	ぐらつき、汚れ、何かはさまっていないかなど	
⑫アームサポート	肘かけ部分	手脂による汚れやぬめり等、取りはずしができるタイプの場合は取りつけ部分の確認をする	肘が自然につく高さにする

資料：テクノエイド協会『福祉用具プランナーが使う――高齢者のための車椅子フィッティングマニュアル』をもとに作成

3 車いすに座るときの正しい姿勢

車いすは「動く」ために使用する福祉用具で、誤った姿勢で乗車すると、転倒・転落・けがにつながりやすい性質があり、リスクマネジメントが必要です。わずかな段差や溝も進行の障害になるという特性や、上体をバックサポートに荷重させのけぞる姿勢になったり、前傾しすぎるとバランスをくずしやすくなります。

車いすを利用する際は、まず乗車の姿勢を確認しましょう（**表3－9**）。足がフットサポートにのり、深く座っているか、手がアームサポートの内側に入っているかを確認します。利用者は麻痺側の感覚がないため、ぶつけたりはさまったりしても気づかないことがあります。とくにフットサポート部分は死角になるため、介助する人には、顔をそこに向けて目視確認するという意識が必要となります。下肢に麻痺がある利用者などは、レッグサポートを活用し、足の巻きこみを防ぎます。

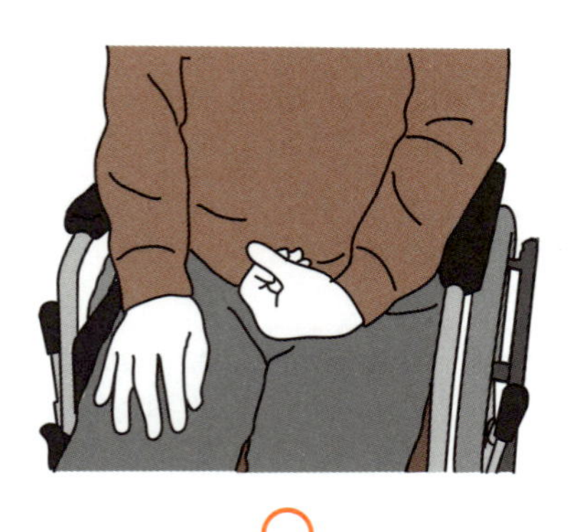

○
手がアームサポートの内側に入っている

×
手がアームサポートの外側に出ている
殿部がずり下がっている

表3－9 車いすに座るときの姿勢の確認ポイント

- フットサポートに両足がのっている。
- バックサポートに殿部が接するまで深く座っている。
- バックサポートに上体を預ける姿勢で、重心が後方にあり（前方だと転落しやすい）、左右に傾いていない。
- 段差を越えたり、キャスタを上げたまま不整地（砂利道など）を移動したりする際は、アームサポートをにぎり、座位を安定させる必要がある。介助者は、肘部分やつま先部分など、状況にあわせて配慮と観察と対応をおこたらない。
- 下肢に麻痺がある利用者などは、足の巻きこみを防ぐためにレッグサポートを活用する。

4　車いすの基本的な使い方

（1）車いすのたたみ方

介助手順	留意点と根拠
①車いすの横に立ち、片手はグリップをにぎり、もう片方の手でブレーキをかけます。 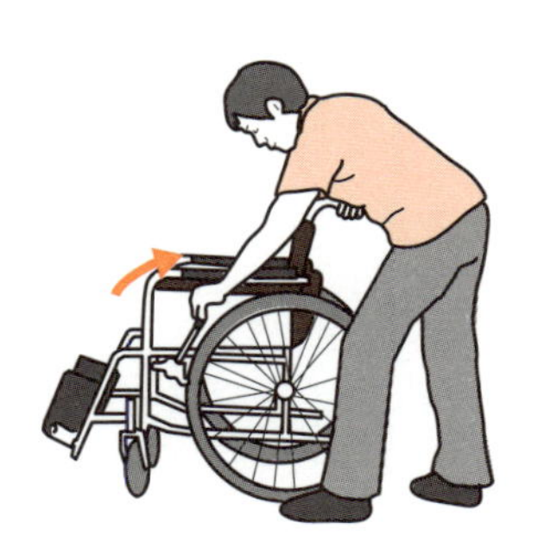	①たたむ前に、フットサポートが上げられていることを確認します。 A：どちらか一方のグリップを片手でにぎり、もう片方の手で同じ側のブレーキをかける方法 B：どちらか一方のグリップを片手でにぎり、もう片方の手で反対側のブレーキをかける（グリップをにぎる手と、ブレーキをかける手が違う側で、対角線に位置する）方法 があります。 ・路面状態、車いす状況、介助者の力の入れやすさを考慮し使い分けます。
②シートの前後を両手で持ち、上に持ち上げ、左右の幅をせばめます。 	②支持基底面積を広くとり、身体がねじれず、安定した姿勢を保つようにします。また、介助者の足をはさまないように、足の位置に気をつけます。
③最後に両側のアームサポートを持ち、さらに左右をせばめます。 	③上に持ち上げたシートを下に戻します。 シートが汚れたり損傷したりしないよう下に戻す。また、出っ張りを少なくすることで、収納や車載がしやすくなる。戻す際には、手指をはさむなどけがをしないように注意する一方で、無理に押しこんで車いすのシート表面やクッションを傷つけないようにする。

（2）車いすの広げ方

介助手順	留意点と根拠
①車いすの正面に立ち、左右の手でアームサポートをつかみ、少し外側に開きます。 	①広げる前に、ブレーキがかかっていること、フットサポートが上げられていることを確認します。 ・支持基底面積を大きくとり、身体がねじれず、安定した姿勢を保つようにします。また、介助者の足をはさまないように、足の位置に気をつけます。
②両手を「ハ」の字に開き、シートに押しつけて開ききります。 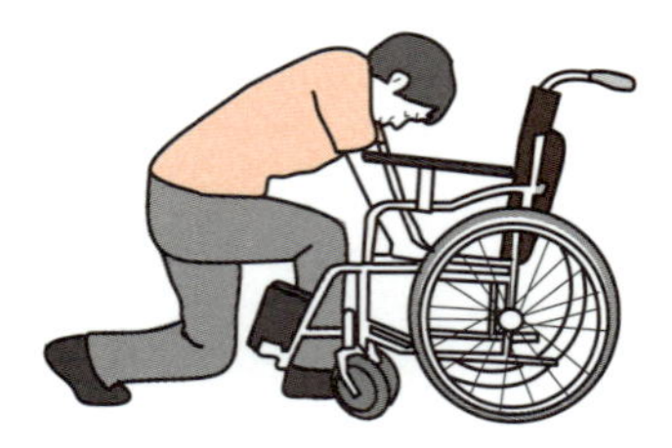	②少し開いた左右のフットサポートのあいだに片足を入れ、支持基底面積を広げて腰を落とすことで、介助者の足が車いすに当たらず、ボディメカニクスも活用できます。 両手を「ハ」の字にするのは、フレームに手（とくに小指）をはさまないようにするため。

5 車いす介助の実際

介助のポイント

① 移乗介助に際しては、利用者のADLや心身状況、ニーズ、環境などさまざまな点を考慮して利用者にとって最適な方法を選択する
② 車いすの種類による特徴を理解したうえで利用者に合ったものを選定し、操作に習熟したうえで実施する
③ 車いすの点検を行い、安全を確認してから使用する
④ 麻痺や拘縮、痛み、しびれに配慮し、安全・安楽を保つことを心がける

以下に手順を明示しますが、これはあくまで基本的なプロセスであり、実際の介護においてはこれを参考にしながら、利用者に合った介助手順を構築する必要があります。

車いすは、フットサポートが外側に開く、または取りはずせるタイプならば、そこを開いたりはずしたりして移乗の際に足元のスペースを広くとることができます。また、アームサポート、サイドガード部分が可動する、または取りはずせるタイプならば安全・安楽に移乗することができます。その際はベッド側のアームサポート、サイドガードを上げたり、はずしたりしておきます。

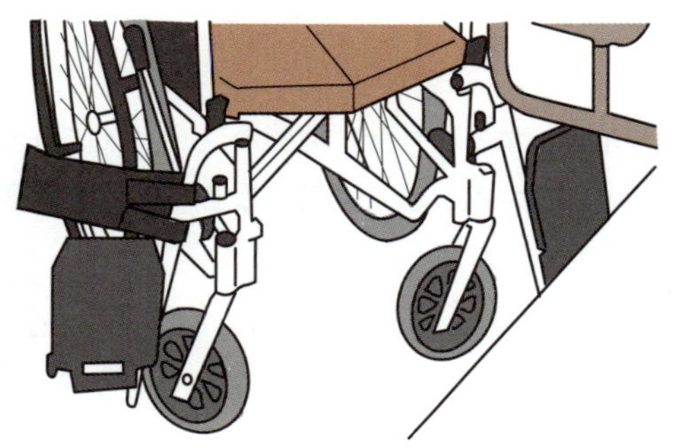

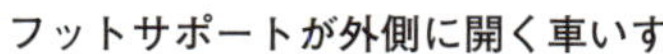

フットサポートが外側に開く車いす

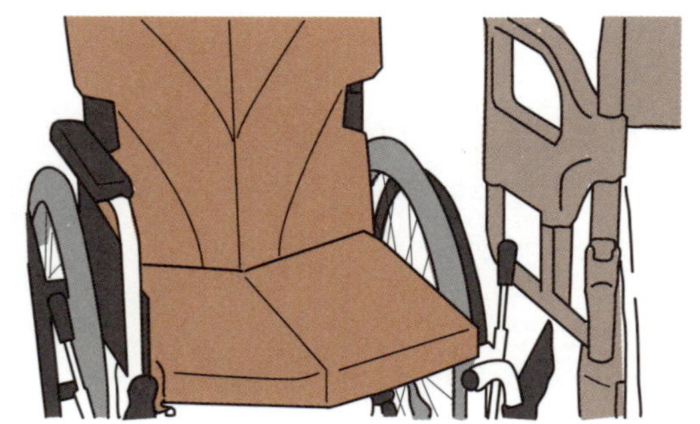

アームサポート、サイドガードが取りはずせる車いす

（1）ベッドから車いすへの移乗の介助

1 左片麻痺のある利用者の介助

介助手順	留意点と根拠
①利用者に介助の目的・内容を説明し、同意をえます。気分や体調を確認します。	①利用者の意向を確認し、自己決定を尊重します。これから行う介助の方法・手順を理解してもらいます。 介助内容を知ることで、利用者が安心・納得して行うことにつながる。
②車いすを持ってきます。	②端座位になっている利用者が、手すりなどにつかまり、両足底を床につき、身体が傾くことなく座位が安定していることを確認したあと、実施します。
③車いすを置きます。利用者に車いすの準備が整ったことを伝えます。	③車いすのブレーキがかかっていて、フットサポートが上がっているかを確認します。利用

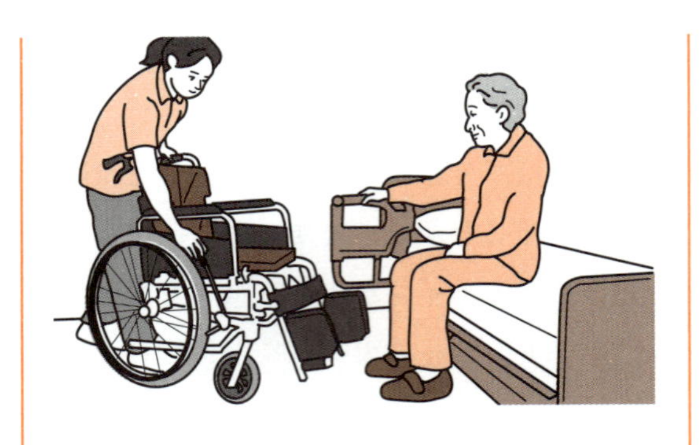

者が移乗しやすい位置に車いすを置きます。

・麻痺がある利用者の場合は、車いすを利用者の健側になるめに置きます。利用者の体格と歩幅・ベッドの形状・ベッド用手すりやサイドレールの有無と形状・車いすの種類などを考慮し、適切な状態にしたうえで、利用者との距離や角度を勘案し、調整して設置します。

利用者の健側に車いすを置くことで、利用者が健側の力を使って移乗することができる。

④利用者に浅く座りなおしてもらいます。

④介助をする場合は、健側の足底が床につき安定している状態で健側に重心移動し、患側→健側の順に浅く座ってもらいます。

先に健側から浅く座ってもらうと、患側に荷重がかかり、皮膚障害・関節障害のリスクが高まるため。

・足底が床についていることを確認します。

⑤利用者に健側の足を後ろに引いてもらいます。

⑤「直立を保持してから移乗する」場合は、健側と患側の両方を浅く座りなおしてもらいます。

・「座位状態からアームサポートをつかみながら中腰を保持して移乗する」場合は、座位における座面と殿部の接地面をある程度とって安全を確保します。移乗の際に左右の足がねじれて接触しないよう、健側のみ浅く座りなおすことも考慮します。

・状況や状態による使い分けが必要となります。

⑥利用者に立ち上がってもらいます。

⑥「右手足に力を入れて立ち上がり、ご自分のタイミングで手すりからアームサポートに手を移動させてください」など、具体的な方法を伝えます。その後、介助者は利用者の患側の足の膝折れを防止するため膝頭を保持し、「おじぎをするようにゆっくり立ち上がります」など声かけをして、利用者の重心移動を誘導するようにいっしょに立ち上がります。

AR

介助者は、患側に立つことで利用者が患側へ倒れこむのを防ぐとともに、利用者の前傾をさまたげないようにする。

ほかにも、

A：患側の足に荷重がかからないよう患側の肩付近を支える

B：立ち上がりやすいように仙骨の上あたりを支える

C：不随意運動や関節の固縮により、患側の足のつま先が前にすべり出すことを防止する

など、状態に応じて配慮しましょう。

・利用者の膝が伸展しはじめたら、腰や膝を支えていた両手を、利用者の体幹を保持するように移動させます。

健側の手を手すりから車いすのアームサポートへ、安全に持ち替えることができるようにする。

⑦利用者にゆっくり車いすに座ってもらいます。

⑦健側を軸足にした身体の回転をうながしながら、ゆっくり車いすに座ってもらいます。

「どすん」と急に腰を落とすことなく着座するためには、体幹を保持しながら前傾姿勢を十分にとることが必要となる。そのため、「前かがみになりながらゆっくり座りましょう」など声かけをしながら、介助者も膝を曲げて利用者といっしょに腰を下ろす。

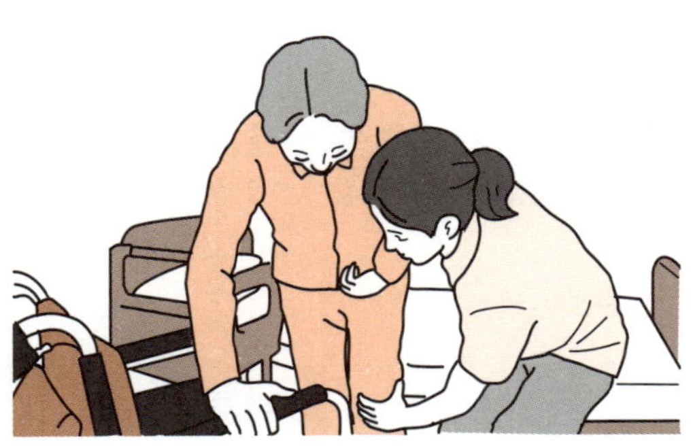

介護者は、利用者の前傾姿勢などの自然な動きや、視野を邪魔しない位置で支える。

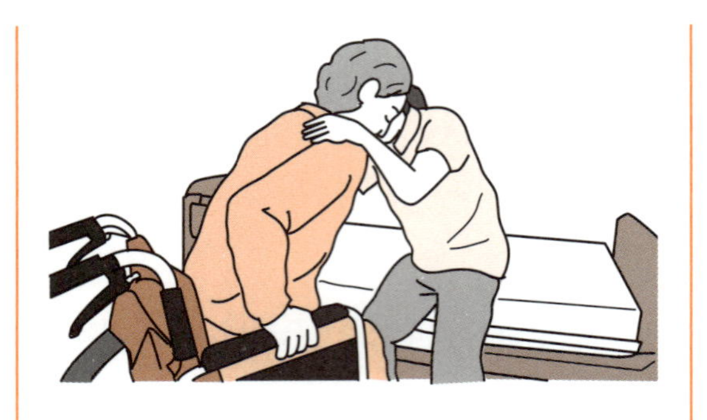

⑧利用者の気分・体調を確認します。

⑧気分は口頭で確認するだけでなく、顔色・表情なども観察します。

⑨深く座れていることを確認し、不十分なら座りなおしをしてもらいます。

⑨両足底が床につき、足関節が90度になるように調整します。

⑩フットサポートに足をのせてもらいます。

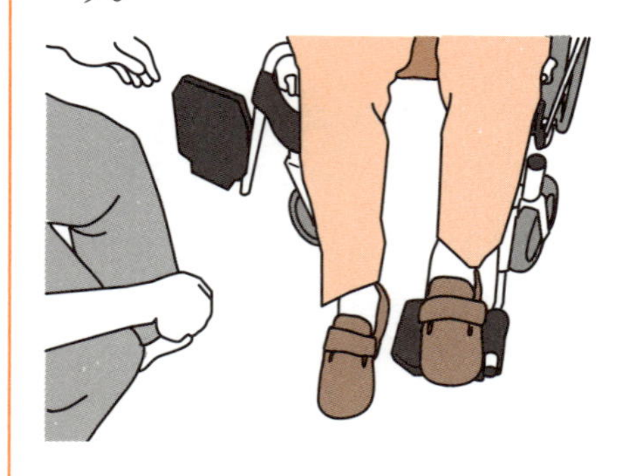

⑩気分を確認し、フットサポートに患側の足をのせる介助をします。次に自分の力でけり下げるなどして健側の足をのせてもらいます。フットサポートを外側に開いていたり、はずしていたりした場合は、もとに戻してから行います。

・健側の足が上げにくそうな場合は、

1）自力で足を後ろに引く

2）介助者がフットサポートを下げる

3）利用者が自力で足をフットサポートにのせる

などの方法に変えます。

⑪レッグサポートを装着します。

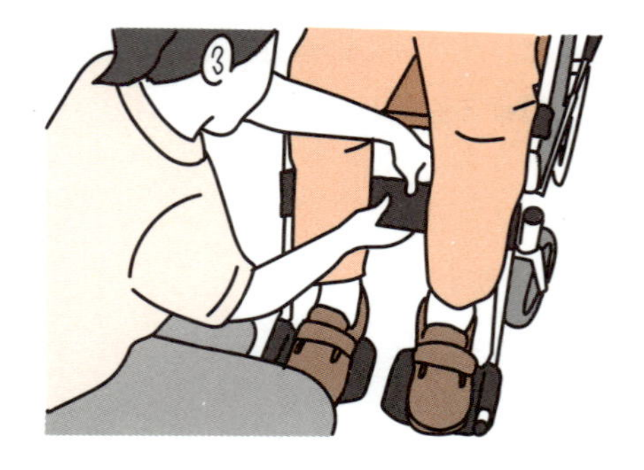

⑪フットサポートに両足がのっていることを確認して、レッグサポートを装着します。

足が落下して巻きこまれたり、キャスタに当たったりすることを防止するため。

⑫気分・体調、座り心地などを最終確認します。	⑫口頭で確認するだけでなく、顔色・表情なども観察します。
⑬記録します。	⑬状態や状況を記録します。

2 移乗動作全般にわたり介助が必要な利用者の介助

介助手順	留意点と根拠
①～③は、「1左片麻痺のある利用者の介助」(p. 151) と同じです。	※危険が生じない場合は、浅く座りなおす介助を行ったり、ベッドの高さを少し上げて腰を浮かせやすくする。それにより、利用者が安楽で自然な身体の動きをとることができる。 ※今回は「座位姿勢が不安定」で危険なため、浅く座りなおすことや健側の足の位置の調整等は行わない。
④利用者の体幹を支えつつ前傾姿勢を保持します。このとき、利用者の患側の足の膝折れを防止します。 AR 	④利用者が車いす側に顔を向け、介助者はその反対側に顔を向けます。利用者の患側上肢を保護しながら体幹を支えつつ前傾姿勢を保持します。 利用者が車いす側に顔を向けることで、これから移動する先を見られるようにする。不安の軽減にもつながる。 ※利用者が安全に移乗するために、介助者が車いす側に顔を向け、利用者がその反対側に顔を向けることがよい場合もある。利用者の心身の状態や、介助者の習熟度や技量、目視確認の必要度など総合的に勘案したうえで決定する。 ・利用者の患側の足に介助者の足をそわせたり膝をつきあわせたりして、膝折れを防止します。 膝をつきあわせることで、膝を固定した状態になり、てこの原理が使える。また、利用者の股関節の方向に圧をかけることで、背中側の筋肉の活動を誘発することができる。
⑤利用者といっしょに身体を回転させて、車いすに座ってもらいます。	⑤「私（介助者）の肩に手を回してください」など声かけをしたあと、体幹を保持し前傾を保ちつつ重心を近づけるようにし、利用者と

第3章　自立に向けた移動の介護

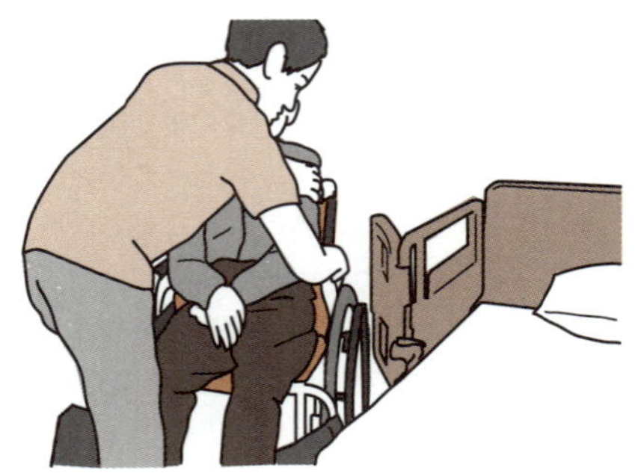

いっしょに身体を回転させて、車いすに座ってもらいます。

介助者は、動く方向に足先を向け、支持基底面積を広げることで身体を安定させる。その体勢を維持するために、身体の回転にあわせて足の位置も適宜動かしていく。

・利用者といっしょに身体を回転させる際は、介助者は自分の重心を移動させる（例：右足から左足へ）ように意識します。

「どすん」と急に腰を落とすことなく着座するためには、体幹を保持しながら前傾姿勢を十分にとることが必要となる。そのため、「前かがみになりながらゆっくり座りましょう」など声かけをしながら、介助者も膝を曲げて利用者といっしょに腰を下ろす。

⑥気分・体調を確認します。

⑥身体が大きく動いたので、起立性低血圧などに注意し、めまいがないかなど忘れずに確認しましょう。口頭で確認するだけでなく、顔色・表情なども観察します。

⑦ベッド側のアームサポート、サイドガード部分を上げていたら、安全のために下げます。

⑧利用者に深く座りなおしてもらいます。

⑧利用者の体幹を支えながら身体を健側に傾け、患側の荷重と摩擦を減らしてから、患側の膝頭や腸骨を押す、大腿部全体を面で支えて押すなどの介助をします。反対側も同様に介助します。

・座りなおしの介助をする場合は、健側の足底が床につき安定している状態で健側に重心移動を行ったうえで、患側→健側の順に深く座ってもらいます。

先に健側から深く座ってもらうと、患側に荷重がかかり、皮膚障害・関節障害のリスクが高まるため。

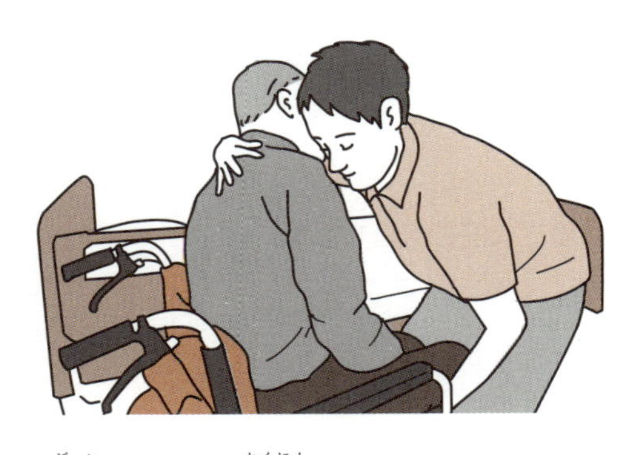

⑨座位の安定を確認したあと、気分・体調を確認します。

⑨両側の足底が床についていることを確認します。体調は、口頭で確認するだけでなく、顔色・表情なども観察します。

⑩フットサポートに足をのせてもらいます。

⑩「足をのせます」など説明し、患側→健側の順番で、フットサポートに足をのせる介助をします。

・フットサポートを開いたりはずしたりしていた場合は、もとに戻してから行います。

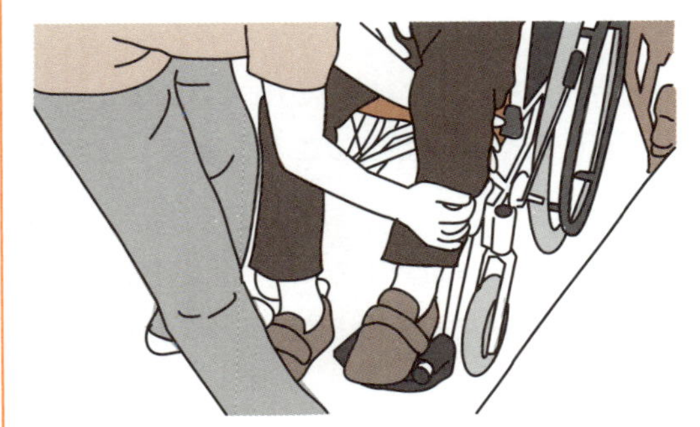

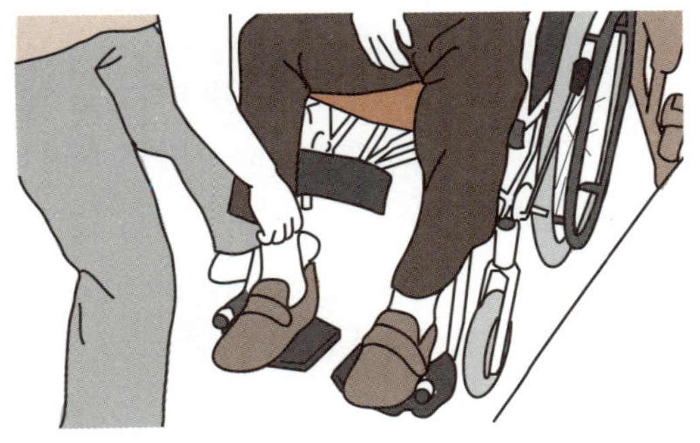

⑪レッグサポートを装着します。

⑪フットサポートに両足がのっていることを確認して、レッグサポートを装着します。

足が落下して巻きこまれたり、キャスタに当たったりすることを防止するため。

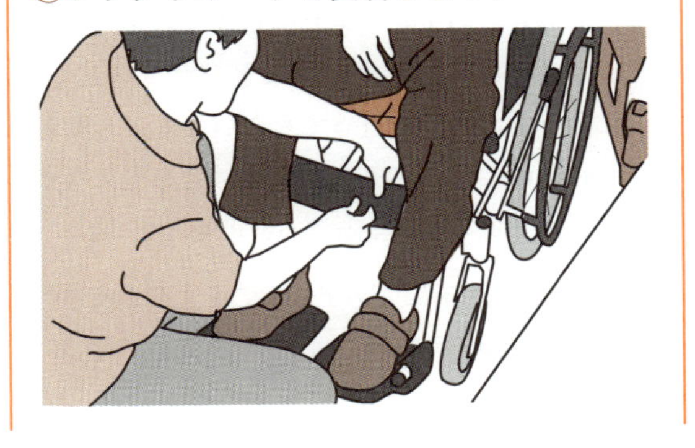

⑫気分・体調、座り心地などを最終確認します。	⑫口頭で確認するだけでなく、顔色・表情なども観察します。
⑬記録します。	⑬状態や状況を記録します。

(2) 車いすからベッドへの移乗の介助

1 左片麻痺のある利用者の介助

介助手順	留意点と根拠
①車いすを止めます。 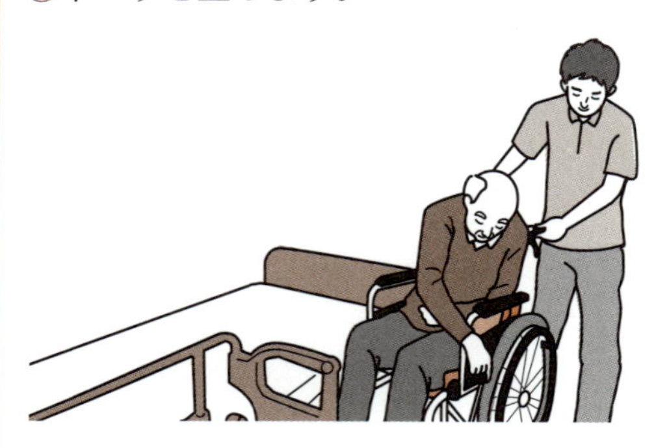	①利用者が乗った車いすを、利用者が移乗しやすい位置に止め、ブレーキをかけてもらいます。麻痺がある利用者の場合は、健側をベッド側にして止めます。 ・事前に、ベッドが利用者の端座位が安定する高さに調整されていることを確認しましょう。 健側にベッドが位置するように車いすを置くことで、利用者が健側の力を使って移乗することができる。
②利用者に車いすからベッドに移乗するための介助内容を説明し、同意をえます。気分や体調を確認します。	②利用者の意向を確認し、自己決定を尊重します。これから行う介助の方法・手順を理解してもらいます。 介助内容を知ることで、利用者が安心・納得して行うことにつながる。
③足をフットサポートから下ろしてもらいます。	③麻痺がある場合は、健側→患側の順に足を下ろしてもらいます。患側の足は「右手で左足を持ち上げられますか」など声かけをして、できるだけ自分で行ってもらいます。介助者は必要に応じて、アキレス腱付近を支えながらフットサポートを上げる介助をします。 健側の足底が床についていることで姿勢が安定し、患側の足を動かす際の安定につながる。

④健側の足を少し引いてもらいます。

④立ち上がりやすいように、健側の足を少し引いてもらいます。それにより、介助での移乗においても、利用者が安楽で自然な身体の動きをすることができます。

軸となる足（健側の足）を引くことで、力が入れやすく重心移動がしやすくなる。

※アームサポートをつかんだ健側の手と足に力を入れて健側を浅く座りなおしてもらう方法もある。
※アームサポートをつかみ、中腰を保持する形で移乗する場合などは、身体の回転をスムーズにし、左右の足が交差しないよう、軸となる健足を少し前に出す方法もある。

⑤利用者に立ち上がってもらいます。

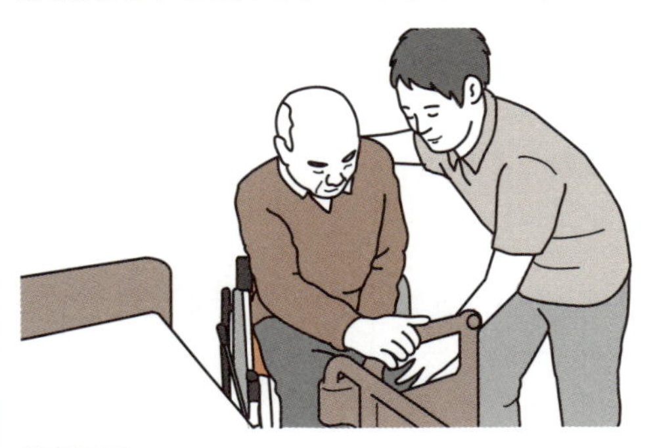

AR

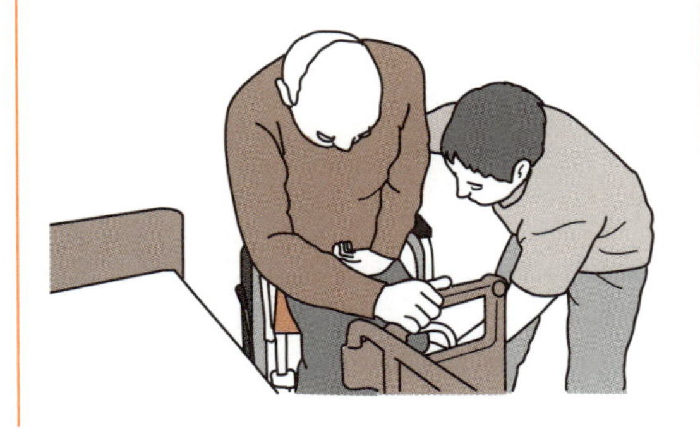

⑤利用者に健側の手をアームサポートから、前方のベッド用手すりに持ち替えてもらいます。介助者は利用者の患側の足の膝折れを防止するため手で押さえ「おじぎをするようにゆっくり立ち上がります」など声かけをして、利用者の重心移動を誘導するようにいっしょに立ち上がります。

介助者は、患側に立つことで、利用者が患側へ倒れこむのを防ぐとともに、利用者の前傾をさまたげないようにする。

ほかにも、
A：患側の足に荷重がかからないよう患側の肩付近を支える
B：立ち上がりやすいように仙骨の上あたりを支える
C：不随意運動や関節の固縮により、患側の足のつま先が前にすべり出すことを防止する
など、状態に応じて配慮します。

⑥利用者にゆっくりベッドに座ってもらいます。 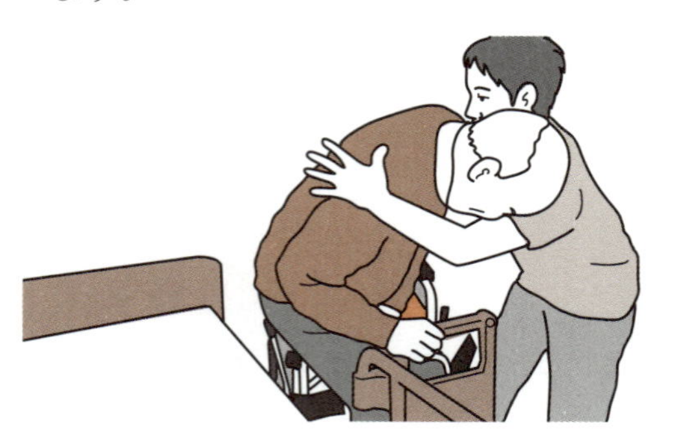 	⑥健側を軸足にした身体の回転を補助します。利用者の体幹を保持しながら「ゆっくりおじぎをするように座ってください」など声かけをし、前傾姿勢をとって、ゆっくりベッドに座ってもらいます。 **健側の足を一歩前に出すことで、患側に重心が寄って不安定にならないようにする。** ・事前に、ベッドの高さを「端座位が安定する高さ」より少し高くしておくと、「どすん」という急な着座が軽減される場合もあります。安全を優先して選択します。
⑦深く座れていることを確認します。	⑦両足底が床につき、足関節が90度になっているかを確認します。不十分なら座りなおしてもらいます。
⑧気分・体調、座り心地などを最終確認します。	⑧口頭で確認するだけでなく、顔色・表情なども観察します。
⑨記録します。	⑨状態や状況を記録します。

2 移乗動作全般にわたり介助が必要な利用者の介助

介助手順	留意点と根拠
①～③は「1 左片麻痺のある利用者の介助」(p. 158) と同じです。	
④健側の足を少し引く介助をします。	④軸となる足（健側の足）を引くことで、重心移動がスムーズになり、安楽に移乗できます。安全を優先し、介助方法を選択します。

健側の足底が床についていることで姿勢が安定し、患側の足を移動する際の安定につながる。

⑤利用者の体幹を支えつつ前傾姿勢を保持します。このとき、利用者の患側の足の膝折れを防止します。

⑤利用者がベッド側に顔を向け、介助者はその反対に顔を向ける形になります。利用者の患側上肢を保護しながら体幹を支えつつ前傾姿勢を保持します。

利用者がベッド側に顔を向けることで、これから移動する先を見られるようにする。不安の軽減にもつながる。

※利用者が安全に移乗するために、介助者がベッド側に顔を向け、利用者がその反対側に顔を向けることがよい場合もある。利用者の心身の状態や、介助者の習熟度や技量、目視確認の必要度など総合的に勘案したうえで決定する。

・利用者の患側の足に介助者の足をそわせたり膝をつきあわせたりして膝折れを防止します。

膝をつきあわせることで、膝を固定した状態になり、てこの原理が使える。また、利用者の股関節の方向に圧をかけることで、背中側の筋肉の活動を誘発することができる。

⑥利用者に車いすから立ち上がってもらい、健側の足を軸にして身体を回転させて、ベッドに座ってもらいます。

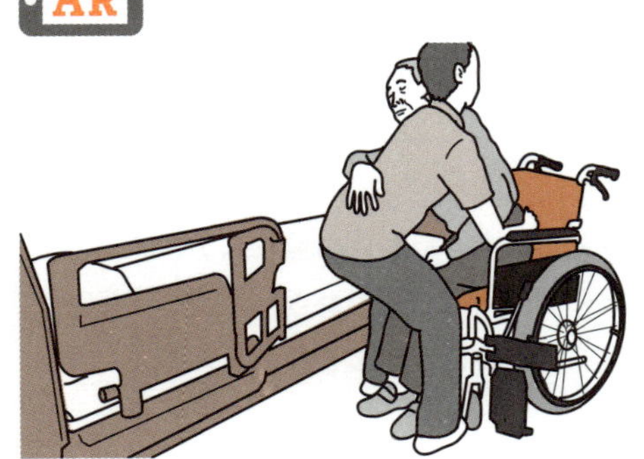

⑥「私（介助者）の肩に手を回してください」など声かけをしたあと、体幹を保持し前傾を保ちつつ重心を近づけるようにします。

介助者は、動く方向に足先を向け、支持基底面積を広げることで身体を安定させる。その体勢を維持するために、身体の回転にあわせて足の位置も適宜動かしていく。

・利用者といっしょに身体を回転させる際は、介助者は自分の重心を移動させる（例：右足から左足へ）ように意識します。

・危険が生じない場合は、利用者が浅く座りなおす介助を行います。それにより、利用者が安楽で自然な身体の動きをすることができます。

⑦気分・体調を確認します。

⑦身体が大きく動いたので、起立性低血圧などに注意し、めまいがないかなど忘れずに確認しましょう。口頭で確認するだけでなく、顔色・表情なども観察します。

⑧姿勢を安定させます。

⑧安定させるため、利用者の健側の手をベッド用手すりなどに誘導します。

⑨安定した姿勢で座っているか確認します。

⑨安定した姿勢になっていない場合は「深く座りなおしましょう」など声かけをして、座りなおします。

- 座りなおしの介助をする場合は、利用者の体幹を支えながら身体を健側に傾け、患側の荷重と摩擦を減らしてから、患側の膝頭や腸骨を押す、大腿部全体を面で支えて押すなどの介助をします。反対側も同様に介助します。
- 最後に両足底が床につき、足関節が90度になっているかを確認します。

⑩気分・体調・座り心地などを最終確認します。

⑩口頭で確認するだけでなく、顔色・表情なども観察します。

⑪記録します。	⑪状態や状況を記録します。

（3）福祉用具を使用した車いすとベッド間の移乗の介助の留意点

社会福祉施設で働く人が、腰痛を訴えることが多い状況を改善することなどを目的に、厚生労働省から『改訂職場における腰痛予防対策指針』や、『社会福祉施設における安全衛生対策マニュアル——腰痛対策・KY活動』が出されました。そこで示されているのは、利用者が車いすやベッドから移動する際に、おもにリフトやスライディングボードなどの福祉用具を活用する「持ち上げない、かかえ上げない、引きずらない」ことをめざす介護、いわゆる**ノーリフティングケア**です。これは介助者の身体負担とともに、利用者の負担を減らす技法ともいえます。研究者によって、福祉用具を用いずに前傾姿勢をとり重心を移動させることでノーリフティング移乗を可能にする技法も構築されています。

介助の技法に利用者をあわせるのではなく、利用者の心身の状況に合った技法を習得し共有し提供する介助者の姿勢に加え、「利用者がその技法に慣れるための段階的な取り組み」のための「介護過程の展開」も必要になってきます。

介助のポイント

① 使用する福祉用具・機器の種類による特徴を理解したうえで利用者に合ったものを選定し、操作に習熟したうえで実施する
② 用具・機器の点検を行い、安全を確認してから使用する
③ 用具や機器の使用についての利用者の心情（恐怖・不安等）に配慮し、意向を確認したうえで介助に反映させる
④ 麻痺や拘縮、痛み、しびれ等に配慮し、安全・安楽を保つことを心がける

1 スライディングボードを使用した介助：ベッドから車いす

※スライディングボードをトランスファーボードと称する場合もあります。

介助手順	留意点と根拠
①利用者に福祉用具を使用して行う介助の目的・内容を説明し、同意をえます。気分や体調を確認します。	①利用者の意向を確認し、自己決定を尊重します。これから行う介助の方法・手順を理解してもらいます。 介助内容を知ることで、利用者が安心・納得して行うことにつながる。

②車いすを置いてブレーキをかけ、スライディングボードを設置する準備をします。

②車いすは利用者が移乗しやすい位置に置きます。麻痺がある場合は、車いすを利用者の健側にななめに置きます。スライディングボードを設置するため、車いすのフットサポートとベッド側のアームサポート、サイドガードを取りはずすなど調整します。

利用者の健側に車いすを置くことで、利用者が健側の力を使って移乗することができる。

③ベッドの高さを車いすの座面よりも少し高く調整します。

AR

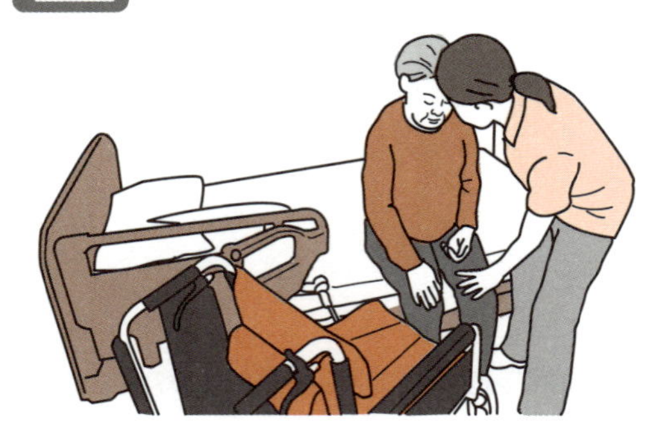

③利用者の患側を支え、ベッドの高さを車いすの座面よりも少し高くすることを説明してから調整します。

高低差をつけることで、スライディングボード上を利用者の身体がすべりやすくなり、介助者の負担も軽くなる。

④利用者の健側の大腿部の下にスライディングボードを敷きこみます。

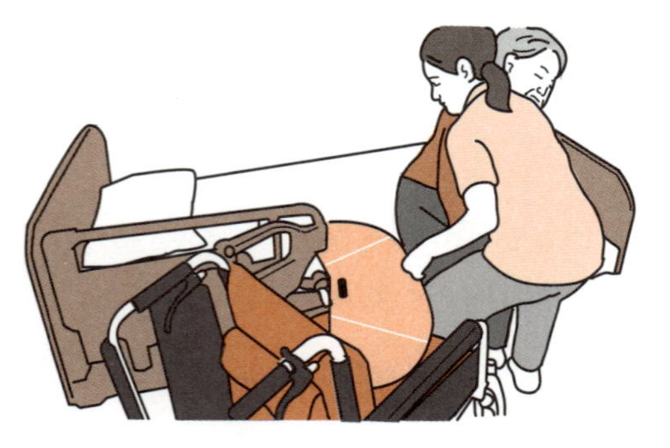

④前方から利用者の体幹を保持し、患側に傾け、健側の大腿部の下にスライディングボードを敷きこみます。無理に敷きこむと不快であり、皮膚障害を起こすことになります。

・ボードにガイドラインがついているタイプの場合、ベッド前端と車いすのシート前端がラインに合致し、かつラインの内側に位置していることを確認します。

⑤利用者の健側の腕を介助者の肩にのせてもらいます。

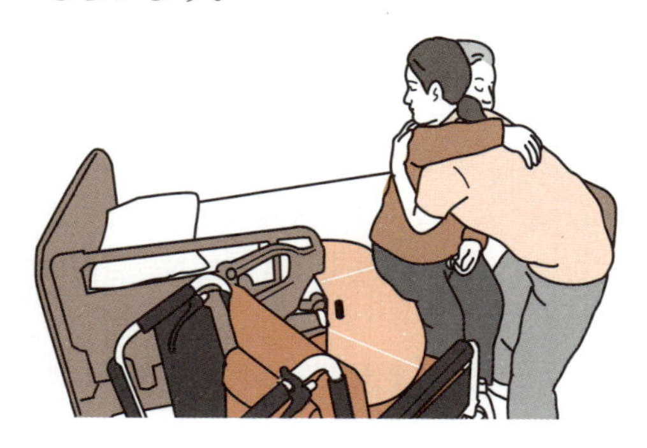

⑤「それではすべっていきます。私の肩に手を回してください」などと説明し、利用者の健側の腕を介助者の肩にのせてもらいます。介助者は車いす側に顔を向け、ボードと車いすを目視確認できるようにします。

利用者が安全に移乗できるよう、介助者が車いす側を向き、目視確認できるようにする。

⑥利用者の身体をゆっくりスライドさせていきます。

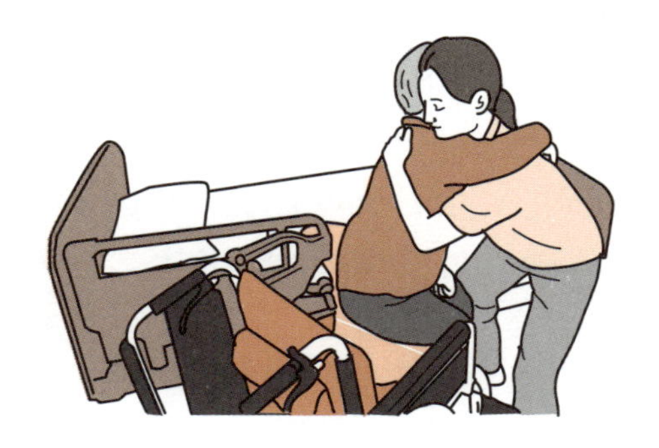

⑥介助者は左手で利用者の背部を、右手で座面近くの殿部を面で支え、「ゆっくり移動していきます」と説明してから、利用者の身体をスライドさせます。

介助者は、動く方向に足先を向け、支持基底面積を広げることで身体を安定させる。また、その体勢を維持するために、重心を移動させながら（例：右足から左足へ）足の位置も動かしていく。

・ボードがたわむことがあり、それが利用者の恐怖心につながるので、利用者の体幹をしっかり支えましょう。

⑦気分・体調を確認します。

⑦身体が大きく動いた直後で恐怖心を感じている場合もあるので、口頭で確認するだけでなく、顔色・表情・呼吸状態なども観察します。

⑧スライディングボードを引き抜きます。

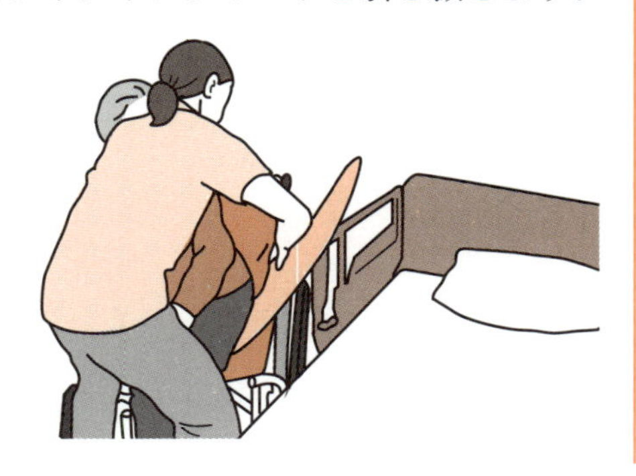

⑧利用者の体幹を保持し、利用者の身体を健側に傾け、右手でボードを上に向けて引き抜きます。身体の傾きが不十分なまま無理やり引き抜いたり、ボードを立てすぎて大腿部に食いこませながら抜いたりすると、皮膚障害などを起こすリスクが高まります。

⑨ベッド側のアームサポート、サイドガードをもとに戻します。	⑨利用者の身体や衣服、クッションなどをはさまないよう注意します。
⑩深く座りなおす介助をし、座位の安定を確認します。	⑩利用者の体幹を支えながら身体を健側に傾け、患側の荷重と摩擦を減らしてから、患側の膝頭や腸骨を押す、大腿部全体を面で支えて押すなどの介助をします。反対側も同様に介助します。 ・足底が床につき、足関節が90度に保たれていることを確認します。
⑪フットサポートに足をのせてもらいます。	⑪「足をのせます」などと説明し、患側→健側の順番で、フットサポートに足をのせる介助をします。 ・フットサポートを開いたりはずしたりしていた場合は、もとに戻してから行います。 健側の足底が床についていることで姿勢が安定し、患側の足を動かす際の安定につながる。
⑫レッグサポートを装着します。	⑫フットサポートに両足がのっていることを確認して、レッグサポートを装着します。 足が落下して巻きこまれたり、キャスタに当たったりすることを防止するため。
⑬気分・体調・座り心地などを最終確認します。	⑬口頭で確認するだけでなく、顔色・表情なども観察します。
⑭記録します。	⑭状態や状況を記録します。

2 移動用リフトを使用した介助：ベッドから車いす

過去に、つり具の固定を確認しなかったことによる転落死亡事故が発生しています。使用前にしっかり確認しましょう。

介助のポイント

① 介助者がシート着脱の介助やリフト操作に習熟していることが前提となり、そのための十分な準備を行う
② 利用者の下肢や頭部がベッドや車いす、リフト本体に接触しないように注意する
③ スリングシートは、利用者に合った種類・サイズを選ぶ
④ 頭を自分で支えられるか、股関節の疾患がないか、骨・関節・皮膚などで痛みや不快感を生じる部分や動作がないか、について事前に十分な観察を行う

介助手順	留意点と根拠
①は、「1スライディングボードを使用した介助：ベッドから車いす」(p. 163)と同じです。	
②必要物品が準備できていることを確認し、ベッドの高さを調整します。	②ベッドは、介助者がボディメカニクスを活用し、介助できる高さに調整します。ベッドまわりの環境を整えます。
③スリングシート（リフトに身体をつるためのシート）を、利用者の身体の横（リフト設置側の反対の側）に置きます。 AR	③スリングシートの準備ができたら、利用者に準備が整ったことを伝えます。 利用者の身体の奥側にスリングシートを置くことで、「引く」力を活用してシートを利用者の下に敷きこむ。

④身体の下にシートを敷くことを説明し、対面法で側臥位になってもらいます。

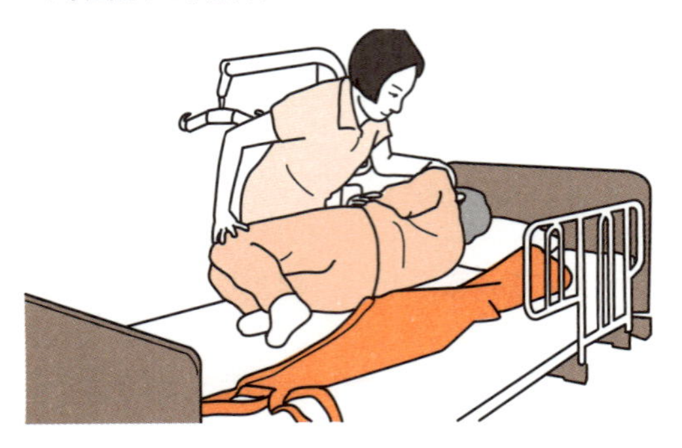

④必要に応じて枕の位置などを調整します。

⑤シートの中心を脊柱（背骨）の線にあわせたら、仰臥位に戻します。

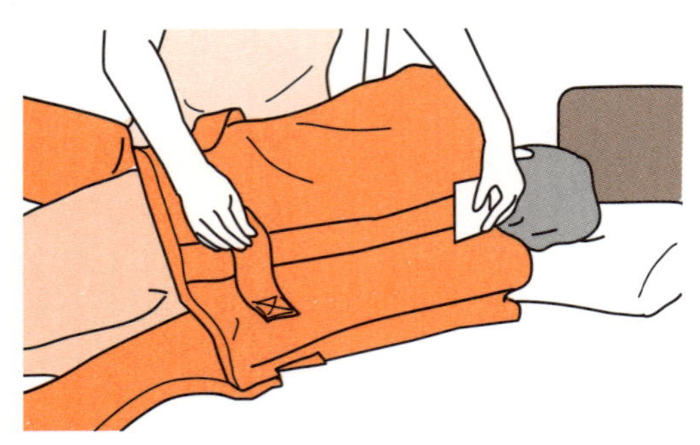

⑤シートの上下は、シートの殿部部分と利用者の尾骨か肛門周辺が一致するようにあわせます。

シートの中心と脊柱の位置が一致していないと、つり上げた際に身体が傾いてしまうため。

⑥ベッドの背を上げて、枕を取ります。

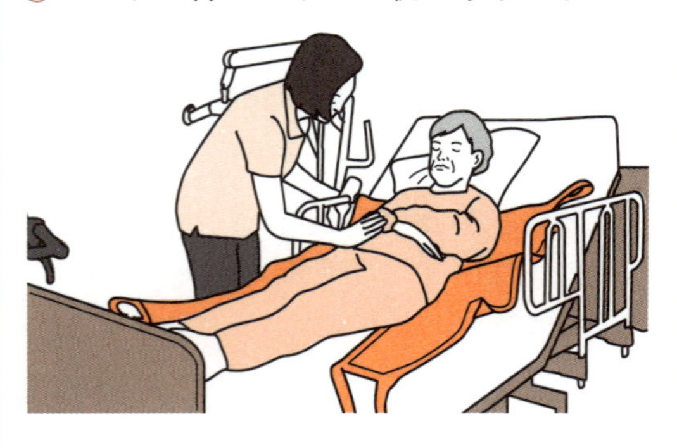

⑥身体がずり下がるようなら、ベッドの膝上げと背上げを交互にくり返し、ずれないようにします。

ベッドの背上げ角度が不十分だと、つり上げはじめるときに介助者が利用者の頭を持ち上げる介助動作が必要となる場合がある。

⑦足側のシートを大腿部の付け根に敷き、そこから伸びているストラップ（ベルト）を交差させます。

⑦「足の下にシートを敷きます」と説明します。足側のシートを大腿部の付け根に巻きこむように敷き、両脚部のシートの長さをあわせて、そこから伸びているストラップを交差させます。膝を立てた状態で行うとしっかり

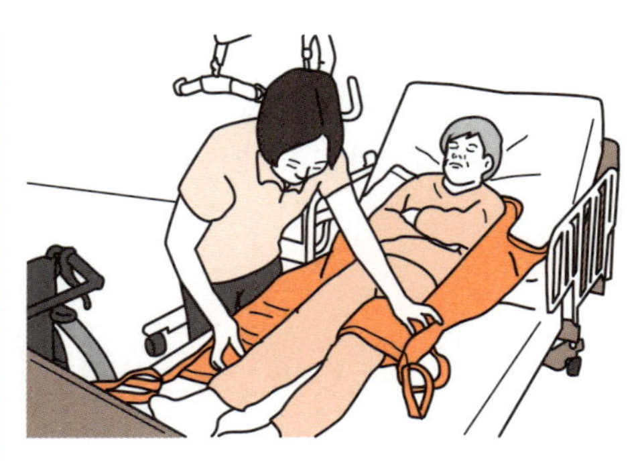

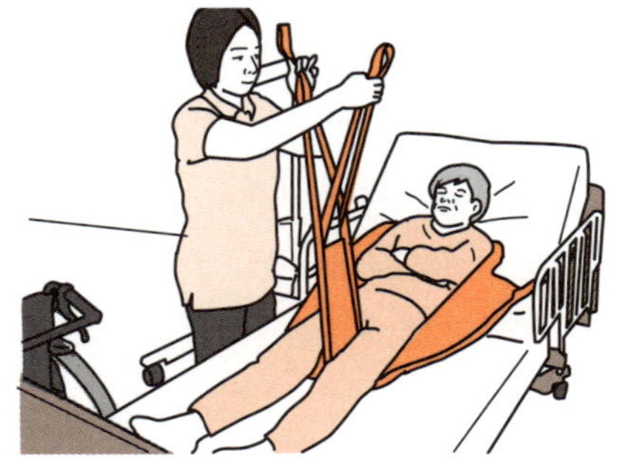

と巻きこむことができます。

⑧フックにストラップをかけます。

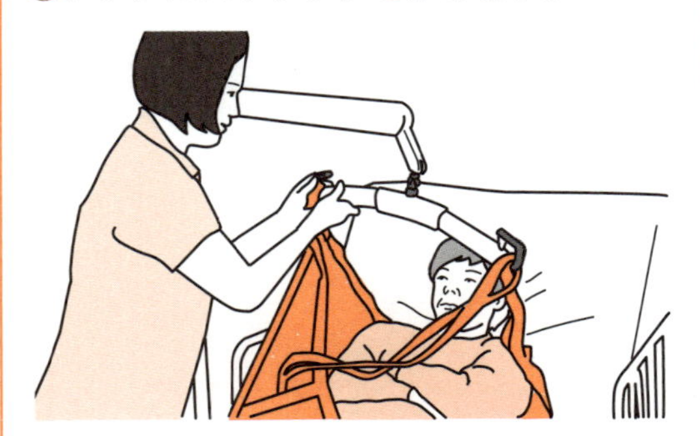

⑧リフトを近づけてハンガー（スリングシートをつり上げるアーム）を下げ、フックにストラップをかけます。頭側→足側の順にストラップをかけると安定してやりやすくなります。

・転落の原因になるので、ストラップがしっかりとフックにかかっていることを、目視や指さし確認に加え、介助者が力を入れてみるなどして確認しましょう。

・介助者はハンガーを手で押さえながら行いましょう。

「リフトの操作に気をとられ、利用者から目を離し、ハンガーが利用者の頭にぶつかった」という事故が起きている。ハンガーは利用者の顔の近くまで接近し、恐怖感を与えやすいため、介助者が手で押さえておくのがよい。

⑨利用者の身体をつり上げていきます。

⑨「リフトが上がります」と説明して、利用者の身体をつり上げていきます。介助者は片手でコントローラーを操作しながら、利用者の身体が回転したり揺れたりしないように、も

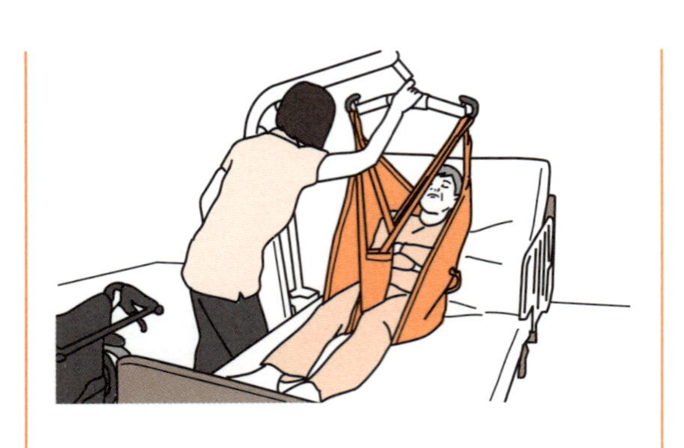

う片方の手でハンガーを保持します。

・コントローラーのスイッチは少しずつ押して、様子を見ながら注意深く行いましょう。

⑩殿部が離床する直前で、一度上昇を止め、両手でシート各部のしわが伸びるように、整えます。

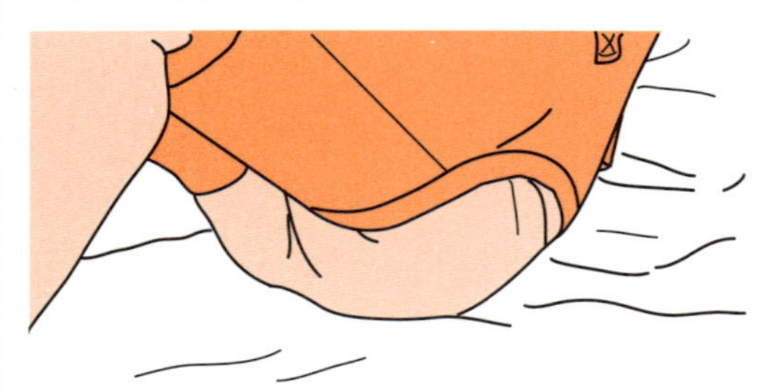

⑩大腿の下でシートがしわになっていることがみられるので、注意します。

シートのしわは、心地が悪いだけでなく、褥瘡の発生要因にもなる。

⑪ストラップがしっかりハンガーにかかっているかを再確認します。

⑪目視や指さし確認に加え、介助者が力を入れてみるなどして確認します。

⑫殿部が離床するまでリフトを上げて止め、ベッドの高さを下げます。

⑫コントローラーのスイッチは少しずつ押して、様子を見ながら注意深くリフトを上げます。

・殿部が離床したところでリフトを止め、そこからベッドを下げることでつり上げられることによる身体への負担を軽減することができます。
・介助者は片手でリフトのハンガー部分などを支え、利用者の身体が揺れたり回転したりしないように保持しながら、もう片方の手でベッドのコントローラーを操作します。
・必要に応じて、利用者の上腕部を前に引き出す介助を行います。

腕を横に下ろしたままだと、前腕部分がつっているシートで圧迫され、苦痛やリスクが生じるため。

⑬リフトを移動させて、利用者の身体が車いすの上にくるようにします。

⑬かかとがベッドにすれないように支えながら、リフトを移動させます。

⑭利用者の身体が車いすシートにおさまるようにリフトを下げていきます。

⑭介助者は支持基底面積を広げて、重心移動しながら力を入れられる体勢を整えます。
・介助者はコントローラーを片手で操作しつつ、両手が使える体勢を整えます。利用者の両膝を車いすのバックサポートの方向に押しつけながらリフトを下げていきます。そのとき車いすの前部分が上がるくらいの押しつけを実施します（上がらないタイプの車いすの場合は、押す力を少し強めにします）。

着座時に骨盤が傾かないようにする。膝を押す場合は左右均等に押し、車いすに対して身体がまっすぐおさまるようにシートの向きを調整しながら行う。

・着座する直前で膝を押す力をゆるめ、徐々に力を抜いていきます。

急に力をゆるめると前部分が上がっていた車いすが急に着地し利用者の身体に衝撃を与えたり、身体が前方に振られたりして危険なため。

・この方法以外にも、
A：介助者が車いす後方から、コントローラーとグリップを保持し、キャスタ上げの状態

	にしつつ、リフトを下げていく方法 B：シートの背中部分の中央に、介助者用の取っ手がついているタイプを使用して、介助者が後方で取っ手をつかみ利用者を上に引き上げつつリフトを下げて着座させる方法 などがあり、状況によって使い分けます。 ・車いすに下ろす際は、身体がぶつからないようにし、座位の保持を確認します。 ・ハンガーが利用者に当たらないように注意しながら、ハンガーを利用者の目線よりも下まで下ろすと、その後の介助がしやすくなります。
⑮ストラップとシートをはずします。	⑮ハンガーから足側→頭側の順番でストラップをはずし、続いて脚部のシートの交差をほどき、足からシートをはずします。ハンガーが利用者にぶつからないよう、ハンガーを手で押さえながら行います。
⑯シートを背中から抜きとります。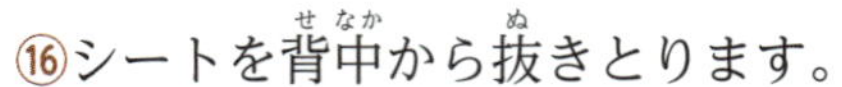 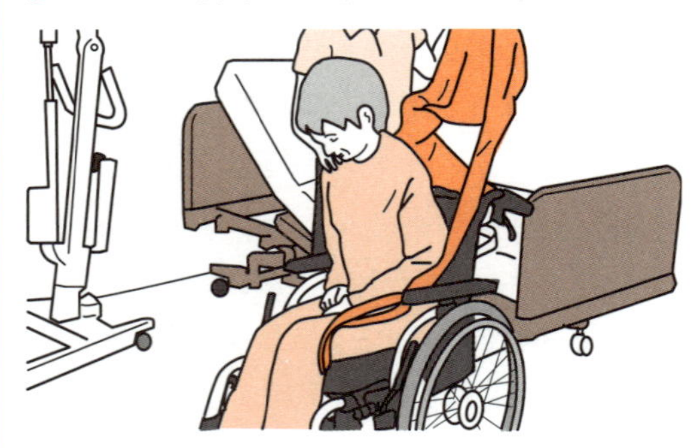	⑯利用者の体幹を支えて前傾姿勢をとってもらい、シートを背中から抜きとります。前方への転落、殿部のずり下がりがないように支えます。
⑰座位の安定を確認し、気分・体調、座り心地など最終確認します。	⑰口頭で確認するだけでなく、顔色・表情なども観察します。
⑱記録します。	⑱状態や状況を記録します。

3 移動用リフトを使用した介助：車いすからベッド

介助手順	留意点と根拠
①は、「1スライディングボードを使用した介助：ベッドから車いす」(p. 163)と同じです。	
②必要物品が準備できていることを確認し、ベッドはリフト移動後の介助に適した状態にします（ベッドの高さ・背上げ・膝上げなど）。	②ベッドは、介助者が介助しやすい高さに調整します。背上げの角度は、リフトでつり下げているときの背の角度と同じくらいか、少し小さめの角度にします。枕は横にずらしておきます。
③背中と車いすのあいだにシートを入れることを説明し、利用者の体幹を支え前傾姿勢をとってもらい、上からシートを入れます。 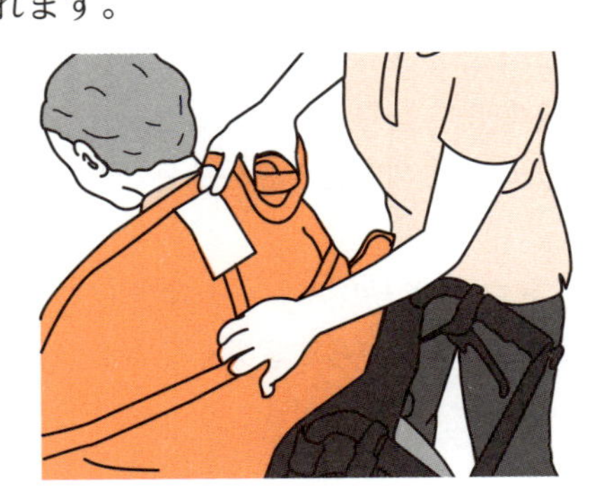	③介助者は支持基底面積を広げて、重心移動しながら力を入れられる体勢を整えます。 ・前方への転落、殿部のずり下がりがないように支えます。ずり下がると適切な位置にシートが当たらなくなります。 ・利用者が前方に倒れこんでしまうときは、利用者のわきの下から介助者の腕を差し入れ、利用者の胸部全体を支えながら行います。 ・シートの先端が座面に届くまで差しこみます。 ・シートの中心を脊柱（背骨）の線にあわせます。シートの上下は、シートの殿部部分と利用者の尾骨か肛門周辺が一致するようにあわせます。 シートの中心と脊柱の位置が一致していないと、つり上げた際に身体が傾いてしまうため。
④利用者の上体をバックサポートにつくように戻したあと、足側のシートを巻きこむように敷き、両脚部のシートの長さをあわせて、そこから伸びているストラップ（ベルト）を交差させます。	④「足の下にシートを敷きます」と説明します。 ・両側のストラップが同じ長さになるようにします。また、ストラップは膝側に寄りすぎないように調整します。

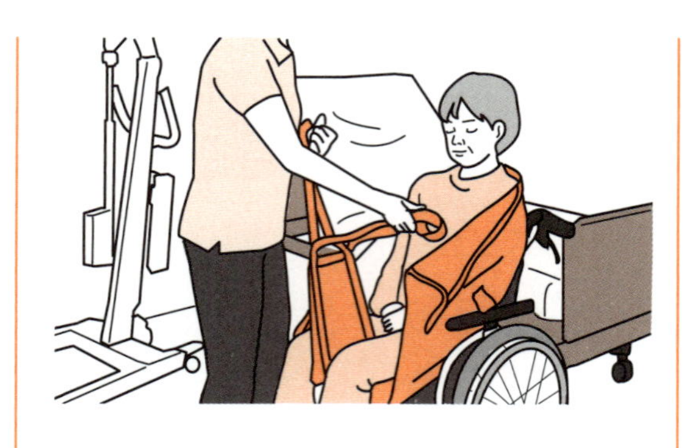

・股関節の外転を避けるべき身体状況の利用者の場合は、とくにこの段階でストラップを引っ張っておきましょう。

⑤フックにストラップを頭側→足側の順番でかけます。

⑤リフトを近づけてハンガーを下げます。ハンガーが利用者に当たらないよう、介助者は片手でハンガーを押さえながらフックにストラップをかけます。転落の原因になるので、ストラップがしっかりとフックにかかっていることを、目視や指さし確認に加え、介助者が力を入れてみるなどして確認しましょう。

⑥利用者の身体をつり上げていきます。

⑥「リフトが上がります」と説明して、利用者の身体をつり上げていきます。介助者は片手でコントローラーを操作しながら、利用者の身体が回転したり揺れたりしないように、もう片方の手で利用者の膝の部分などを保持します。

・コントローラーのスイッチは少しずつ押して、様子を見ながら注意深く行いましょう。

⑦殿部が離れる直前で、一度上昇を止め、両手でシート各部のしわが伸びるように、整えます。

⑦大腿の下でシートがしわになっていることがみられるので、注意します。

シートのしわは、心地が悪いだけでなく、褥瘡の発生要因にもなる。

⑧ストラップがしっかりハンガーにかかっているかを再確認します。

⑧目視や指さし確認に加え、介助者が力を入れてみるなどして確認します。

・必要に応じて、利用者の上腕部を前に引き出す介助を行います。

腕を横に下ろしたままだと前腕部分がつっているシートで圧迫され、苦痛やリスクが生じるため。

⑨リフトをさらに上げて移動させ、利用者の身体がベッドの上にくるようにします。

⑨介助者は片手でリフトのハンガー部分などを支え、利用者の身体が揺れたり回転したりしないように保持しながら移動させます。

⑩膝を押しながらコントローラーを操作し、身体がベッド面にそうように下ろします。座位の保持を確認します。

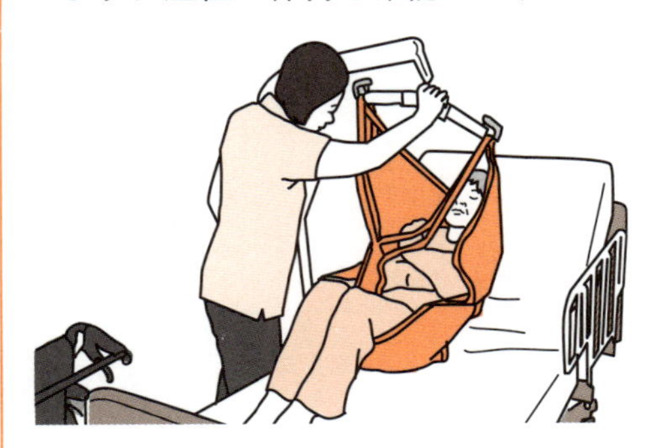

⑩まず足側を下ろすことを意識します。介助者は片手で膝を押し、もう片方の手でコントローラーを操作します。

・利用者の両膝をベッドの方向に押しつけながらリフトを下げていきます。

⑪ストラップとシートをはずします。

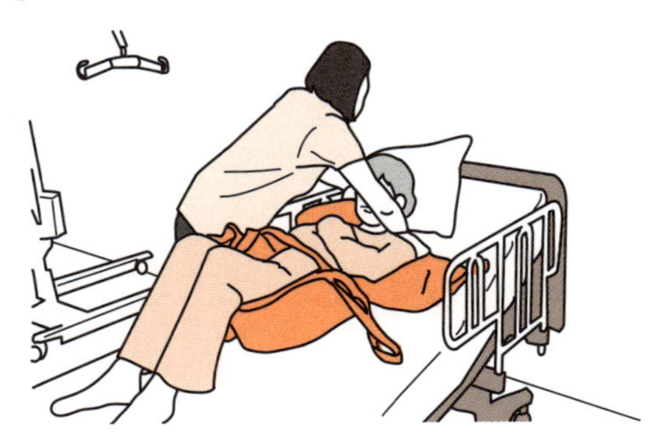

⑪ハンガーから足側→頭側の順番でストラップをはずしたあと、ベッドの背を下げます。半座位の位置くらいまで下げたら、枕を入れます。続いて脚部のシートの交差をほどき、足からシートをはずします。

⑫対面法で側臥位になってもらい、シートを身体の下に丸めこみます。

⑫スリングシートは、縫製部分やベルト部分が厚く、かたい場合があるので、皮膚の摩擦や圧迫に留意します。

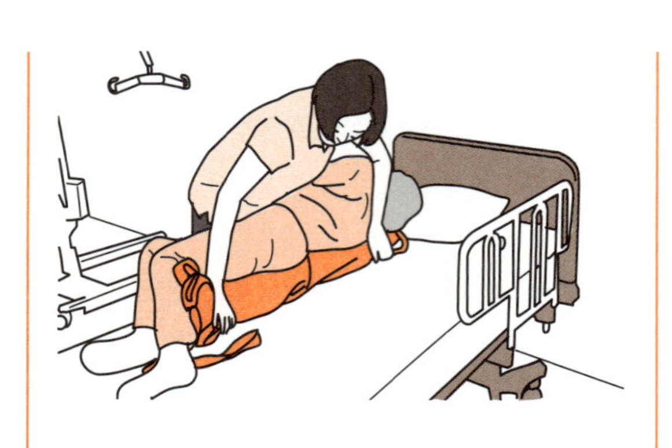

⑬仰臥位に戻して、シートを背中から手前に抜きとります。

⑬皮膚の摩擦に留意して、ゆっくり抜きとります。

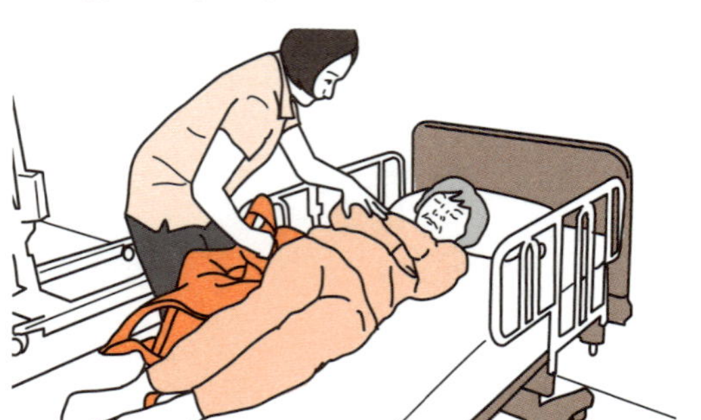

⑭衣服のしわを伸ばし、整えます。気分・体調・寝心地など最終確認をします。

⑭口頭で確認するだけでなく、顔色・表情なども観察します。

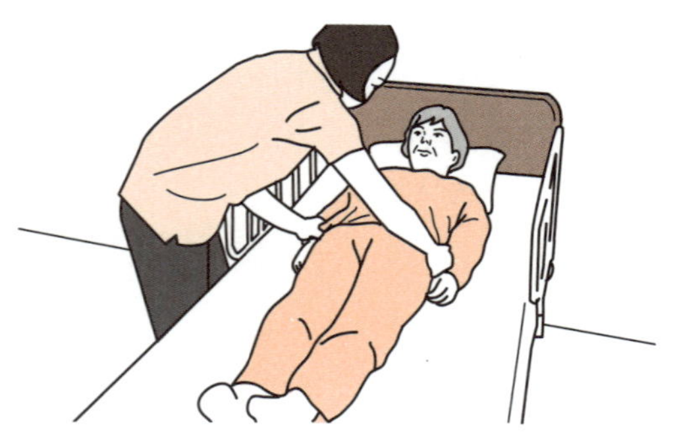

⑮記録します。

⑮状態や状況を記録します。

（4）車いすでの移動の介助

介助のポイント

① 車いすの種類による特徴を理解したうえで利用者に合ったものを選定し、操作に習熟したうえで実施する
② 利用者の足がフットサポートにのっているか、深く座っているか、手がアームサポートの内側に入っているかを確認する（とくに患側に注意）
③ 介助者も外出時は、動きやすい服装、歩きやすい靴、常に両手が使えるようにするなど配慮する。タオル、膝かけ、帽子、飲み物、雨具など、利用者の状況や移動場所にあわせて準備する
④ 介助者は、ルートに加え、前方の障害物や歩行者、自転車や自動車の状況、歩行環境の明暗にも注意する

1 段差を上がる

介助手順	留意点と根拠
①利用者に介助の目的・内容を説明し、同意をえます。	①利用者の意向を確認し、自己決定を尊重します。これから行う介助の方法・手順を理解してもらいます。 介助内容を知ることで、利用者が安心・納得して行うことにつながる。
②気分や体調、座位の安定を確認します。	②屋外や見通しの悪い場所では、周囲の安全を確認しながら実施します。
③段差に対し車いすを正面に向け、直角に近づき止まります。	③介助者の力が左右均等に加わるように、車いすを段差に対して正面に向けます。 車いすが段差に対してななめだと不安定になる。また、段差に接するタイミングも左右でずれて、段差をのり越える際に衝撃となる。
④キャスタを段の上に上げます。	④キャスタが上がることを説明します。ティッピングレバーをゆっくりふみこみながら、グリップを押し下げるとキャスタが上がります。 ・キャスタを上げたあと、車いすがぐらついた

AR

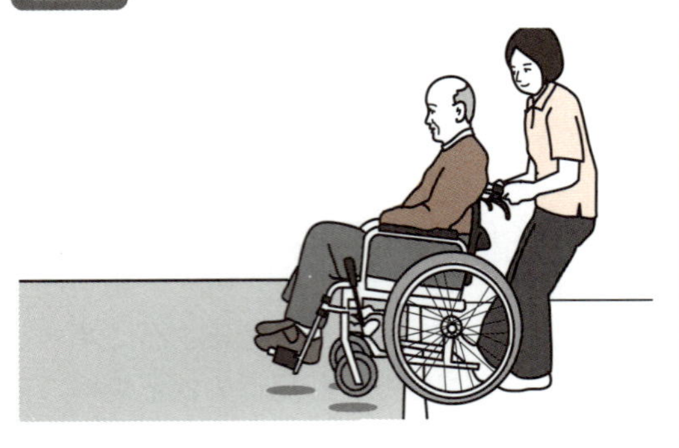

り後方に傾いたりしないよう介助者はしっかり支えます。

キャスタが上がりすぎると利用者が恐怖を感じるため、キャスタを見ながら段差の2～3cm上を目安に上げる。

⑤キャスタを上げたまま前進し、段差の上段にゆっくりと静かに下ろします。

⑤利用者に衝撃を与えないために、ティッピングレバーを活用します。

⑥介助者は段差に駆動輪をしっかりつけます。車いすを押しこむ体勢をとり、上段にのせます。

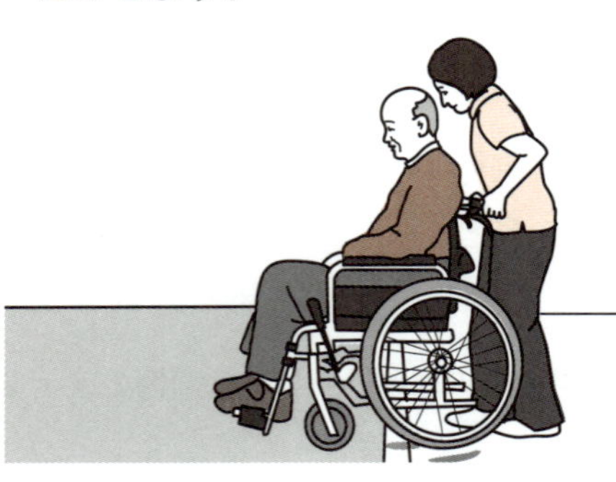

⑥介助者は、膝を曲げて腰を落としグリップを前上方に押し上げます。大腿部の側面でバックサポートを前に押しながら行うと安定します。

大腿部の前面で押すと利用者の背中に膝が当たり、苦痛を与えてしまうため、側面で行う。

⑦段差を上りおえたら、利用者の姿勢や体調などを確認します。

⑦利用者の表情が見えるよう顔を向け、口頭で確認するだけでなく、顔色・表情なども観察します。

・必要に応じてブレーキをかけ、利用者の正面にまわって姿勢や体調などを確認します。

2 段差を下りる

介助手順	留意点と根拠
①～②は、「1段差を上がる」(p. 177)と同じです。	
③後ろ向きで、駆動輪をゆっくり静かに下ろします。 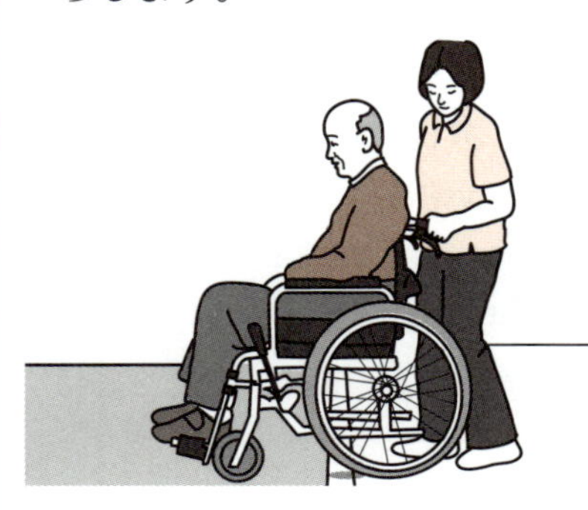	③膝を曲げて腰を落とし、グリップを上方に押し上げつつ、大腿部の側面でバックサポートを支えながら、駆動輪を段差から離さないように下ろしていきます。大腿部の前面で行うと利用者の背中に膝が当たり、苦痛を与えてしまいます。 前向きで下りると利用者が前のめりになり、不安定となる。恐怖心も与えるため後ろ向きで下りる。
④上段のキャスタを上げます。そのまま後ろに少し進みキャスタを下段にゆっくりと静かに下ろします。 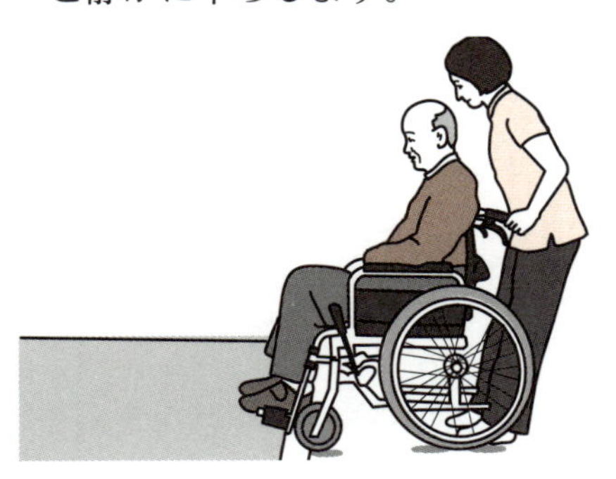	④ティッピングレバーをゆっくりふみこみながら、グリップを押し下げるとキャスタが上がります。 ・キャスタを上げたあと、車いすがぐらついたり後方に傾いたりしないよう介助者はしっかり支えます。 キャスタが上がりすぎると利用者が恐怖を感じるため、キャスタを見ながら段差の2～3 cm上を目安に上げる。
⑤利用者の姿勢や体調などを確認します。	⑤利用者の表情が見えるよう顔を向け、口頭で確認するだけでなく、顔色・表情なども観察します。 ・必要に応じてブレーキをかけ、利用者の正面にまわって姿勢や体調などを確認します。

（5）坂道の介助

介助手順	留意点と根拠
【上り坂の場合】 ①介助者はしっかりわきをしめて両足を前後に大きく開きます。急な坂道ではとくにゆっくり進みます。 AR 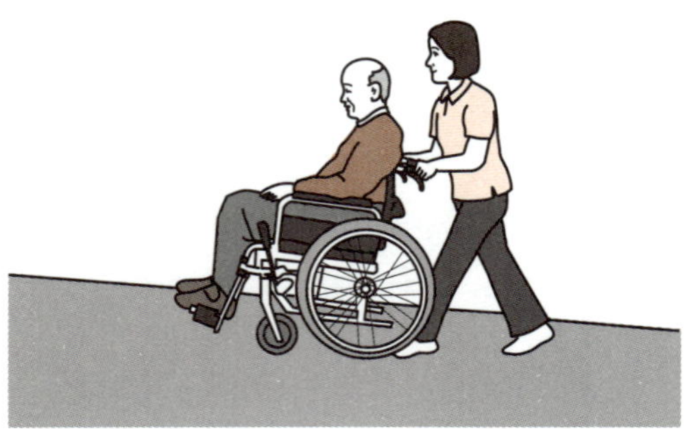	①介助者は支持基底面積を広くとる、車いすと介助者の重心の位置を調整するなど、ボディメカニクスを意識し体勢を整えながら行います。 ・車いすがふらつかないように、まっすぐ進むように、左右のグリップに加える力のバランスをとりながら押します（左右に傾斜している道の場合、介助者がグリップを左右均等に押すと、傾いている方向に車いすが寄っていくので道の傾斜にも注意します）。 ・適宜利用者に声をかけ、心身の状態を確認します。
【下り坂の場合】 ①下り坂では、必ず後ろ向きで進みます。介助者はしっかりわきをしめて両足を前後に大きく開き、後ろの安全を確認してゆっくり下ります。 AR 	①介助者は支持基底面積を広くとる、車いすと介助者の重心の位置を調整するなど、ボディメカニクスを意識し体勢を整えながら行います。 前向きで下りると、利用者が前のめりになり不安定となる。とくに急な坂道ではスピードが出るため、恐怖心を与えないためにも後ろ向きで下りる。 ・車いすがふらつかないように、まっすぐ下るように、左右のグリップに加える力のバランスをとりながら進みます。 ・適宜利用者に声をかけ、心身の状態を確認します。

（6）エレベーターでの介助

介助のポイント

① エレベーターへの出入りは、正面から直角方向に行うことを基本とする
② エレベーター内外の環境や特徴、機能を把握したうえで介助する。車いす対応のエレベーターは、車いす使用者用のボタンや位置確認のための大きな鏡が設置され、ある程度の広さがあるので、利用者に車いすやボタンを操作してもらうことも可能となる
③ 車いす対応のエレベーターでないときは、介助者が細心の注意を払い介助する

介助手順	留意点と根拠
【乗る場合】	
①ドアが開いたら、乗車中の人に声をかけて場所を確保してもらいます。	
②エレベーターに乗車します。	②エレベーター扉の溝にキャスタがはまらないようにまっすぐ進み乗車します。エレベーターへの出入りは、正面から直角に行うことが基本です。 ドアにはさまれそうになったときなど、とっさの対応がしやすいため。 ・ただし、エレベーター内で方向転換できない場合や、エレベーター扉の溝などが広く、キャスタがはさみこまれそうな場合などは、後ろ向きの状態で乗車します。
③ブレーキをかけます。	③昇降中はブレーキをかけます。 ・ただし、介助者がいる場合で、次の移動をス

ムーズに行う必要があるときなどはブレーキをかけないこともあります。その際は、車いすが安定するように、介助者がグリップをしっかりと保持します。

【降りる場合】

①エレベーターの中で方向転換をし、目的の階に到着したら前向きで降車する準備を整えます。

①エレベーターへの出入りは、正面から直角方向に行うことが基本です。

・ただし、エレベーター内で方向転換できない場合や、エレベーター扉の溝などが広く、キャスタがはさみこまれそうな場合などは、後ろ向きの状態で降車します。

②エレベーターの外の状況を確認するため、介助者が身を乗り出し、周囲の安全を確認したあとに降ります。

②乗車中の人がいれば声をかけ、扉を開けておいてもらうなど協力を依頼します。前方の安全を確認し、エレベーター扉の溝に気をつけて降ります。

AR

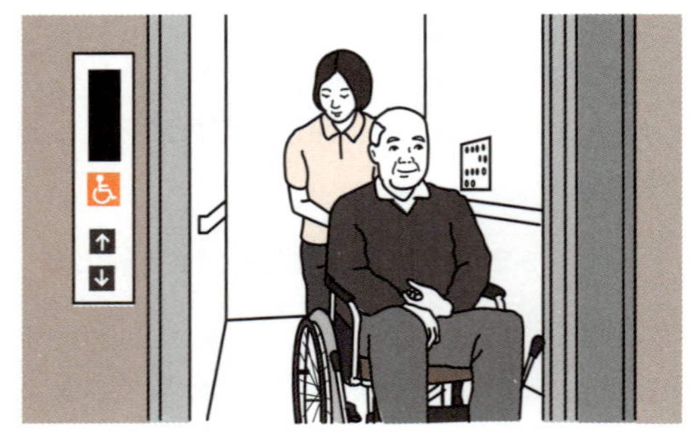

6 移動・移乗のための道具・用具

「生きる」ということは、人や動物が生命を保ち活動できる状態にあることをいいます。そして「活動」とは、動いたり、働いたりすることをいいます。「生きて」そして「活動する」ことが「生活」です。自らの力だけでは活動できない人であっても、「生きる」ためには身体を動かす必要があります。

その能力をおぎない、助け、できることを増やしたり、できる範囲や移動の距離を伸ばしたりする用具について理解しましょう。

1 ベッドとベッド関連用品

介護の場面で用いるベッドには、安眠だけではなく体位保持の補助という目的もあります。ベッドやその関連用品は、利用者の身体状況に合ったもの、そして本人や家族なども操作しやすいものを選択します。また、清潔を保ち、しわなどをつくらず整えて、「気持ちのよい」状態を心がける必要もあります。

(1) ベッドの種類

ベッドの背・脚・高さのすべて、または一部が可変するものを**ギャッチベッド**または**特殊寝台**と呼び、クランクハンドル（手まわし棒）を手で回転させて動かす「手動タイプ」と、その可変をモーターがになう「電動タイプ」があります。

褥瘡予防のため、自動的に身体の向きを左右に傾ける機能があるものや、ベッドの最低高を10cmまで下げられる低床タイプ、高さ調整が一律ではなく、足元側だけ低くできるなど、特殊な機能をもつベッドもあります。

(2) ベッド関連用品やその他

身体状況や、用途にあわせて最適な用品を選択し使用します（**表3－10**）。

表3－10　ベッド関連用品やその他

名称	機能・種類	留意点
サイドレール	かけ布団や利用者本人が落ちないようにするための柵のこと。	布団や本人の落下防止が目的なので全長が長い。そのため端座位がとりにくかったり、着座位置が足元側となりやすく、そのまま臥位になると身体がベッドの下方に位置することになるため注意する。 また、差しこみ式のサイドレールは、起き上がりや立ち上がり時につかむとぐらついて危険なため、ベッド用手すり（移動用バー）を使用する。
ベッド用手すり（移動用バー）	座位保持、立ち上がり、移乗の補助のためにベッドに取りつける手すり。つかまる部分の角度が変えられる。つかまって力を入れることが目的なので、ネジなどで固定する機能がついている。	ベッド側の取りつけ穴にしっかり固定されているか確認する。旧JIS規格のものは、突起部があり衣服がひっかかる可能性があるため注意する。
オーバーベッドテーブル	高さ調節機能がついていて脚にキャスタがあり、移動させられるテーブル。 サイドレールの両側にはめこむように設置するものもある（オーバーテーブル）。 ベッドの片側が壁の場合に使用できるものもある（ベッドサイドテーブル）。	テーブルを取りつけたことで、利用者の自由や自立をさまたげないように注意する。 利用者の脚を傷つけるおそれがあるため、テーブル使用時はベッドの背上げや、高さ調整は行わない。キャスタにロック機能がついている場合はロックをしてテーブルが動かないようにする。破損やテーブル落下を防ぐため、荷重制限を守る。
トランスファーボード（スライディングボード）	車いすからベッドなどに橋渡しをして移乗するための板。表面はすべりやすく裏面はすべり止めの加工がされている。利用者の身体を持ち上げずに移乗できるため、利用者・介助者双方の負担軽減になる。	すべることへの恐怖感に配慮し、転落防止にも注意が必要となる。ボードを差し入れる際に過度な圧迫や摩擦を生じさせないようにする。

スライディングシート（スライディングマット）	筒状になった布の内側がすべりやすくなっていて、身体の下に敷いてすべらせて移動することができる。少しの力で身体の移動ができる。 シートを介してスムーズに身体を移動できるため、利用者の身体にかかる圧迫や摩擦を軽減し、介助者の体力的負担も減らすことができる。	介助者の力加減を間違えると、打撲や転落の危険がある。使用後に床の上やベッドの上に放置すると転落･転倒の原因となる。

注：いずれも使用の際にはアセスメントやケアカンファレンスを実施したり、使用法を理解・習熟・共有化したりする必要があります。

2　車いす

大きく分けると、利用者が自分で操作する「自走用」、利用者以外の人が操作する「介助用」、兼用できるタイプの3つがあります。その他のタイプも含め、それぞれの特徴を理解し利用者に合ったものを選択します（表3－11）。

3　移動用リフト・移乗機器

自力で歩行したり立ち上がったりすることが困難な利用者も、心身の機能を維持するためにはベッドに臥床したままではなく、いすや車いすなどに移乗し離床することが重要です。それをすべて介助者が1人で行うことは、利用者の身体に負担をかけ、介助者にも腰痛などをもたらす場合があります。それらを防止し、身体をつり上げたり、動きの補助をしたりすることにより、ベッドから車いすへの移動や段差がある場所などの移動を可能にし、離床のために使用するのが、移動用リフトや移乗機器です。

1 天井走行式リフト

走行用のレールを天井に固定し、電動または手動で昇降や走行の操作をします。レールを固定するために家屋の工事が必要となります。部屋をまたいで移動する際にはレールを通すために間仕切りを工事しなければならないタイプと、間仕切りをくぐり抜けて通過できるタイプがあります。

表3－11 車いすのおもな種類

種類	特徴	留意点
自走用	利用者が自分で操作して進めるように、駆動輪にハンドリムがついている。駆動輪の大きさは20～24インチと大きめのものが多く、小さな力でも動かしやすいのが特徴。安定感があり、低い段差であればのり越えることができる。駆動力を補助するモーターとバッテリーが搭載された、電動補助タイプもある。	ハンドグリップには、介助者が使用するブレーキがついているものとついていないものがある。介助用に比べるとやや大きいので、使用場所の通路幅や、車にのせる必要性の有無などを確認する。
介助用	介助者が後ろから操作するタイプの車いすで、ハンドグリップにブレーキがついている。駆動輪にハンドリムはついていない。後輪の大きさは12～18インチと比較的小さめのものが多く、自走用の車いすよりも軽量でコンパクトなので、通路のせまいところなどでも小回りがきき、折りたたんで持ち運ぶこともできる。	自走用に比べると安定感がやや劣るため、移乗する際などは転倒しないように注意が必要となる。
ティルト・リクライニング式	自力で座位がとれず、身体が前に倒れこむ人や、長時間の座位をとることがむずかしい人が使用する。ティルト機能（座った角度を一定のまま倒せる）とリクライニング機能（背中を倒せる）がある。足を置く位置の角度や頭を支える位置などが調整できるなど、姿勢を保持する機能を備えており、殿部や大腿部にかかる荷重を背中や腰に分散できる。	車いすに人がのっている状態で、リクライニング操作をしたり段差をのり越えたりすると不安定になりやすい。前後の長さもあるため、移動中は利用者のつま先が壁などの障害物に当たらないようにするなど、操作には習熟と注意が必要となる。
片手駆動型	片手でしか車いすを操作できない人のための車いす。片側のハンドリムのみで操作できるように、ハブ（車軸）がつながっている。	片側に2本のハンドリムがついており、車いすの方向を変えることができる。上肢の力とともに操作の習熟が求められる。
モジュール（モジュラー）型	車いすの各部分を、利用者の身体状況や体格・体型にあわせて調整することができる。	フィッティングのためのアセスメントが必要。各部調整の技術も求められる。
電動車いす	モーターが駆動して走行する車いす。歩行が困難で、少し長い距離を移動するときに使用する。ジョイスティックレバーをみずから操作するタイプの標準型と、一般的に使用されているふつうの車いすにバッテリーとモーターを取りつけた簡易型がある。介助者が車いすを操作する際の負担を軽減させるパワーアシスト機能を主体とするタイプもある。	操作に習熟が必要。車体が大きく、車重が重いことへの配慮や、バッテリー充電管理も必要になる。
ハンドル型電動車いす	ハンドルやジョイスティックがついており、自分で操作する三輪または四輪の電動車いす。シニアカーとも呼ばれており、スクーターに似た外観が特徴。	屋外使用が主となるため、道路状況、交通状況を把握し判断したうえで操作する能力が必要。車体が大きく、車重が重く、バッテリー充電管理、保管場所への配慮も求められる。
その他	座位のままシートを上下できる「手動・電動リフト型」、車いす上で座位から立位になれる「手動スタンディング型」、アームサポート横のレバーを前後に動かす動作で駆動する「レバー駆動型」、また「6輪型」やスポーツ用などがある。	

2 据置式リフト

フレームで、門のような形をしたやぐらを組んでレールを設置したタイプのリフトで、レールの範囲内での移動が可能です。取りつけ工事が不要なことが多く、設置が容易なのが特長です。

3 床走行式リフト

リフトの架台にキャスタがついたもので、利用者の身体をスリング（つり具）や台座で、つり上げた状態のまま移動しながら移乗動作をします。床走行のため、床の材質や広さ、ベッド下に入れこむスペース、使用しないときの収納場所など、環境的な条件の確認のほか、介助者の操作能力への配慮が必要です。

4 簡易移乗機

身体の向きを変えたり、身体をもたれかけさせたりすることで、移動や移乗が楽になります（表3－12）。

表3－12　簡易移乗機

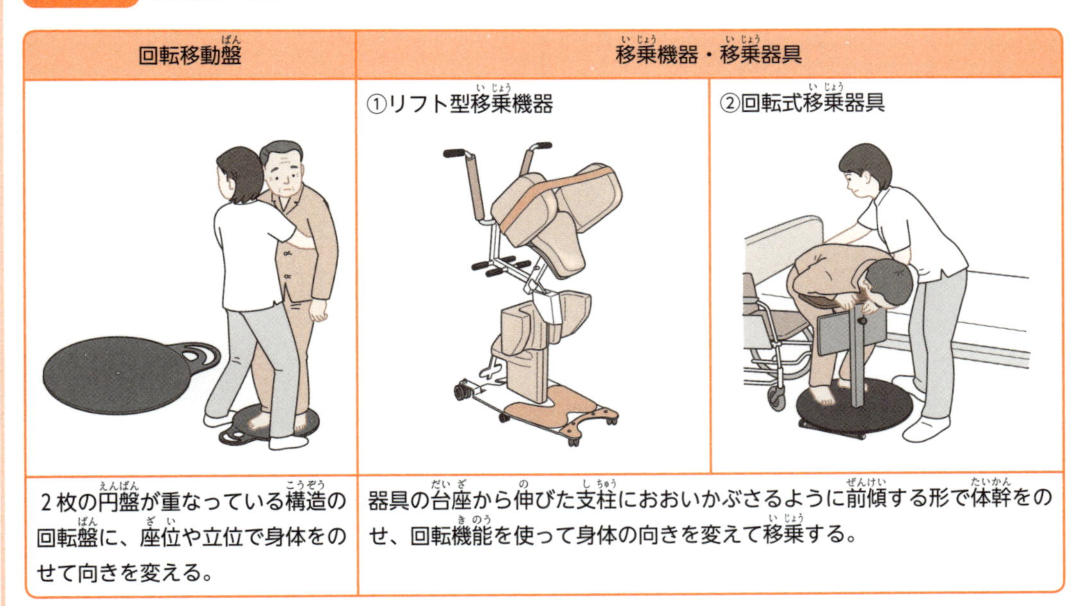

回転移動盤	移乗機器・移乗器具	
	①リフト型移乗機器	②回転式移乗器具
2枚の円盤が重なっている構造の回転盤に、座位や立位で身体をのせて向きを変える。	器具の台座から伸びた支柱におおいかぶさるように前傾する形で体幹をのせ、回転機能を使って身体の向きを変えて移乗する。	

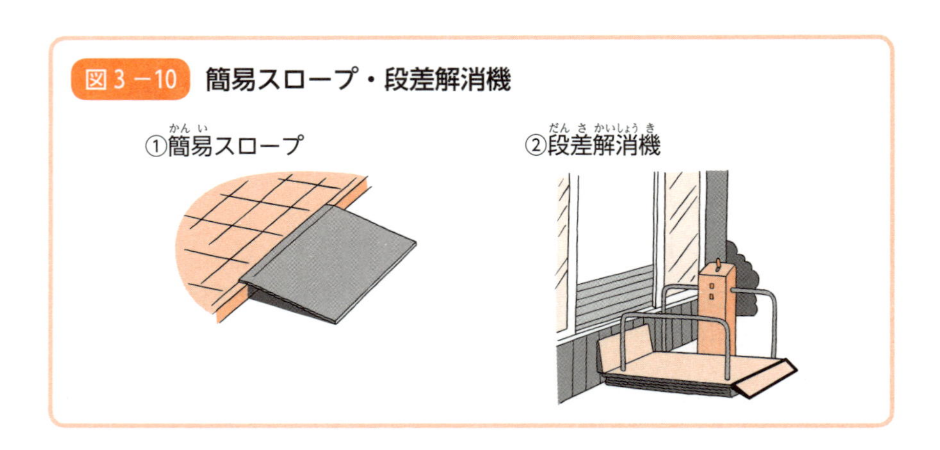

図3－10 簡易スロープ・段差解消機

 4 簡易スロープ・段差解消機

簡易スロープは、段差とのあいだに渡して傾斜にし、昇降を容易にする板です。

段差解消機は、高低差が大きい場所に据え置きやうめこみをして設置し、機器の台に立位や車いすにのった状態のまま垂直に上下して段差を越えるためのものです（図3－10）。

◆参考文献

- 東京都福祉機器総合センター編集協力『福祉用具シリーズ Vol. 4 リフトと吊具の使い方』テクノエイド協会、2000年
- 永井弥生・石川治『褥瘡がみえる――褥瘡アセスメントに苦慮しているあなたのために』南江堂、2008年
- 「新しい褥瘡予防と治療・ケアの実際」『PROGRESS IN MEDICINE』第23巻第10号、2003年
- テクノエイド協会『福祉用具プランナーが使う――高齢者のための車椅子フィッティングマニュアル』2013年
- 厚生労働省『改訂職場における腰痛予防対策指針』2013年
- 厚生労働省『社会福祉施設における安全衛生対策マニュアル――腰痛対策・KY活動』2015年
- 「現場の「悩み」を解決！　困ったときの介護技術」『おはよう21』第25巻第12号、2014年
- 竹田幸司『こだわりのポイントはココ！　からだを正しく使った移動・移乗技術』中央法規出版、2021年

第3節

移動の介護における多職種との連携

学習のポイント

- 自立に向けた移動の支援に向けて他職種と連携する意味を理解する
- 移動の介護に関する他職種の役割と介護福祉職との連携のあり方を理解する

関連項目
①『人間の理解』▶第3章「介護実践におけるチームマネジメント」
④『介護の基本Ⅱ』▶第4章「協働する多職種の機能と役割」

1 移動の介護における多職種連携の必要性

移動は人が生きていくうえで欠かせない行為であり、生活の質を向上させるために重要な役割を果たしています。

介護福祉職には、利用者が自身の目的にそって自由に移動することができ、意欲をもって主体的な生活を送れるよう支援していくことが求められます。

介護福祉職が移動にかかわる内容としては、安全な移動のための見守りや、さまざまな移動場面における介助となります。利用者にもっとも近いところで移動の際の見守りや介助を行うため、さまざまな気づきをえることができます。

日々の介護を通してえた気づきは、ほかの専門職と情報を共有していくことが大切であり、移動における課題の解決に向けて連携・協働していくことが求められます。

また、移動に介護を必要とする高齢者や障害のある人は、さまざまな疾患や障害があることが想定されるため、移動の介護をするにあたり医学的判断を必要とする場合があります。そのため、医療職との連携をはかったり、移動介助の方法についての専門的な助言や指導をリハビリテーション関係職から受けたり、さらに福祉用具の活用や住環境への配慮が必要な場合に専門職からの助言を受けるなど、さまざまな場面において、多職種が協働することで、より安全で自立に向けた移動ができるよう支援にあたっていくことが大切です。

2 他職種の役割と介護福祉職との連携

利用者のよりよい生活に向けた移動の介護をするにあたって、医師や看護師といった医療関係職、理学療法士、作業療法士、義肢装具士といったリハビリテーション関係職、住環境の整備をになう建築士や福祉住環境コーディネーター、福祉用具の活用にあたり、福祉用具専門相談員等がかかわります。そしてサービス内容や社会資源の調整を行う介護支援専門員（ケアマネジャー）がいるなど、さまざまな専門職がそれぞれの専門性をいかし、多職種協働（チームアプローチ）によって支援していくことが重要です。

ここでは、移動に関連するおもな職種の役割と、介護福祉職との連携のあり方について説明します。

（1）医師・看護師・薬剤師

介護福祉職は、利用者の日々の移動動作の見守り、介助にあたります。そのなかで、膝や腰などの痛みにより、起居動作や歩行動作を阻害する問題に気づくことがあります。そのような場合は整形外科への受診へとつなげ、整形外科医の診察を受けることが必要となります。

整形外科医は、患者である利用者の診察を行います。その際、介護福祉職は、必要に応じて補足・説明を行うようにします。医師はその情報も参考にして、必要とする検査等を経て診断を下します。そして、必要な治療や投薬、リハビリテーション職への訓練の指示などを行います。

日常生活の支援にあたるなかで、利用者が病気療養中や健康状態が悪化しているときは、離床や外出が可能かどうかの判断に迷います。そのような場合、主治医や看護師といった医療職に相談します。主治医や看護師は、利用者の健康状態を見きわめ、離床や外出の判断を下します。そして、離床する時間や留意事項等を介護福祉職に指示します。

看護師は利用者の心身の状態をチェックし、健康管理にたずさわり、医師への連絡・調整をはかり、医師の指示にもとづいた処置にあたります。

また、利用者が薬を服用している場合、立ち上がったり、歩いたりといった動作を行う際、薬の副作用によってめまいが生じたり、ふらついたりといった危険をともなうことがあります。介護福祉職は、利用者が薬を飲みはじめてから変化がないか観察し、ろれつが回らない、ぼーっとしている、だるそう、覚醒していないなど、様子がおかしいと感じたときは、医師や看護師、薬剤師に相談します。

薬剤師は、服薬にあたっての留意事項の説明と指導、副作用についての説明を行います。

(2) 理学療法士(PT)・作業療法士(OT)

移動の際は、起居動作や歩行時において身体を正しく活用していくことが求められます。一方、これらの動作はダイナミックな動きをともない、転倒等の大きな事故を招くおそれがあります。安全であり、なおかつ利用者の機能を引き出し、自立した動作を導いていくために理学療法士や作業療法士と連携します。介護福祉職は、利用者が移動場面のどこにどのような問題があるのか、介助のなかでうまくいかないこと等について理学療法士や作業療法士に相談します。それについて助言や指導を受け、移動の支援に役立てていくことが大切です。

また、理学療法士は医師の指示にもとづき、機能訓練を実施することで利用者の身体機能の維持・向上にはたらきかける役割をになっています。

(3) 義肢装具士

下肢を切断している場合、義肢を装着することで自身の足で歩くことが可能となる場合があります。また、麻痺した下肢に装具を装着することで立ち上がりや歩行が安定することがあります。

義肢装具士は、医師の指示にもとづき、義肢や装具の装着部位の採寸・採型を行い、製作および利用者の身体への適合をはかります。

義肢を使用後、痛みや違和感がみられる場合、義肢自体に不具合が生じた場合、効果が感じられない場合には、義肢装具士に調整を依頼します。義肢装具士は、利用者の声や介護福祉職からの情報等も参考にしながら義肢の安定をはかるとともに、恐怖心を取り除くような配慮を通して、安心して移動することができるよう努めます。

(4) 建築士・福祉住環境コーディネーター

移動に介護を必要とする高齢者や障害のある人は、何らかの疾患・障害があることが想定されます。そのため自宅で生活を送っていくためには、住環境を整備したり、必要に応じて住宅改修を行うことが必要となります。

その際には、建築士や福祉住環境コーディネーターといった専門職が利用者の自宅に出向き、個々の身体状態と生活状況を照らしあわせ、必要とされる住環境の整備や住宅改修についての相談に応じ、助言を行います。

(5) 福祉用具専門相談員・福祉用具プランナー

福祉用具を使用することは、利用者の移動における自立を支援するうえでも大きな役割を果たします。

ただし、その使用にあたっては、利用者の身体機能や能力と福祉用具の性能や機能が合致していること、利用者や家族、介護福祉職が福祉用具を使いこなせること、さらに福祉用具が利用者の住環境に適合することなどの条件を満たすことが必要となります。

福祉用具の活用にあたっては、福祉用具専門相談員や福祉用具プランナーといった専門職と相談することが理想です。利用者本人の身体機能や能力、住環境、福祉用具の使用に対する思い、費用負担等を勘案し、よりよい福祉用具の選択と活用法を指導していきます。

(6) 介護支援専門員(ケアマネジャー)

介護支援専門員は、ケアプラン(居宅サービス計画または施設サービス計画)を立案します。その際に利用者の移動に関するアセスメントを行い、利用者の意向にそいながら心身の状態にあわせて移動に関連する課題を解決できるよう目標を設定します。各サービス事業者と連絡・調整を行い、実際に介護サービスを受けられるようコーディネートします。サービス担当者会議を開催し、目標をすべてのサービスにかかわる職種および利用者・家族と共有します。

◆参考文献

- 介護福祉士養成講座編集委員会編『新・介護福祉士養成講座7 生活支援技術Ⅱ 第3版』中央法規出版、2014年
- 千葉典子編著『介護福祉士実践ブック 改訂介護概論・基本介護技術』共栄出版、2009年

演習3－1　福祉用具の活用

スライディングシートを使って、上方移動の介助をしてみよう。スライディングシートを使わない場合との違い（ちが）を体感してみよう。

演習3－2　車いすの体験

介助者、利用者役に分かれて、車いすで外出してみよう。坂道や段差（だんさ）があるところを通り、どのような介助をすれば安心できるか考えてみよう。

演習3－3 褥瘡の予防

グループで下記の1～3を行ってみよう。

1 褥瘡のおもな原因を４つあげてみよう。

2 褥瘡ができやすい部分（好発部位）に色を塗り、各部の名称を書きこんでみよう。

◉仰臥位の場合

◉車いすの場合

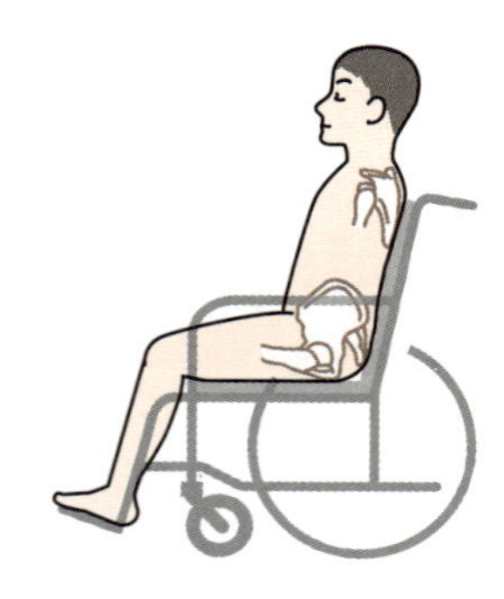

◉側臥位の場合

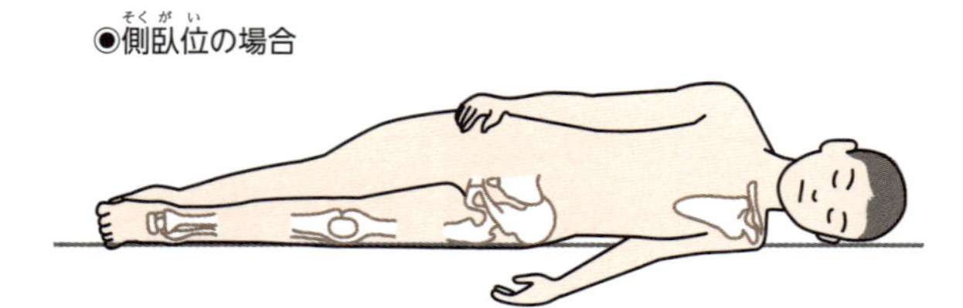

3 褥瘡の予防方法をまとめてみよう。

第 4 章

福祉用具の意義

第 1 節 生活支援における福祉用具の重要性

第 2 節 福祉用具の種類

第 3 節 適切な福祉用具を選ぶための視点

第1節

生活支援における福祉用具の重要性

学習のポイント

- 福祉用具の定義と範囲を理解する
- 福祉用具を使用する意義を理解する
- 介護ロボットの動向からこれからの福祉用具の可能性について理解を深める

1 福祉用具とは

日本では、1993（平成５）年10月に施行された福祉用具の研究開発及び普及の促進に関する法律（以下、福祉用具法）によって、以下のように**福祉用具**を定義しています。

> **福祉用具の研究開発及び普及の促進に関する法律**
> **第２条**　心身の機能が低下し日常生活を営むのに支障のある老人又は心身障害者の日常生活上の便宜を図るための用具及びこれらの者の機能訓練のための用具並びに補装具をいう。

❶補装具
身体の部分的欠損をおぎなう義肢、麻痺などによる機能の損傷をおぎなう装具、車いすなどをさす。

福祉用具法制定以前は、福祉用具は「**補装具**❶」「福祉機器」「補助器具」「介護用品」など個別の名称で呼ばれており、定義も不明確でした。福祉用具法の制定によって、ばらばらの名称を「福祉用具」として総称することになりました（**図４－１**）。

また、**ISO**（International Organization for Standardization：国際標準化機構）による福祉用具分類（ISO9999）では、「特別に製造されたものであるとか、汎用製品であるとは問わず、障害者によって使用される用具、器具、機器、ソフトウェアであって、機能障害、活動制限、参加制約を予防、補償、検査、軽減、克服するもの」とされています。一般の汎用製品も含む幅広い解釈がされており、福祉用具は日常生活の自立をはかるとともに、コミュニケーション、教育、スポーツ、就

図4－1　福祉用具の範囲

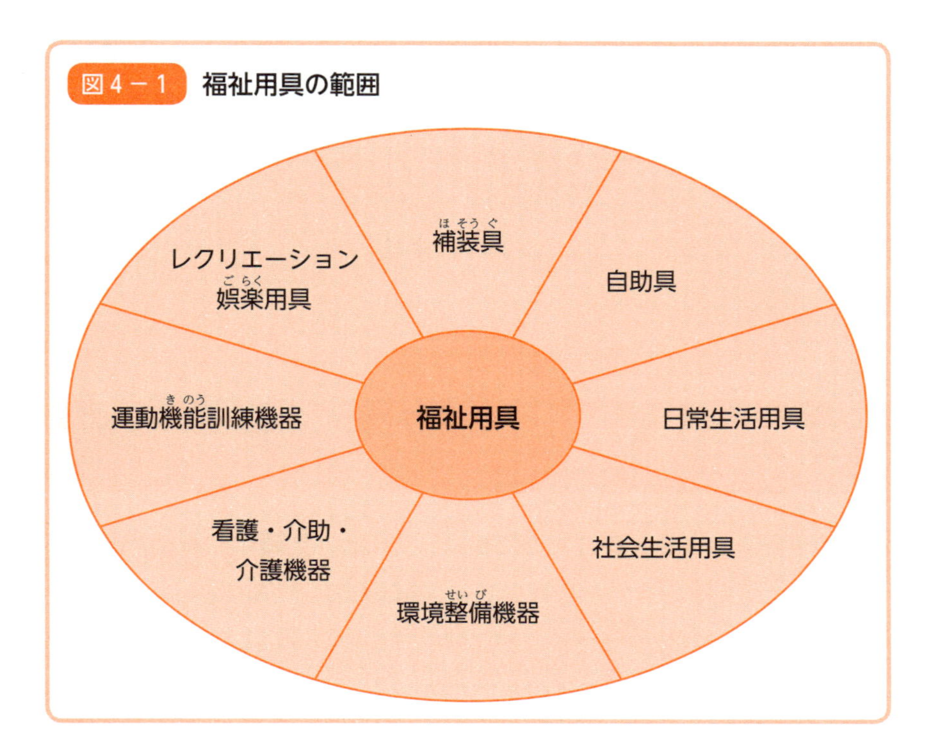

労、余暇活動、社会参加なども含め、生活の質の向上のために重要な役割を果たすものととらえられています。

2 公的制度における福祉用具の給付の変遷

福祉用具の歴史は、古くは紀元前から始まるという説もあります。新たな福祉用具の開発や普及の進展には、戦争の影響が小さくありません。戦争によって負傷した兵士、疾病や障害を受けた兵士などへの支援のために、義手や義足、車いすなどの補装具の開発や支給制度が整備され発展してきました。日本でも傷痍軍人への対応の必要性から、義肢装具の研究開発や1950（昭和25）年に施行された身体障害者福祉法により補装具給付制度がスタートし、義肢や補聴器などが給付されるようになりました。1969（昭和44）年には、重度身体障害者を対象にした日常生活用具の給付が行われるようになりました。また、高齢化の進展にともない、1976（昭和51）年から高齢者を対象にした**老人日常生活用具給付等事業**❷が開始されました。その後、1989（平成元）年に策定された**高齢者保健福祉推進十か年戦略（ゴールドプラン）**などで示された在宅ケア重視の流れを受け、1990年代に老人日常生活用具給付等事業の品目に

❷老人日常生活用具給付等事業
老人福祉法にもとづく老人（高齢者）日常生活用具給付等事業。寝たきりの高齢者や1人暮らし高齢者等を対象に、特殊寝台等の日常生活用具を給付または貸与することにより、日常生活の便宜をはかることを目的とした事業。電磁調理器、自動消火機器などの日常生活用具を給付する事業。

移動用リフトや電動車いす等が加わり、対象となる品目の範囲の拡大にいたりました。高齢者に対する福祉用具の給付の大きな契機は、2000（平成12）年の介護保険制度施行です。日常生活用具給付等事業の品目の多くは介護保険法による福祉用具の給付制度に移行し、介護保険法にもとづく福祉用具サービス（p. 204）の開始により、利用者の拡大や福祉用具の普及につながりました。

3 福祉用具を使用する意義

加齢や障害により、これまでできていたことが困難になることがあります。たとえば、「楽しみにしていた趣味の会に参加できなくなった」「毎日お風呂に入っていたのに、週2回になった」「湯船につかれずシャワーだけになった」「テレビの番組はだれかに頼まないと変えられず、好きな番組が見られなくなった」といったものです。介護者がいれば、介護者の助けをえてこれまでの生活が維持できるかもしれません。しかし、介護者・介助者のサポートが十分にあるからといって、必ずしも「その人らしい生活」が実現するわけではありません。可能な限り自分のことは自分でしたい、家族に頼むのが心苦しい、といったときに、福祉用具を上手に活用することで、生活の幅を広げることができたり、楽しみをがまんしない生活に近づく可能性が出てきます。

福祉用具は、もともと失われた機能や障害をおぎない、日常生活の自立を助ける道具・用具として発展してきた歴史があります。しかし、現在は福祉用具の果たす役割は先に述べたISO9999にも示されるように、日常生活の自立や介護負担の軽減をはかるだけでなく、活動や社会参加、自己実現、尊厳や権利の回復を含め、その人らしい生活を助ける道具・用具としても重要な役割をになっているといえます。

福祉用具を利用する意義として、以下の点があげられます。

（1）利用者の日常生活の自立をはかる

義手や義足、電動車いす、補聴器などに代表されるように、失われた心身機能を補完、あるいは機能を代替します。福祉用具を使用することによって、できなくなったことを再びできるようにすること、困難がともなう動作や作業を行いやすくすることで、利用者の自立を助けます。

（2）介護負担の軽減につながる

福祉用具を使用することによって介護の方法も変わります。適切に福祉用具を使用することにより、腰痛を防ぎ疲労の蓄積を軽減するなど、介護者の介護負担を軽減します。負担が軽減することで、これまで行うことができなかった利用者とのコミュニケーションの時間や機会が増加したり、介護者の心身の健康と生活を守ることにつながります。

（3）社会参加、雇用を促進する

パソコンの普及やICT[3]（情報通信技術）の発展の後押しもあり、利用者が福祉用具を活用することにより、人や社会とのつながりを保つこと、社会参加や就労の機会が増えることが期待されます。

3 ICT
Information and Communication Technologyの略。情報処理や通信技術の総称。IT（情報技術）とほぼ同義であるが、ITにコミュニケーションの要素を含めたものがICTと呼ばれることが多い。

（4）生きがいをつくり出す

レクリエーション関連機器やスポーツ用の補助用具などを活用することにより、趣味を続けることができる、あるいは新しいスポーツに取り組むなど、生活の楽しみや生きがいをつくり出すことにつながります。

一方で、福祉用具は、選び方や使い方によっては、十分に活用されないおそれがあります。また、その人のできる能力をうばう可能性、事故が起きる可能性、結果的に生活の幅をせばめてしまう危険性ももちあわせています。福祉用具ありきで導入を進め、利用者がその福祉用具を使用することを納得しているか十分に確認せずに導入しても、活用されないでしょう。また、福祉用具を活用する目的が、介護者と利用者とで異なっている場合には、福祉用具のもつ機能が十分に発揮されません。こうした点を防ぐためにもアセスメントが重要になるといえます。

4 介護ロボットの開発・活用にみるこれからの福祉用具の可能性

福祉用具のなかで近年注目を浴びている分野の１つとして、**介護ロボット**の開発・活用があげられます。ロボットは、①情報を感知し（センサー系）、②判断し（知能・制御系）、③動作する（駆動系）の３つの要素技術を有する知能化した機械システムです。介護ロボットには明確

写真４－１　歩行アシストカート

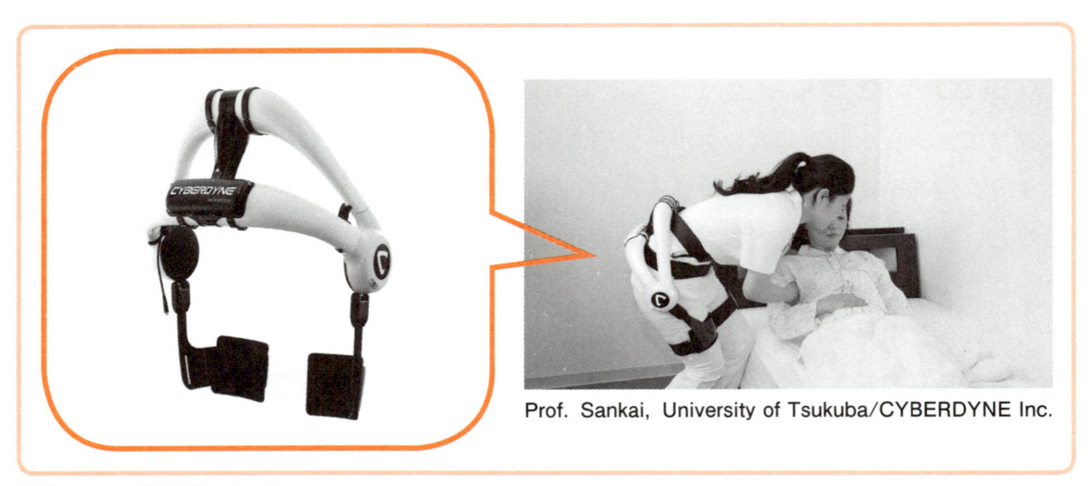

写真４－２　装着型アシストスーツ

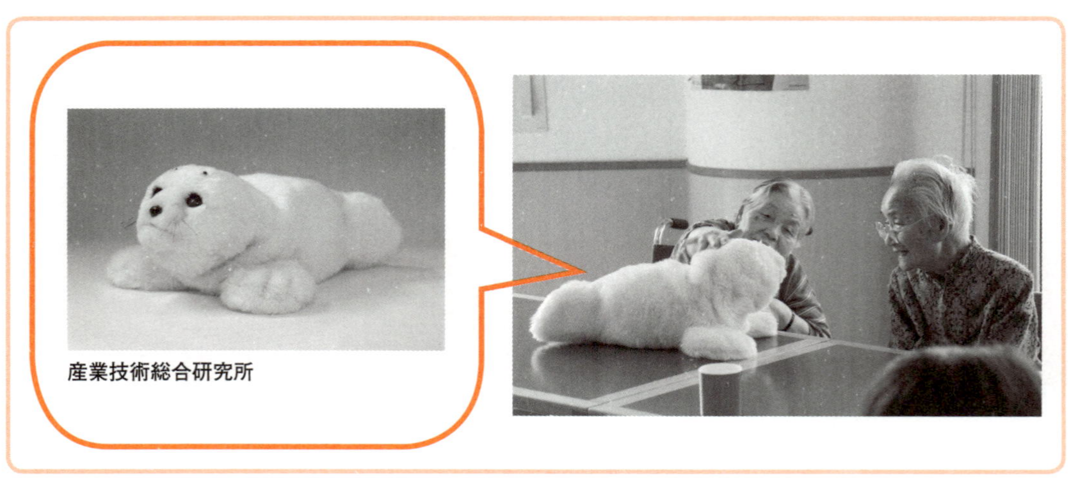

写真４－３　コミュニケーションロボット

な定義はなく、ロボット技術が活用された福祉用具で、利用者の自立支援や介護者の負担軽減に役立つ機器が「介護ロボット」「ロボット介護機器」などと呼ばれています。たとえば、移動支援のための歩行アシストカート（**写真4－1**）、移乗支援のための装着型アシストスーツ（**写真4－2**）や離床アシスト、排泄支援のための自動排泄処理装置など利用者や介護者の動作を支援するロボット、コミュニケーション・見守り型のロボット（**写真4－3**）などが使用されています。

介護ロボットが注目されるようになった背景には、福祉ニーズが多様化・複雑化している点があります。課題に対応するためには、十分な人材の確保やサービスを効率的に提供することが求められますが、人口が減少するなか、介護離職や介護人材の不足が社会的にも大きな問題になっています。介護従事者の腰痛対策、介護従事者が働きやすい職場環境づくりのためにも総合的な対策が求められているところであり、介護ロボットの開発・活用もその一端をになうものとして大きな期待が寄せられています。

2015（平成27）年2月に日本経済再生本部が「ロボット新戦略――ビジョン・戦略・アクションプラン」をとりまとめました。ここでは、基本的な考え方として、①介護・医療が必要な状態になっても住み慣れた地域での自立した生活の継続を支援すること、②ロボット介護機器を活用することにより介護従事者がやりがいをもってサービス提供できるような職場環境の実現、③ロボット介護機器導入による業務の効率化・省人力化、④在宅介護の負担軽減に迅速に対応できるよう介護保険制度の種目検討について弾力化をはかる等が示されました。

厚生労働省・経済産業省が公表している介護ロボットに関連する開発重点分野は、**移乗支援**（装着、非装着）、**移動支援**（屋外、屋内、装着）、**排泄支援**（排泄物処理、トイレ誘導、動作支援）、**見守り・コミュニケーション**（施設、在宅、生活支援）、**入浴支援**、**介護業務支援**があげられており、幅広い分野で開発が進められています。

日本福祉用具・生活支援用具協会が行った2019（令和元）年度福祉用具産業の市場規模調査によると、福祉用具の市場規模は、1兆5033億円に達しています。介護ロボットをはじめ、ICTや**IoT**[4]を活用した新しい福祉用具の開発が進められており、福祉用具の可能性がさらに広がっていくことが期待されています。

4 IoT
Internet of Thingsの略。従来型の通信機器（パソコンやスマートフォンなど）を除いた、「モノ」がインターネットとつながるしくみや技術。ウェアラブルデバイスを用いた健康状態の記録・管理、カーナビシステム、家電の遠隔操作などに活用されている。

第2節

福祉用具の種類

学習のポイント

- 福祉用具の種類を理解する
- 介護保険法と障害者総合支援法における福祉用具サービスを理解する

関連項目
②『社会の理解』▶第4章第3節「介護保険制度」
②『社会の理解』▶第5章第4節「障害者総合支援制度」

1 福祉用具の分類

福祉用具情報システム（TAIS：Technical Aids Information System）は、公益財団法人テクノエイド協会が公表している福祉用具のデータベースです。テクノエイド協会が国内の福祉用具メーカーまたは輸入事業者から提供された福祉用具に関する情報にもとづいて作成し、2021（令和3）年11月現在、企業情報は818社、製品情報は1万4917件が掲載されています。福祉用具情報システムでは、福祉用具の分類コード（CCTA95）が採用されています。ここで使用されている分類コードは、国際的な規格であるISO9999との調和をはかりつつ、日本の実情にあわせたものとなっており、福祉用具が果たす機能および目的をもとに整理・体系化されています。

福祉用具の分類コードであるCCTA95には大分類、中分類、小分類の3つの分類があり、大分類は特定の機能と関連した名称、名称に機能が含まれる用具名称、中分類は、特定の用具名と特定の機能名、小分類は特定の用具名を示す計6桁のコードになります。たとえば、「後輪駆動式車いす」の場合、分類コードは122106となり、左から12は大分類（移動機器）を示し、1221は中分類（車いす）を示し、122106は小分類（後輪駆動式車いす）をさすことになります。

表4－1に福祉用具分類コード（CCTA95）の大分類を示しました。これを見ると福祉用具の範囲は、治療訓練用具からレクリエーション用

表4－1 福祉用具分類コードの大分類と製品例

大分類	分類名	説明	具体的な製品例
03	治療訓練用具	訓練および治療だけのための用具と性行為補助具を含む。	呼吸器治療用具、投薬用具、注射器、褥瘡予防用具など
06	義肢・装具	義肢は四肢の切断者もしくは欠損者に装着して失われた手足の機能と形態を代用するものであり、装具は身体の一部を固定あるいは支持して変形の予防や矯正をはかったり機能の代用を行うものである。生体内にうめこまれる補填材料（人工骨、人工関節など）は含まない。	義手、義足、装具など
09	パーソナルケア関連用具	失禁患者、人工肛門患者用補助具、更衣用補助具、衣類、靴、体温計、時計、体重計を含む。	衣類・靴、更衣用具、おむつ、ポータブルトイレなど
12	移動機器	人の移動を目的として使用する個人用の移動機器。物を運ぶ運搬用の機器を除く。	杖、歩行器・歩行車、車いす、リフト、移乗補助用具など
15	家事用具	炊事、洗濯、そうじ、裁縫、その他の家事役割を遂行するための設備品や道具、また食事動作に必要とされる食事用の器や用具。障害者が使用しやすい工夫がされている。	食事用具、そうじ用具など
18	家具・建具、建築設備	住宅、職場、教育施設の改善のための家具や用具、備品が含まれる。キャスタの有無を問わない。休憩用、作業用を問わない。	テーブル、いす、ベッド、手すりなど
21	コミュニケーション関連用具	読書、書字、電話、警報などが可能なコミュニケーション関連機器を扱う。	眼鏡、コンピューター、補聴器など
24	操作用具	物を操作するための補助に用いる用具。ほかの機器に取りつけて取り扱いを容易にするための部品類はこの項目に分類するが、特定の機器に取りつける付属品はその機器の分類項目に含める。	ハンドル、ライト、工具など
27	環境改善機器・作業用具		照明コントロール機器、計測機器など
30	レクリエーション用具	遊び、趣味、スポーツ、その他の余暇活動に用いる用具。職業を目的として用いる器具は除く。	玩具、手芸用具など

資料：テクノエイド協会「福祉用具分類コード」をもとに作成

具まで多岐にわたっており、福祉用具は生活の多様な分野で活用できるもの、あるいは活用されているものと考えられます。

2 公的制度における福祉用具サービス

1 介護保険法における福祉用具サービス

介護保険法では、要支援や要介護の状態による福祉用具の給付を受けることが可能です。この法律において福祉用具とは、「心身の機能が低下し日常生活を営むのに支障がある要介護者等の日常生活上の便宜を図るための用具及び要介護者等の機能訓練のための用具であって、要介護者の日常生活の自立を助けるためのもの」とされています。また、医療保険福祉審議会老人保健福祉部会においては、介護保険法における福祉用具の範囲について以下のように示されています（**表４－２**）。

介護保険サービスには、居宅サービスの１つとして、福祉用具を貸与するサービス（**福祉用具貸与**）と、福祉用具を購入する際の費用を補助するサービス（**特定福祉用具販売**）の２種類があります。介護保険制度では、身体状況、介護の状況変化にあわせて、必要に応じて用具の交換

表４－２　介護保険法における福祉用具の範囲

① 要介護者等の自立促進または介助者の負担軽減をはかるもの
② 要介護者等でない者も使用する一般の生活用品でなく、介護のために新たな価値づけを有するもの（たとえば、平ベッド等は対象外）
③ 治療用等医療の観点から使用するものではなく、日常生活の場面で使用するもの（たとえば、吸入器、吸引器等は対象外）
④ 在宅で使用するもの（たとえば、特殊浴槽等は対象外）
⑤ 起居や移動等の基本的動作の支援を目的とするものであり、身体の一部の欠損または低下した特定の機能を補完することを主たる目的とするものではないもの（たとえば、義手義足、眼鏡等は対象外）
⑥ ある程度の経済的負担感があり、給付対象とすることにより利用促進がはかられるもの（一般的に低い価格のものは対象外）
⑦ 取りつけに住宅改修工事をともなわず、賃貸住宅の居住者でも一般的に利用に支障のないもの（たとえば、天井取りつけ型天井走行リフトなどは対象外）

出典：「平成10年８月24日第14回医療保険福祉審議会老人保健福祉部会提出資料」を一部改変

ができるとの考えから、福祉用具は原則貸与とし、貸与で対応することがむずかしい種目のみ購入費を支給するしくみになっています。貸与・購入対象となる福祉用具は、定期的に追加や見直しが行われるため最新情報の確認が必要になります。また、貸与・購入にかかわらず福祉用具の価格は自由価格であり、福祉用具提供事業者が自由に設定することが可能になっています。ただし、2018（平成30）年10月から、福祉用具貸与について、商品ごとの全国平均貸与価格の公表や、貸与価格の上限設定が行われることとなりました。これにともない、福祉用具専門相談員に対して、利用者が適切な福祉用具を選べるよう、その商品の特徴や貸与価格、全国平均貸与価格を説明すること、機能や価格帯の異なる複数の商品を提示することが義務づけられました。

表4－3　福祉用具貸与の対象の福祉用具

資料：厚生労働大臣が定める福祉用具貸与及び介護予防福祉用具貸与に係る福祉用具の種目（平成11年3月31日厚生省告示第93号）にもとづき作成

注：軽度（要支援1・2および要介護1）の利用者は、原則として手すり、スロープ、歩行器、歩行補助杖の4種目以外は利用できない。ただし、軽度の利用者であっても身体状況により例外として利用が認められる場合（パーキンソン病、リウマチ、がんなど）がある。

（1）福祉用具貸与

福祉用具貸与の対象となる福祉用具は、**表4－3**に示した13種類です。要支援・要介護区分支給限度基準額の範囲内で使用する場合は、利用者の毎月の負担は貸与に要する費用のうち所得に応じた割合（1～3割）になります。

（2）特定福祉用具販売

福祉用具販売の対象となる項目は、**表4－4**に示した5種目です。直接肌に触れるもの、貸与にそぐわない種目が対象です。購入費の支給限度額は年度ごとに10万円であり、利用者の自己負担は**10万円**までは所得に応じた割合（1～3割）を支払います。実際には、**償還払い方式**であり、購入時に利用者が全額支払い、手続きを行ったのちに市町村から自

表4－4　特定福祉用具販売の対象の福祉用具

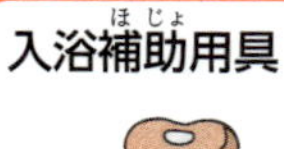

入浴補助用具

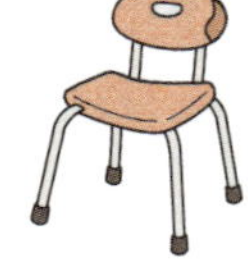
入浴用いす

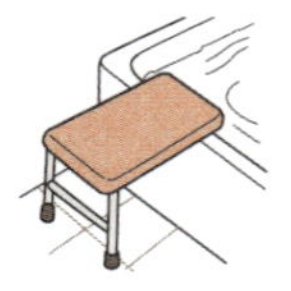
入浴台

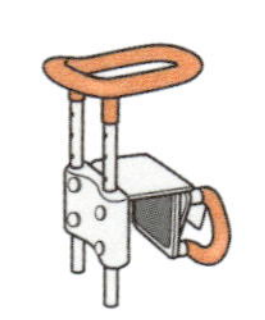
浴槽用手すり

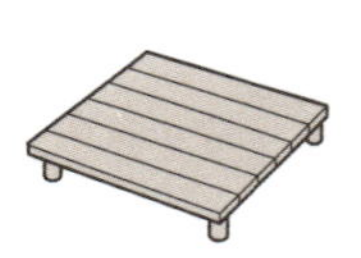
浴室内・浴槽内すのこ

浴槽内いす

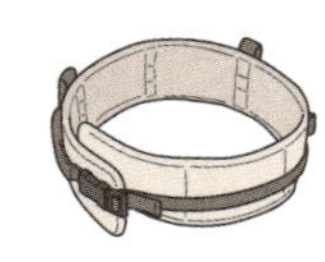
入浴用介助ベルト

腰掛便座

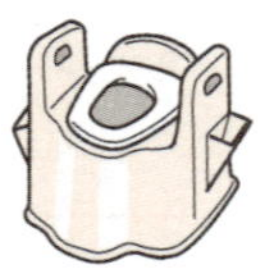
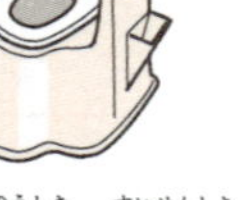
移動可能式・水洗式

和式便器腰掛式

補高便座

昇降便座

自動排泄処理装置の交換可能部品

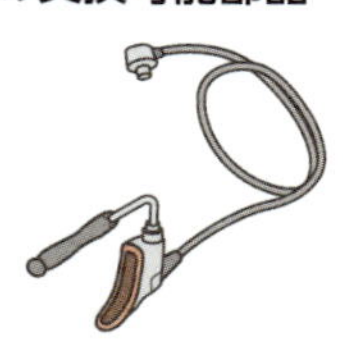

簡易浴槽

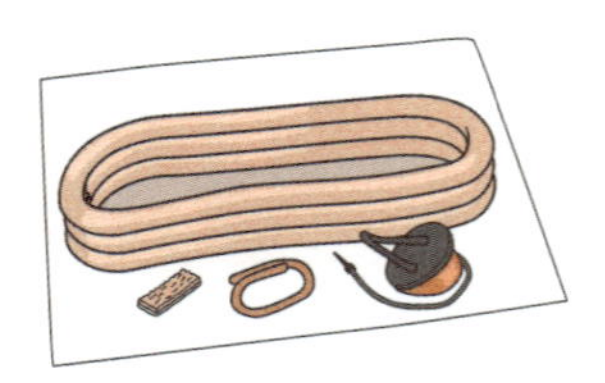

移動用リフトのつり具の部分

スリングシート

資料：厚生労働大臣が定める特定福祉用具販売に係る特定福祉用具の種目及び厚生労働大臣が定める特定介護予防福祉用具販売に係る特定介護予防福祉用具の種目（平成11年3月31日厚生省告示第94号）、介護保険の給付対象となる福祉用具及び住宅改修の取扱いについて（平成12年1月31日老企第34号）にもとづき作成

己負担額を差し引いた額の払い戻しを受けることになります。

2 障害者総合支援法における福祉用具サービス

障害者の日常生活及び社会生活を総合的に支援するための法律（以下、障害者総合支援法）によるサービスのうち福祉用具に関するサービスには、自立支援給付における補装具費の支給制度と、地域生活支援事業における日常生活用具給付等事業が該当します。

補装具費の支給については、身体障害者福祉法および児童福祉法では現物給付されてきましたが、旧障害者自立支援法の施行にともない、給付制度が一元化され、補装具費の支給制度として再編されました。障害の状況により補装具の購入や修理が必要であると市町村が認めた場合に購入費（製作費）や修理費用が支給されます。

日常生活用具給付等事業は、日常生活の困難を改善、自立を支援する

表4－5　補装具費の給付の対象項目

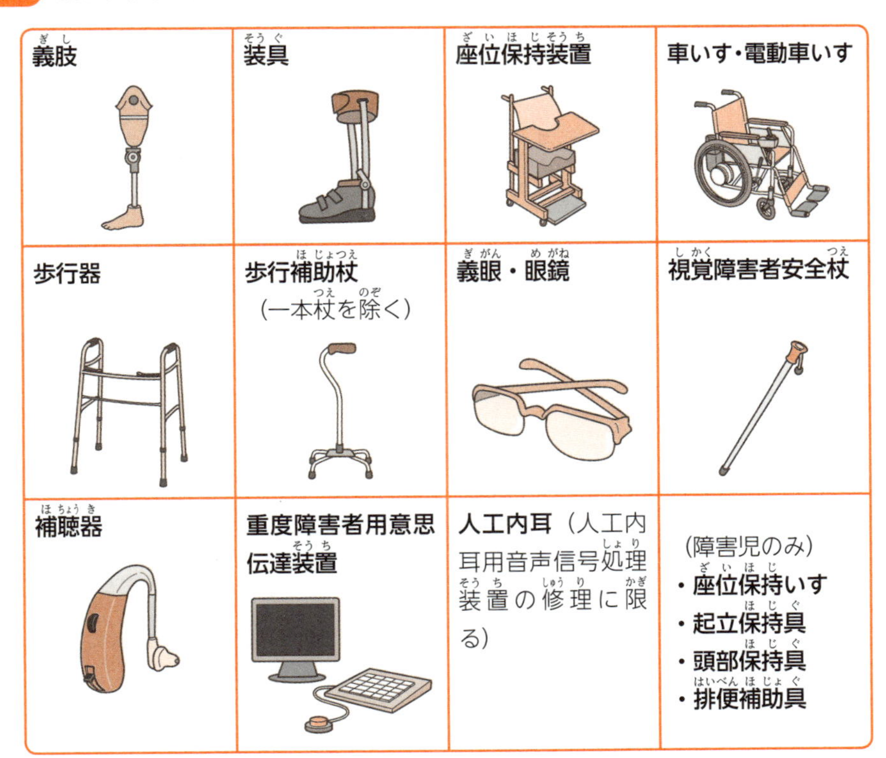

義肢	装具	座位保持装置	車いす・電動車いす
歩行器	歩行補助杖 （一本杖を除く）	義眼・眼鏡	視覚障害者安全杖
補聴器	重度障害者用意思伝達装置	人工内耳（人工内耳用音声信号処理装置の修理に限る）	（障害児のみ） ・座位保持いす ・起立保持具 ・頭部保持具 ・排便補助具

資料：補装具の種目、購入等に要する費用の額の算定等に関する基準（平成18年９月29日厚生労働省告示第528号）にもとづき作成

目的で使用される用具について給付または貸与する事業です。日常生活用具給付等事業には、福祉用具だけでなく一部住宅改修費も含まれています。

(1) 補装具費の支給制度

障害者総合支援法では、補装具を「障害者等の身体機能を補完し、又は代替し、かつ、長期間にわたり継続して使用されるもの」と位置づけています。

補装具の支給対象者は、補装具を必要とする障害者、障害児、難病患者等とされています。

補装具支給制度における補装具の種目は、**表4－5**のとおり、肢体不自由者を対象とする補装具として、**義肢**、**装具**、**座位保持装置**、**車いす・電動車いす**、**歩行器**、**歩行補助杖**（一本杖を除く）、**重度障害者用意思伝達装置**があります。また、肢体不自由児のみ**座位保持いす**、**起立保持具**、**頭部保持具**、**排便補助具**が対象です。視覚障害者については、**義眼・眼鏡**、**視覚障害者安全杖**、聴覚障害者については**補聴器**、**人工内耳**（人工内耳用音声信号処理装置の修理に限る）が対象です。身体に装着あるいは装用して、日常生活に用いるもので、基本的には同一製品を継続して使用することとなります。利用者の世帯の負担能力により負担上限月額が設定されています。

なお、65歳以上の障害者で要介護または要支援の人が、介護保険法にもとづく福祉用具サービスの種目と共通する補装具を希望する場合には、介護保険制度による福祉用具サービスが優先されます。ただし、共通の種目であっても身体状況によって個別に製作する必要があると判断される場合は、補装具費の支給対象になります。

(2) 日常生活用具給付等事業

障害者総合支援法では、日常生活用具給付等事業を「障害者等の日常生活がより円滑に行われるための用具を給付又は貸与すること等により、福祉の増進に資することを目的とした事業」としています。市町村が行う地域生活支援事業の必須事業の1つです。

対象者は、日常生活用具を必要とする障害者、障害児、難病患者等とされています。日常生活用具の要件は、①障害者等が安全かつ容易に使用できるもので、実用性が認められるもの、②障害者等の日常生活上の

表4－6 日常生活用具給付等事業の対象項目

介護・訓練支援用具

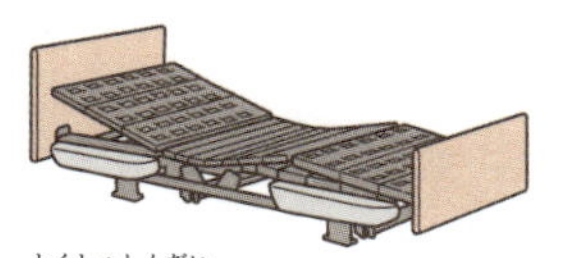

特殊寝台

特殊尿器

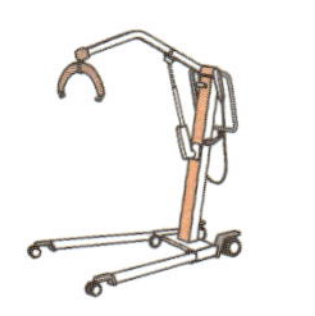

移動用リフト

体位変換器

など

自立生活支援用具

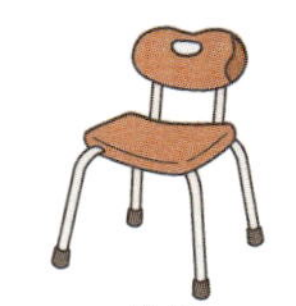

入浴補助用具

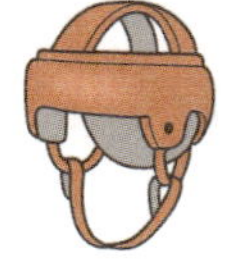

頭部保護帽

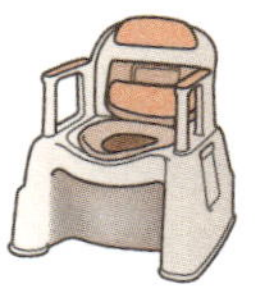

便器

聴覚障害者用屋内信号装置

その他、電磁調理器など

在宅療養等支援用具

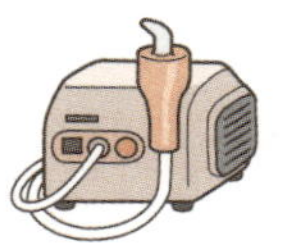

ネブライザー
（喘息用吸入器）

電気式たん吸引器

その他、音声式体温計など

情報・意思疎通支援用具

拡大読書器

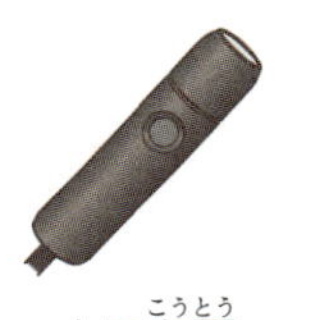

人工喉頭

その他、障害者用図書、情報通信支援用具など

排泄管理支援用具

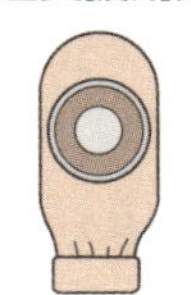

ストーマ（人工肛門）
装具

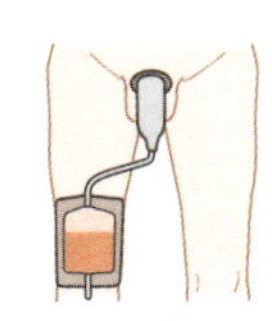

収尿器

その他、紙おむつなど

居宅生活動作補助用具（住宅改修費）

1 手すりの取りつけ
2 段差の解消
3 床または通路面の材料の変更
4 引き戸等への扉の取り替え
5 洋式便器等への便器の取り替え　など

資料：「障害者の日常生活及び社会生活を総合的に支援するための法律第77条第１項第６号の規定に基づき厚生労働大臣が定める日常生活上の便宜を図るための用具」（平成18年９月29日厚生労働省告示第529号）にもとづき作成

困難を改善し、自立を支援し、かつ、社会参加を促進すると認められるもの、③用具の製作、改良または開発にあたって障害に関する専門的な知識や技術を要するもので、日常生活品として一般に普及していないもの、とされており、対象種目は**表４－６**の６種目です。

また、日常生活用具は、市町村により、種目ごとに給付基準額（上限）、給付条件（対象となる障害種別や障害等級、介護保険対象者への給付の可否、同一世帯への複数給付など）、耐用年数等が定められています。

第3節

適切な福祉用具を選ぶための視点

学習のポイント

- 福祉用具の提供プロセスを理解する
- 利用者の状況をふまえた福祉用具を選ぶための視点を学ぶ

関連項目 ④『介護の基本Ⅱ』▶第３章「介護における安全の確保とリスクマネジメント」

1 解決手段は福祉用具だけではない

利用者に適した福祉用具を選定する場合、さまざまな選択肢のうちの１つに福祉用具がある、という多面的かつ幅広い視点が重要です。

たとえば、「浴槽が深く、浴槽をまたぐ動作が負担なので、浴槽の縁に設置する手すりをつけたい」と相談を受けた例を想定してみましょう。浴槽をまたぐ動作が困難な点に対応する方法は、浴槽の縁に取りつける手すり以外にも、①デイサービスで入浴する、②住宅改修を行う（手すりを設置、またぎやすい浅い浴槽に変更など）、③福祉用具を導入する（移動用リフトなど）といった方法も存在します。利用者の状況、介護の状況、ほかのサービスとの組み合わせも考慮すると福祉用具以外の手段が望ましい可能性もあります。

福祉用具は手段であり、目的ではありません。福祉用具ありきではなく、課題を解決するためにどのような手段を選択すべきか、総合的なアセスメントの視点をもつことが必要です。

2 福祉用具に関するリスクとリスクマネジメント

福祉用具は生活を豊かにする用具ですが、時に事故のリスクもあります。福祉用具に関する事故については、福祉用具の関係団体、消費生活用製品安全法にもとづく重大事故報告などで、事故、ヒヤリ・ハットの収集や報告が行われています。NITE（ナイト：独立行政法人製品評価技術基盤機構）に通知された福祉用具による高齢者の事故件数をみると、2010（平成22）～2014（平成26）年度までの5年間に合計147件発生しています。そのうち、「死亡」「重傷」といった重篤な被害も100件（68.0％）発生しています。事故の多い福祉用具は、ベッド柵と電動車いすです。たとえば介護ベッドの隙間に頭や手足をはさみこみ、死亡・重傷等の重篤な被害を負った事故、電動車いすで走行中、道路から用水路、河川等に転落して死亡したといった事故があげられます。

福祉用具の事故の要因には、製品そのもの（適合しない福祉用具を使っていた、不具合や故障など）、操作する人（福祉用具への理解不足や操作方法の誤りなど）、管理（点検や耐用年数の確認不足など）、使用環境（設置した場所、住環境の問題など）などさまざまです。リスクマネジメントの観点からも、福祉用具を提供する際、事故の危険性も含め事前のアセスメントを行い、福祉用具選定の理由を明確にする必要が指摘されるようになりました。

また、介護保険制度では、福祉用具と住宅改修に関するサービスは別のサービスとなっています。住宅改修費の支給については、住宅改修を行う理由書が必要ですが、福祉用具の貸与・購入については計画作成が位置づけられておらず、関係者間で福祉用具の情報を共有しモニタリングするしくみがとられていませんでした。事故を防ぎ、より利用者に合った福祉用具を選定するため、2012（平成24）年から介護保険法にもとづく福祉用具を提供する際には、福祉用具専門相談員による福祉用具サービス計画書の作成が義務づけられるようになりました。

3 福祉用具の提供プロセス

福祉用具サービス計画書では、**表4－7**に示すように、①アセスメント、②福祉用具サービス計画の作成（利用目標の設定、福祉用具の選定）、③福祉用具サービス計画の説明・同意・交付、④サービス提供（搬入や取りつけ、福祉用具の使用方法や故障時の対応の説明）、⑤モニタリング、といったプロセスをふむことができるよう計画作成が求め

表4－7　福祉用具の提供プロセス

プロセス	具体的に行うこと
1　アセスメント	相談受付、利用者や家族からの聞きとり、専門職からの情報収集、実地調査
2　福祉用具サービス計画の作成	利用目標の設定、福祉用具の選定（選定理由の明確化、留意事項の洗い出し）など
3　福祉用具サービス計画の説明・同意・交付	利用者・家族に対し、福祉用具サービス計画の記載内容（利用目標、選定理由、留意事項など）を説明 同意がえられた場合は、計画書原本を交付する
4　サービス提供	搬入や取りつけ、福祉用具の使用方法や故障時の対応の説明、適合（必要に応じ用具の調整）
5　モニタリング（利用者宅に訪問が基本）	心身状況等の変化、福祉用具の使用状況の把握、利用目標の達成状況、計画見なおしの有無の検討、モニタリング結果をほかの専門職と共有（利用者や家族にも）

られています。このプロセスは、福祉用具の適合（フィッティング）の一般的な流れに共通するプロセスといえます。

4 福祉用具を選ぶためのアセスメントの視点

（1）ニーズとデマンドの分析

利用者や家族の要求やデマンド（意欲）と専門職が客観的に判断するもの（ニーズ）は、必ずしも一致するとは限りません。福祉用具の場合、利用者や家族は、消費者として福祉用具を使用した経験がない、知識をもちあわせていない、福祉用具についてネガティブなイメージをもっている、といったことも少なくありません。介護福祉職が、デマンドを把握することも重要ですが、ニーズを発見し、潜在的なデマンドを明確にするようなはたらきかけも必要です。

（2）使う人の能力を把握

介護福祉職は、利用者本人の能力と福祉用具の性能が一致しているかどうか確認する必要があります。また、介護者が福祉用具を操作する場合も少なくありません。とくに、介護福祉職だけでなく家族も使用する場合には、家族の状況や能力にも合った福祉用具を選ぶことが求められます。利用者や介護者が安全に正しい方法で使用できるような支援も必要になります。

（3）ほかの福祉用具との組み合わせ

とくに入浴動作や排泄動作には、複数の福祉用具を使用する場面があります。こうした場合、1つの福祉用具だけを見るのではなく、動作の流れや、複数の福祉用具を組み合わせて使用することを考慮することが必要になります。

（4）住環境

選んだ福祉用具が大きすぎるために住宅内で取り回しがしづらい、といった事態も起こりえます。住宅の所有形態（持ち家あるいは借家など）、床面の素材、寸法の確認はもちろんのこと、エレベーターの有無、屋内外の段差、居室・廊下・トイレ・浴室等の状況、日当たりや風通し、家の中でもっとも長い時間を過ごす場所からトイレや浴室への動線なども把握し、導入しようとしている福祉用具とのマッチングを確認しましょう。状況によっては住宅改修と組み合わせた福祉用具の導入についても検討します。

（5）その他

経済状況やほかのサービスの利用状況により、必要な福祉用具すべてを導入できるわけではありません。優先順位をつけること、デマンドを利用者とともに育てていく必要がある場合があります。

5 福祉用具の適合・モニタリングの視点

福祉用具の導入にあたっては、適切な福祉用具を選ぶ「選定」とともに、「適合」や「モニタリング」の視点が重要になります。

障害者を対象とした補装具給付では、理学療法士や作業療法士などをはじめとする専門職がかかわり、利用者の状態にあわせて福祉用具をあわせていく**適合**が行われています。しかしながら、介護保険制度にもとづく福祉用具サービスでは、基本的には既製品を貸与あるいは購入費を支給するしくみのため、適合が明確に行われているわけではありません。そのため、選定の際に、理学療法士など専門職との連携や意見を聞くことが求められます。

そして、福祉用具を導入したことによる、目標の達成状況の把握・確認を意味する**モニタリング**の視点も大変重要です。

先に述べた福祉用具サービス計画におけるモニタリングでは、以下の4点について確認することとされています。

① 福祉用具導入後の利用者の心身の状況と、環境の変化を把握する
② 計画したとおりに福祉用具が適切に利用されているか、利用者の実態と福祉用具の選択が合致しているかを確認する
③ 福祉用具サービス計画に記載した利用目標の達成状況を確認する
④ 福祉用具が適切、安全に使用されるよう点検とメンテナンスを行い、不適切な使用や誤操作がないかを確認する

出典：全国福祉用具専門相談員協会編『福祉用具サービス計画作成ガイドブック 第2版』中央法規出版、p.56、2018年

適切な福祉用具を選択するためにも、福祉用具の定期的な点検や確認を行い、利用者の状況や環境の変化に応じて福祉用具の見なおしを継続していくことが求められています。

事例　介護福祉士の気づきから福祉用具の利用にいたり、自宅での生活を継続しているAさん夫婦の事例

1　Aさんの状況

Aさん（80歳、女性）は、夫（82歳）と2人暮らしです。10年前から集合住宅（賃貸）の2階で暮らしています。

アルツハイマー型認知症と診断され、新しいことを覚えるのがむずかしくなりつつあります。人と話すことが好きですが、くり返し同じ話をすることもあります。ADL（Activities of Daily Living：日常生活動作）は、歩行、排泄は自立しています。入浴も1人でしていますが、頭を洗う際は手伝いが必要であったり、着脱に時間がかかる状況です。

Aさんは、「要介護2」と認定されていて、介護保険制度のサービスは、訪問介護（ホームヘルプサービス）を週2回、通所介護（デイサービス）を週2回利用しています。また、特定福祉用具販売のサービスを利用して入浴用いす（シャワーチェア）を購入し、使用してい

ます。

社交的で人とかかわることが好きなＡさんは、通所介護利用時に、ほかの利用者や職員とのおしゃべりを楽しみにしています。また、利用している通所介護では、理学療法士による歌や体操のプログラムもあり、体操のプログラムには欠かさず参加しています。

Ａさんの夫は、Ａさんと今の状態をできる限り維持しながら、今後も２人で暮らしていきたいと考えています。その一方、今は元気ですが、いつ自分も介護が必要な状況になるかわからないという不安をもっています。

2　介護福祉士の気づき

訪問介護員（ホームヘルパー）としてサービスを提供していた介護福祉士が、Ａさんのいすからの立ち上がり時の動作が不安定であることに気づきました。また、Ａさんと話をしていた際、「しばらく湯船に入っていない」とＡさんが口にしたことをきっかけに、出入り動作に不安があり、浴槽には入らずシャワー浴をしていたこともわかりました。この話がきっかけとなり、トイレでの排泄動作の様子も確認したところ、便器からの立ち上がり動作が不安定であり、転倒につながるおそれもあることが見えてきました。

3　多職種と連携したＡさんの状況の確認

介護福祉士が所属するヘルパーステーションから、Ａさんを担当する介護支援専門員（ケアマネジャー）に情報が伝達されました。Ａさん宅は賃貸住宅であることから、退去時に原状回復工事が必要となる可能性のある住宅改修は避けたいというＡさんと夫の希望がありました。そこで、福祉用具を中心に住環境を整えるという方針のもと、福祉用具提供事業所の福祉用具専門相談員につながりました。また、利用している通所介護における排泄動作も確認したところ、跳ね上げ式手すりを上手に利用して便器からの立ち上がり動作を行っていることもわかりました。

介護支援専門員、介護福祉士、福祉用具専門相談員、通所介護の理学療法士が、Ａさん宅を訪問し、ＡさんとＡさんの夫の立ち会いのもと、排泄動作と入浴動作を確認し、必要な福祉用具の検討を行いました。理学療法士や福祉用具専門相談員からは、介護用ベッドの利用の提案がありました。しかし、Ａさんの夫から、多数の福祉用具が家の中に入る抵抗感や、環境が大きく変わることで認知症のあるＡさんが混乱してしまうのは避けたいという意見が出されました。そこで、まずは浴室とトイレの環境整備から行うことになりました。その後Aさんの意思や状況を確認しながら必要に応じて、新たな福祉用具の導入時期を検討することになりました。

福祉用具専門相談員を中心に福祉用具の選定を行い、介護保険による福祉用具については利用申請を行いました。

4　福祉用具の提供へ

浴室：出入りの動作をサポートする浴槽の縁に取りつける手すり（介護保険利用）を設置、浴槽内にはすべり止めマットを敷くことになりました（**図4－2**）。浴槽縁の手すりは、Aさんが識別しやすいよう持ち手が赤色で目立つ製品を選定しました。また、入浴時の着脱に時間がかかる理由については、立位で行っていることが考えられたため、介護福祉士の提案により、脱衣室に着脱の際に座ることのできるいすを置くことになりました。

トイレ：機能だけでなく、肘かけの素材や形状も通所介護のトイレで使用しているものと同様の跳ね上げ式手すり（介護保険利用）を選定しました（**図4－3**）。使い慣れている通所介護の手すりを選定することにより、Aさんが自宅でも手すりを使用しやすいよう配慮しました。

図4－2　浴槽用手すりとすべり止めマット

図４－３　跳ね上げ式手すり

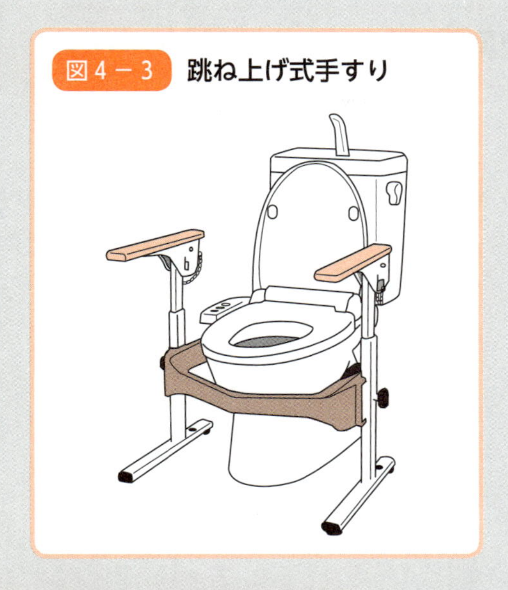

5　福祉用具を使いこなすための支援

福祉用具の導入当初、トイレの手すりに関しては通所介護で使用しているものと同じであるため、大きな混乱はありませんでした。しかし、浴室の手すりを使った入浴動作には戸惑いがありました。そこで、訪問介護で介護福祉士が滞在している時間帯に入浴し、入浴動作を確認して、サポートをしながら少しずつ入浴動作に慣れていきました。Ａさんの夫に対しても、介護福祉士が介助方法を指導し、訪問介護がない時間帯でも入浴ができるようになっていきました。当初、福祉用具を利用することに難色を示していたＡさんの夫も、手すりがあると自分自身の動作も楽になることに気づいた様子でした。

◆参考文献

- シルバーサービス振興会編『新訂 福祉用具専門相談員研修テキスト 第２版』中央法規出版、2018年
- 加島守監修・著、望月彬也・蛯名真知子『自立支援のための福祉用具ハンドブック』東京都福祉保健財団、2013年
- 窪田静（総監修）・栄健一郎（指導）『生活環境整備のための“福祉用具”の使い方』日本看護協会出版会、2010年

演習4－1　福祉用具のタイプによる違い

入浴用いす（シャワーチェア）について、①背もたれの有無、②肘かけの有無、③高さ調節機能の有無でどのような違いがあるか、利用する人のことを考えながらまとめてみよう。

演習4－2　最新の福祉用具の把握

コンピューターや情報通信ネットワークなどの情報コミュニケーション技術が活用された、認知症の人に役立つ福祉用具について検索し、話し合ってみよう。

第5章

自立に向けた家事の介護

第1節　自立した家事とは

第2節　自立に向けた家事の介護

第3節　家事の介護における多職種との連携

第1節

自立した家事とは

学習のポイント

- 家事の重要性について学ぶ
- 介護保険制度のなかでできる家事の介護の範囲を理解する

関連項目
①『人間の理解』▶第1章第2節「自立のあり方」
②『社会の理解』▶第4章第3節「介護保険制度」

1 自立生活を支える家事

家事の重要性

家事は生活を円滑に営むための活動なので、多岐にわたりますが、調理や買い物、洗濯、そうじなどが代表的なものとしてあげられます。

家事は人間の生活において、生理的な生活の質をより高くするものや社会的な生活ともかかわるものといえます。たとえば調理で考えてみると、おいしく食べられる食事があることで食事がすすみ、必要なカロリーや栄養を確保することにつながります。また、料理のなかには、幼少期の暮らしを思い出すきっかけとなるようなものや、住んでいた地域と関係するものなどがあります。その家庭でよくつくられた料理や地域の郷土料理などです。これらは自分の今までの人生を考えたり、住んでいた地域への愛着や誇りを感じたりできるものです。また、調理をすることでだれかの役に立っているという思いになれば、有用感や生きがいにもつながります。食事はただ命をつなぐため、空腹を満たすためにつくるわけではなく、人生にもかかわり、文化や社会ともつながっています。家事という支援があるからこそ、その人らしい生活の継続がはかられるのではないでしょうか。

「家事」の支援というと、だれもが毎日行っているあたりまえの生活を支援することなので、「だれにでもできる」と考えられがちです。しかし、人の生活はその人の長い歴史、そこでできあがってきた価値観、その人が暮らしてきた社会などと関係することなので、他者が簡単に理解できるものではありません。１人で日常の生活ができているときには、どのように暮らしているのかだれも気にはかけませんが、介護が必要な状態になってはじめてその人の生活の一端が見えてきます。私たちは、１人ひとりが似ているようで、まったく違う生活をしているのだということをこころにとめておかなければなりません。

2 介護保険と自立支援

介護保険による介護サービスは、国民が負担する介護保険料等で行われています。そのため、介護サービスの提供に費やせる時間には限りがあります。また、すべて介護保険でできるわけではありません。介護保険制度のなかの訪問介護（ホームヘルプサービス）は、大きく**身体介護**と**生活援助**に分けられますが、この生活援助が家事の支援ということになります。介護保険では「国民は、自ら要介護状態となることを予防するため、加齢に伴って生ずる心身の変化を自覚して常に健康の保持増進に努めるとともに、要介護状態となった場合においても、進んでリハビリテーションその他の適切な保健医療サービス及び福祉サービスを利用することにより、その有する能力の維持向上に努めるものとする」とされ、介護予防に努めることや「有する能力の維持向上に努めるものとする」といわれています。ですから家事の支援も本来は利用者といっしょに行うことで、利用者のもっている能力や意欲を引き出し、もっとよく生きたいという気持ちにつながるようにしなければなりません。介護福祉職が行う家事支援は、利用者ができなくなっていることをただ補完するということではなく、利用者の残っている別の力を引き出し、どのように支援すれば利用者ができるようになるのか探ることが重要です。

介護保険による訪問介護では生活援助（家事支援）といえば、訪問介護員（ホームヘルパー）が家事をすべて行うようなイメージでサービス計画をつくる傾向があるのかもしれませんが、本来は利用者といっしょに行い、自立支援をはかることが重要です。心身の状態からいっしょに行えず家事支援を全般的に介助しなければならない利用者の場合でも、十分な情報収集とアセスメントは必要です。

表5－1　自立支援・重度化防止のための見守り的援助

・利用者といっしょに手助けや声かけおよび見守りをしながら行うそうじ、整理整頓（安全確認の声かけ、疲労の確認を含む）
・ごみの分別がわからない利用者といっしょに分別をしてごみ出しのルールを理解してもらうまたは思い出してもらうよう援助
・認知症の高齢者といっしょに冷蔵庫のなかの整理等を行うことにより、生活歴の喚起をうながす
・洗濯物をいっしょに干したりたたんだりすることにより自立支援をうながすとともに、転倒予防等のための見守り・声かけを行う
・利用者といっしょに手助けや声かけおよび見守りをしながら行うベッドでのシーツ交換、布団カバーの交換等
・利用者といっしょに手助けや声かけおよび見守りをしながら行う衣類の整理・被服の補修
・利用者といっしょに手助けや声かけおよび見守りをしながら行う調理、配膳、後片づけ（安全確認の声かけ、疲労の確認を含む）
・車いす等での移動介助を行って店に行き、本人がみずから品物を選べるよう援助
・上記のほか、安全を確保しつつ常時介助できる状態で行うもの等であって、利用者と訪問介護員等がともに日常生活に関する動作を行うことが、ADL・IADL・QOL向上の観点から、利用者の自立支援・重度化防止に資するものとしてケアプランに位置づけられたもの

資料：「訪問介護におけるサービス行為ごとの区分等について」（平成12年３月17日老計第10号）より作成

利用者ができるようになるといってもすべてができて自立するという意味ではありません。もっている力を使って一部分でも行えるようになるということです。そのためにいっしょに行うという意味であり、口頭で助言などをすることはあっても監視しながらやってもらうということではありません。利用者の現在の能力や気持ちを考え、それを受容しながら、意欲を引き出すように支援していきます（**表５－１**）。

2 自立した家事の一連の流れ

家事と一言でいっても、調理、洗濯、そうじ、裁縫、買い物など多くのものが含まれます。ここでは、ごみ捨てを例に一連の流れをみてみましょう（**図５－１**）。

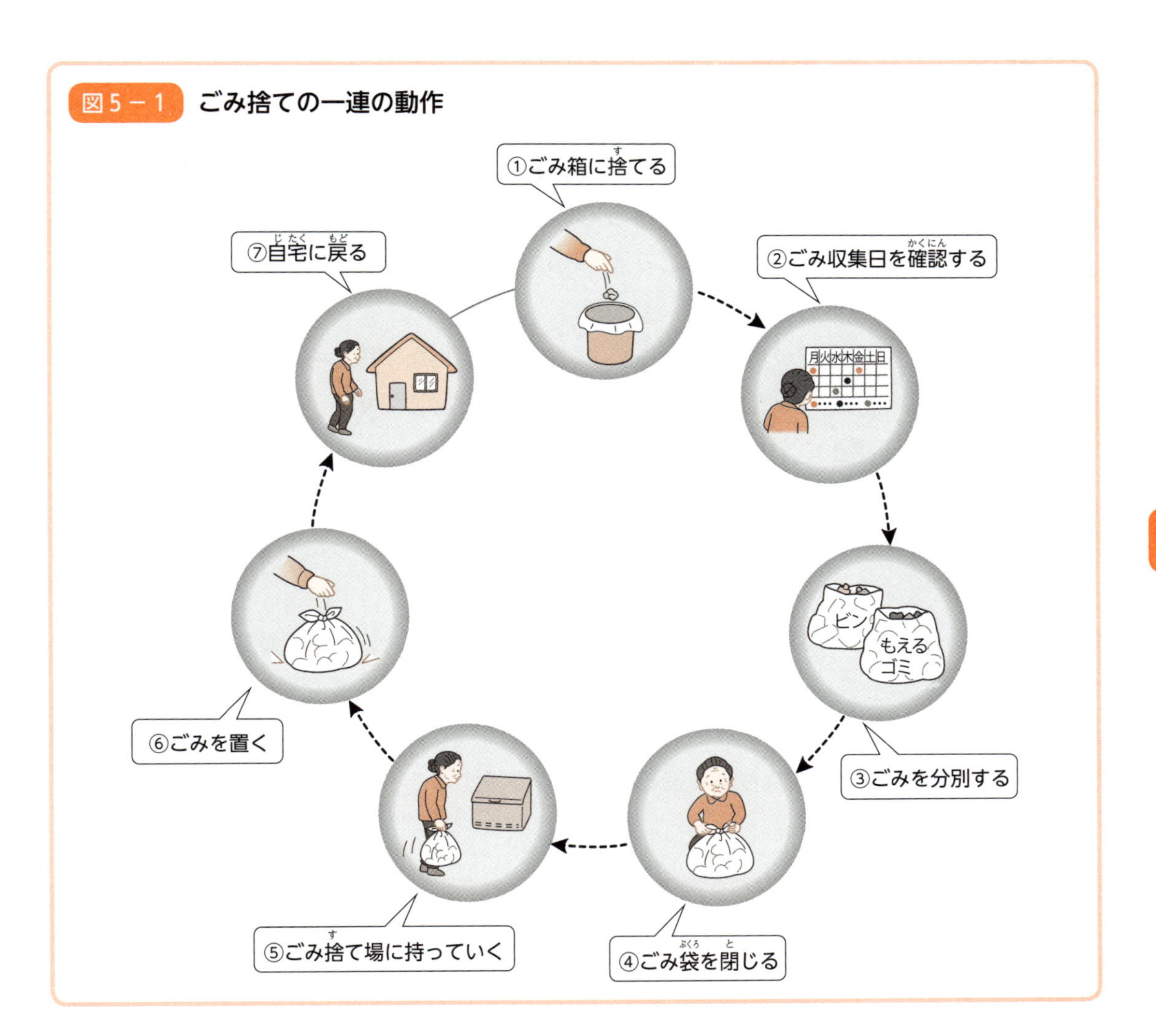

図5－1　ごみ捨ての一連の動作

それぞれの場面を具体的にみていくと、以下のとおりとなります。

1 ごみ箱に捨てる

ごみが出たら、ごみ箱に捨てます。地域によってごみ出しのルールは異なるので、はじめからごみ箱を使い分けている人もいるでしょう。

2 ごみ収集日を確認する

ごみ出しの日を確認します。曜日によって出すごみが異なるので、地域のルールにあわせる必要があります。

3 ごみを分別する

ごみを出す前に、空き缶やびん、燃えるごみ、燃えないごみなどを分別します。しっかり分別されていないと、ごみが回収されないこともあります。また、スプレー缶など、捨て方に注意が必要なものもあるので、事前にルールを確認することが必要です。

4 ごみ袋を閉じる

ごみの分別が終わったら、袋を閉じます。袋がしっかり閉じられていないと、中からごみが出てきて周囲を汚す可能性もあります。

5 ごみ捨て場に持っていく

ごみを指定のごみ捨て場に持っていきます。

6 ごみを置く

ごみの種類によって、ごみの置き場所が決められている場合もあります。事前にルールを確認することが必要です。

7 自宅に戻る

ごみを置いたら、ネットをかける、ごみ収集箱のふたを閉めるなど、地域のルールに従ってごみが散らばらないようにして自宅に戻ります。

介護福祉職は、利用者の動きを見て、介助が必要な部分を支援します。そのため、介護福祉職もその地域のルールを理解しておく必要があります。ごみ捨て以外の家事に関しても、利用者の好みを把握し、利用者が気持ちよく過ごせるよう支援することが求められます。

3 自立に向けた家事の介護をするために介護福祉職がすべきこと

1 利用者の全体像をとらえる

利用者のなかには、麻痺や認知症による記憶障害、**実行機能障害**[1]のために、家事がうまくできなくなっている人もいます。しかし、家庭に何らかの役割があることで、家事に対する意欲がわくこともあるでしょう。また、家事をする道具の工夫や訪問介護員の支援があることで、家事ができる可能性は高まります。

家事も、移動や排泄と同じように、利用者が何ができて何ができないのかを確認し、その利用者のできない部分を支援することが基本です。ただ、家事活動をする際、病気による制限があるかもしれません。飲んでいる薬でふらつきがでる場合もあります。視力の低下で手元がよく見えず、包丁を使うことが危険な場合もあります。立位保持が困難になっ

❶実行機能障害
認知症の中核症状の1つ。物事の計画を立てて、その手順にそって実行することができなくなる。

ている、トイレに行くまでに時間がかかるといった理由から、活動途中に声をかける必要があるなど利用者の状態はさまざまです。友人と会うことを楽しみにしていて、そのために身だしなみを整えなければと考えているかもしれません。家事の支援でも、利用者の全体像をとらえておくことが大切です。

2 ニーズとデマンド

ニーズは解決すべき**課題**とされています。**デマンド**は**要求**などといわれるものですが、利用者本人の口から発せられた言葉でもニーズとは違う場合もあります。「部屋なんかどんなに散らかっていてもいいんだ。物が取りやすくていいんだ」と利用者が言ったとしても、それが生活ニーズということにはなりません。「○○デパートの野菜でないと食べたくない」と言われても、現実的に買いに行くことは不可能な場合もあるでしょうし、それがニーズといえるのか考えなければなりません。

介護保険法のなかでは、「日常生活の援助」に該当しない行為として花木への水やりや窓のガラスみがきなどがあがっていますが（**表5－2**）、これらが利用者にとって重要な場合もあります。花や木などの植物を育てることが生きがいになっていて、それらの世話をすることを楽しみにしている利用者もいるでしょう。自力では動けなくなっている利用者のなかには、窓から見える景色が楽しみで、窓をふいてほしいと思う人もいるのではないでしょうか。画一的に生活援助の範囲を決められるものでもなく、生活ニーズは適切にアセスメントしなければ導き出せません。介護保険のなかでできないことでも、地域のボランティアを活用すればできることもあります。そのためには介護支援専門員（ケアマネジャー）など、他職種との連携が重要になってきます。

表5－2 訪問介護サービスの「生活援助」の範囲に含まれない事例

1 「直接本人の援助」に該当しない行為

主として家族の利便に供する行為または家族が行うことが適当であると判断される行為

- 利用者以外のものにかかる洗濯、調理、買い物、布団干し
- 主として利用者が使用する居室等以外のそうじ
- 来客の応接（お茶、食事の手配等）
- 自家用車の洗車・清掃 等

2 「日常生活の援助」に該当しない行為

① 訪問介護員が行わなくても日常生活を営むのに支障が生じないと判断される行為

- 草むしり
- 花木の水やり
- 犬の散歩等ペットの世話 等

② 日常的に行われる家事の範囲を超える行為

- 家具・電気器具等の移動、修繕、模様替え
- 大そうじ、窓のガラスみがき、床のワックスがけ
- 室内外家屋の修理、ペンキ塗り
- 植木の剪定等の園芸
- 正月、節句等のために特別な手間をかけて行う調理 等

資料：「指定訪問介護事業所の事業運営の取扱等について」（平成12年11月16日老振第76号）の別紙「一般的に介護保険の生活援助の範囲に含まれないと考えられる事例」より作成

第2節

自立に向けた家事の介護

学習のポイント

- 家事支援の基本となる知識と技術を学ぶ
- 利用者の好みを尊重した家事支援を行うための視点を学ぶ

関連項目
⑧『生活支援技術Ⅲ』▶第2章「障害に応じた生活支援技術Ⅰ」
⑧『生活支援技術Ⅲ』▶第3章「障害に応じた生活支援技術Ⅱ」

1 調理の介護

（1）調理の意義

調理は生命維持（いじ）のために行うという意味もありますが、ほかにも重要なことがあります。人は好きな食べ物やおいしい食べ物を食べたとき、豊（ゆた）かな気持ちになり、おだやかになったり、ほっとしたりします。季節を感じるもの（**表5－3**）やなじみのもの、思い出のあるものを食べたとき、懐（なつ）かしさを感じ、さらには生きる意欲につながることもあります。このように食べることは利用者の精神的な部分に大きくかかわります。介護福祉職が行う調理は、栄養面はもちろん、利用者の生活全般（ぜんぱん）を考えながら行うものです。

調理の介護をする前に、まずは自分の調理方法と他者の調理方法が違（ちが）うことを認識（にんしき）しておく必要があります。利用者がどのように調理を行ってきたかを知ったうえで、あるいは知ろうとしながら支援を行います。また、利用者がどの程度（ていど）、調理に参加できるか、どのようなやり方ならできるのか確認（かくにん）することも必要です。

表5－3 季節を感じる食事

1月	正月	おせち料理、雑煮（ぞうに）
7月・8月	土用の丑（うし）の日	うなぎ、うどん（「う」のつくもの）
12月	冬至（とうじ）	かぼちゃ料理、けんちん汁（じる）、ゆず
	大晦日（おおみそか）	年越しそば（こ）

図5－2 食事バランスガイド

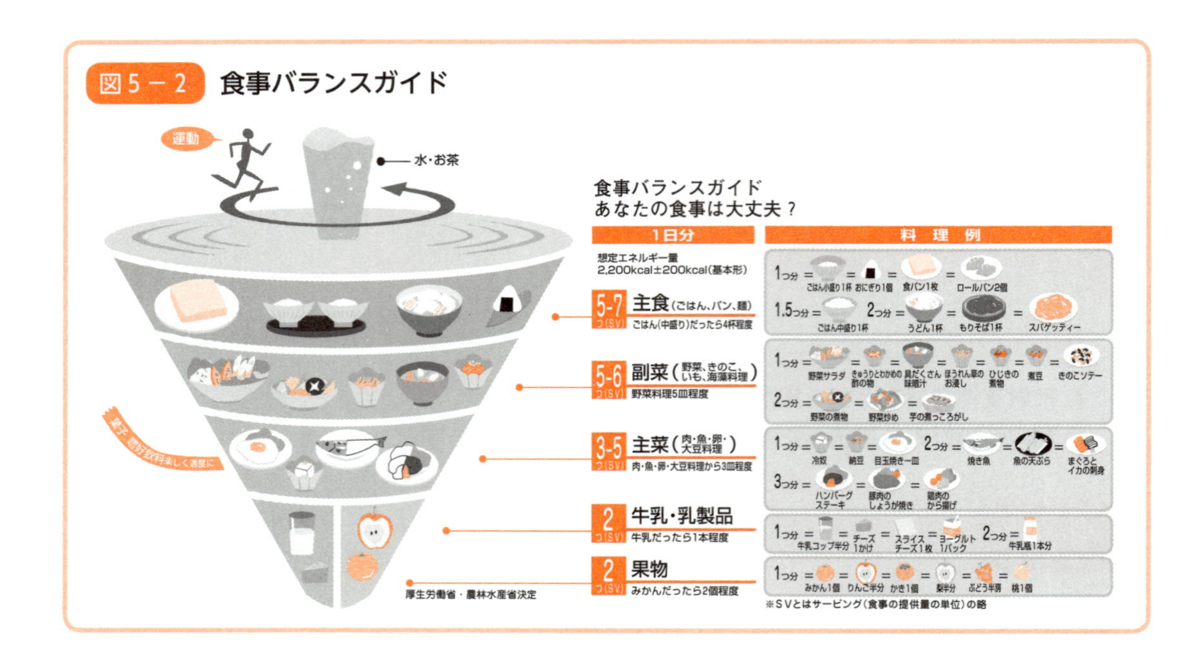

(2) 調理の介助方法

<必要物品>

筆記用具、お金、エプロン、調理器具、食材、食器など

介助手順	留意点と根拠
①献立を考えます。	①利用者に何を食べたいかを聞きます。利用者が自分の考えを十分伝えられない場合は、「魚がいいですか、肉がいいですか」「焼きますか、煮ますか」「味つけはしょうゆですか、みそですか」など、ヒントを出しながら探っていきます。冷蔵庫にある食材や買い置きしてある食品を伝えて考えてもらったり、旬のものを用いて季節感をもたせるのもよいでしょう。 利用者の自己決定を尊重する。栄養のバランスや利用者の疾患・体調などにも配慮する。
②買い物に行きます。	②冷蔵庫の中を確認し、必要に応じて買い物に行きます。予算を利用者に確認します。利用者の状況にあわせていっしょに買い物に行きます。

③身じたくを整えます。

③手を洗ってエプロンをつけます。

身じたくを整えることで調理をすることへの意欲を引き出す。

④調理の手順を考えます。

④どのような手順で調理を行っていくのか利用者と相談します。

認知症などにより手順がわからなくなる場合もあるため、メモに残すなどする。必要に応じて手順の確認をする。

⑤調理します。

- 食材の下ごしらえをする。
- 食材を洗う。
- 包丁で切る（図5－3）。
- ちぎる。
- 炒める、煮る、焼く。
- 味つけをする。

⑤できる部分は本人に行ってもらいます。食材の切り方、味つけなどは、利用者の身体状況をふまえ医療職や管理栄養士と相談します。また、包丁を使う場合は、けがや落下に注意し、利用者がどのくらい見えているかを確認します。立って調理することがむずかしい場合は、いすを用意し、座って行ってもらいます。火を用いる際は、やけどをしないよう注意が必要です。

⑥盛りつけます。

⑥利用者に食器を選んでもらいます。むずかしいようであれば、利用者の意向を確認しながら、利用者が食べやすい食器を選び、食欲がわくような盛りつけを考えます。

視覚から入る情報が食欲を刺激するため、食べ物や食器の色合いにも配慮する。とくに高齢者は加齢にともない視力が低下するため、食べ物と食器が同系色の色合いにならないようにする。

⑦配膳（下膳）します。

⑦利用者の状況にあわせて食べやすいように配膳します。

- 安全のため、利用者の頭上や目の前から配膳しないよう注意します。

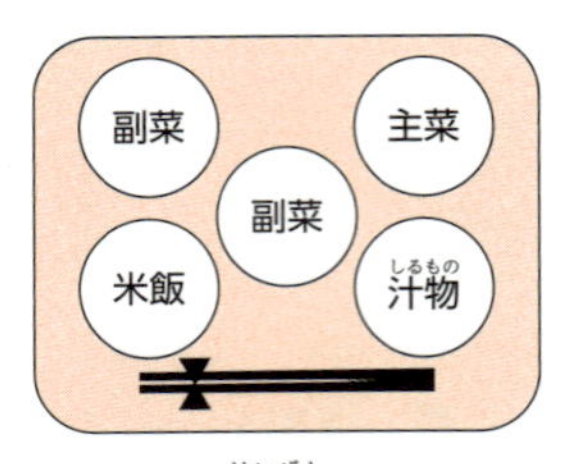 和食の基本的な配膳（右利きの場合）	
⑧後片づけをします。	⑧調理に使った道具がシンクにたまらないよう、調理をしながら片づけていきます。 ・安全のため、包丁は使い終わったらすぐ洗って、よくふき所定の場所に戻します。まな板は雑菌が繁殖しやすいので、よく洗って乾燥させます。調理台やシンクをふき、シンクの排水口のごみ受けのごみなどを取り除きます。生ごみはビニール袋などに入れて処理します。
⑨記録します。	⑨状態や状況を記録します。

（3）電子レンジの利用

訪問介護（ホームヘルプサービス）での調理は、限られた時間内に行わなければならないこと、利用者１人分をつくること、という条件があります。電子レンジは温めるだけでなく、野菜をゆでるなどの下ごしらえをしたり、調味液等を入れて調理することにも利用できます。時間短縮や少量の調理には向いているので、状況に応じて活用していきましょう。

（4）嚥下食や治療食のつくり方

できることなら最期まで口から食べたいものです。しかし、疾病や加齢によってかむことや飲みこむことが困難になる利用者もいます。かみやすくするため調理時間を長くして食材をやわらかくする方法や、繊維を断ち切るような切り方にする、薄く切るなど食材の切り方を変える方法があります。しかし、細かく切ってしまうとかえって飲みこみにくくなってしまうことがあるので注意しなければなりません。

食べやすい食材を選ぶことも重要です。かぼちゃやいも類、豆腐などは食べやすいものの１つです。ひき肉やバラ肉、卵なども調理法によっては食べやすいようです。

固形物の飲みこみがむずかしくなると、ミキサー食をつくることになります。水分が少ない料理はミキサーがうまく回らないので、水分を加えながら回します。また、１つの料理ご

図5－3　基本的な食材の切り方

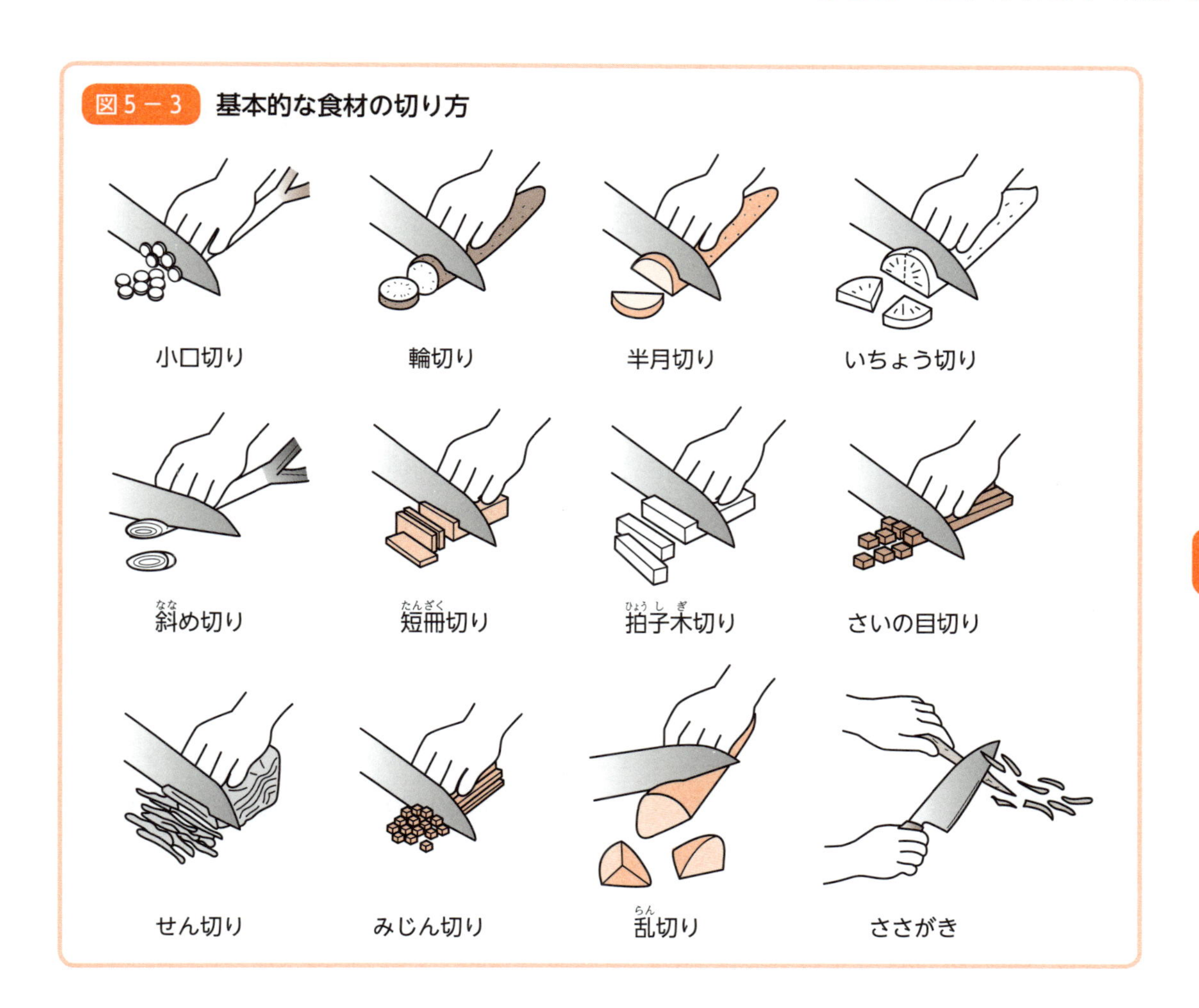

とにミキサーをかけます。全部を混ぜたりすると味もわからなくなり、見た目も食欲がわかないものになってしまうからです。ミキサーにかけたままではサラッとしていて飲みこみにくい場合は、とろみ調整食品を使います。利用者の嚥下状態に合ったとろみの具合を、医療職と連携、相談しながら決めていきます。

腎臓病食や糖尿病食をつくる際は、医療職や管理栄養士と連携、相談しながら行います。摂取量の制限があるので、ふつうの食事をつくるとき以上に計量などをきちんと行います。

（5）食品の保存

食品を保存するときは、表示されている**消費期限**❶や**賞味期限**❷を確認しましょう。ただし、消費期限も賞味期限も、封を開けないで書かれたとおりに保存していた場合の安全性やおいしさを保証するものです。一度開けてしまったものは、期限に関係なく早めに食べるよ

❶消費期限
封を開けないままで書かれた保存方法を守って保存していた場合に、安全に食べられる期限。

❷賞味期限
封を開けないままで書かれた保存方法を守って保存していた場合に、品質が変わらずにおいしく食べられる期限。

うにしましょう。

調理したものが残ってしまった場合、常温のまま置いておくと菌が増え、食中毒の原因となります。たとえばカレーやシチューなどは、食べるときに加熱すれば菌がいなくなると思うかもしれませんが、加熱調理後、発育に適した温度になると**ウェルシュ菌**が急激に増えます。ウェルシュ菌は熱に強いため、ほかの菌が死滅しても生き残るのです。食べ物はつくり置きはせずに、当日食べられる分をつくるようにしましょう。また、やむをえず保管する場合は、小分けして冷凍保存しましょう。

冷凍食品に関しても注意が必要です。一度解凍すると、そこから菌が増殖し、食中毒の原因になることがあります。さらにそれを再冷凍することは食中毒の危険を増大させることになります。また、冷凍・解凍をくり返すことで食品自体の味も損なわれます。

（6）衛生管理

調理に使った包丁やまな板などの器具、ふきんはよく洗って乾燥させます。菌がついていると、それらを使って調理するときに食べ物についてしまい、食中毒の原因になります。また、調理するときにはエプロンをする、髪をまとめる、アクセサリーをはずす、手をよく洗うことが大切です。調理が終わったらシンクを洗い、排水口のごみなどを取り除きましょう。台所が不衛生だとゴキブリやネズミが発生する可能性があります。

安全な食事ができるよう、使ったらすぐ洗い、片づけることを心がけましょう。家庭でできる食中毒予防の６つのポイント（**表５－４**）を参考にしてください。

表５－４　家庭でできる食中毒予防の６つのポイント

食品の購入	生鮮食品は新鮮なもの、表示のある食品は消費期限などを確認して購入する。 肉汁や魚などの水分が漏れないようにして、早めに持ち帰る。
家庭での保存	冷蔵や冷凍の必要な食品は、できるだけ早く冷蔵庫や冷凍庫に入れる。 冷蔵庫や冷凍庫に入れる食品は、７割程度とし、早く使い切る。
下準備	生の肉や魚を切った包丁、まな板はすぐに洗い熱湯をかけておく。 こまめに手を洗う。
調理	加熱は十分に行う（中心温度75℃、１分間以上）。 調理を途中でやめてそのまま放置せず、食材を冷蔵庫に入れる。
食事	清潔な手で、清潔な器具を使い、清潔な食器に盛りつける。 温かい料理は65℃以上、冷やして食べる料理は10℃以下にしておく。
残った食品	残った食品は早く冷えるよう、小分けにして清潔な容器に保存する。 保存したものを食べるときは75℃以上になるように再加熱する。

出典：厚生労働省「家庭でできる食中毒予防の６つのポイント」1997年を一部改変

2 洗濯の介護

（1）洗濯の意義

衣類や寝具、タオルなどは、使えば汗や皮脂などさまざまな汚れがつきます。衣類等は洗濯をしないでおくと吸水性や保温性などが損なわれ、かびや悪臭なども発生して不衛生な状態になります。洗濯をすることで衣類等の本来の性能を回復させ、気持ちよい暮らしにつながります。衛生的なシーツやタオルを使うことで睡眠や入浴、洗面なども心地よくできます。

「出かけるならきれいなシャツを着なければ」とか「人が来るならきちんとしたものを着ておこう」などという気持ちになったり、「衣類がさっぱりしたから出かけたい」という意欲につながる利用者もいます。洗濯をして衣類をきれいにすることが、社会とのつながりを意識し、他者との関係性を保つことにも役立つことになります。

介護福祉職が洗濯をすることで、その利用者の生活の一端や身体状況の変化を知ることができます。たとえば、いつもより洗濯物が少なくなっているという状態をみて、いくつかの仮説を立てることができます。心身に何らかの変化が起き着替えができなくなっている、もしくは、尿漏れを人に見られるのがいやで汚れた下着を隠しているなどです。また、下着に血液がついていたら、何らかの皮膚のトラブルがあることが想定できます。そのようなときは実際に身体を見せてもらい、必要に応じて医療職につなげます。

（2）洗濯の介助方法

＜必要物品＞

洗濯機、洗剤、柔軟剤など

介助手順	留意点と根拠
①洗濯物を仕分けます。 ・洗濯マークを確認する。	①洗濯マークを確認して、洗濯機で洗えるものと洗えないものに分けます。汚れのひどいものや色落ちするものは別にします。利用者の状態に応じていっしょに行いましょう。簡単なしみは、洗濯前にしみ抜きをしたり、必要に応じて漂白剤を使用したりします（**表5－5～表5－7**）。

・汚れのひどいものと分ける。

・ボタンが取れそうになっていないか確認する。

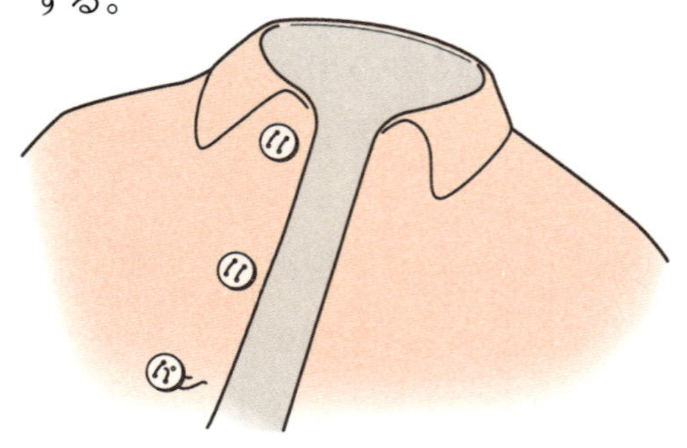

汚れのひどいものや色落ちするものをいっしょに洗うと、ほかの洗濯物に汚れや色がうつるため、下洗いしてからいっしょに洗う。

・あらかじめ汚れている部分を確認しておきます。

洗濯後に汚れが落ちたかどうか確認しやすくなる。

・ボタンが取れそうになっていないか、衣服が破れていないかも確認しておきます。

洗っているあいだにボタンが取れたり、破れがひどくなることもある。洗濯する前にボタンをつけなおしたり、破れている部分は縫いなおしたりする。

・水洗いが困難なものはドライクリーニングに出すことを提案します。衣類を縮ませたりしないよう、利用者・家族に相談しながら行います。

②洗濯物を洗濯機に入れます。

②利用者宅にある洗濯機の使い方をしっかり確認します。洗濯機に表示してある量を見て、入れすぎないようにします。

洗濯物を入れすぎると、洗濯機が動かない場合がある。使い方を確認すること。

③洗剤を入れて洗います。

③洗剤に付属されているスプーンやキャップで表示してある量の洗剤を入れます。

④洗濯物を干します。

④洗濯が終わったら、洗濯機から取り出ししわを伸ばします。

時間が経つと、衣服にしわが残るため、たたいたり軽く裾を引っ張るなどしてしわを伸ばす。

■しわを伸ばす

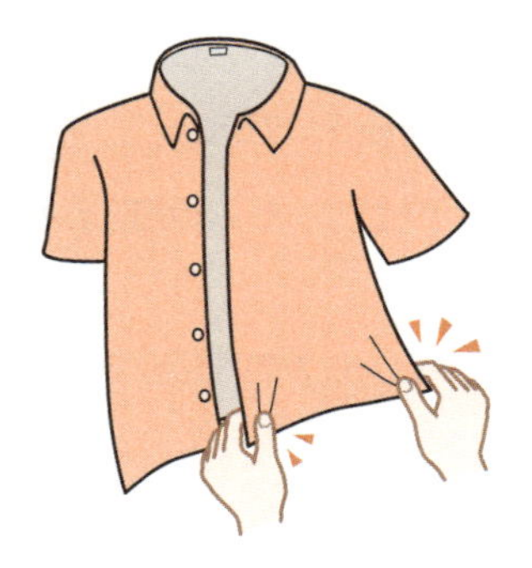

■タオルの干し方の好み

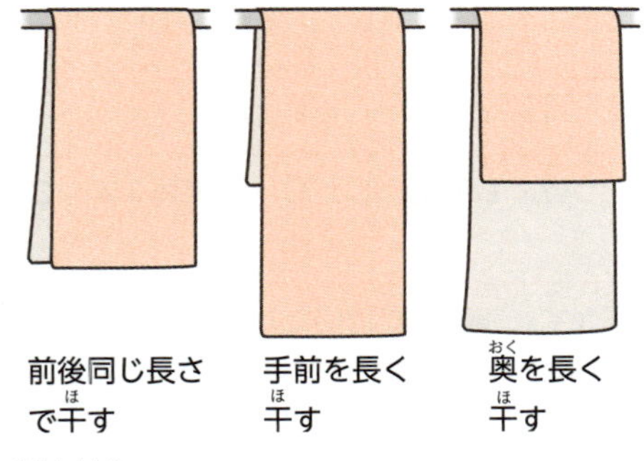

⑤洗濯物を取りこみ、しまいます。

・形を整えながら干します。干し方にも好みがあるので、利用者に確認しましょう。利用者が干す場合は、物干しざおの高さが利用者に合っているか確認します。高いところに干すことがむずかしい場合は、フックなどを使ってハンガーを低い位置に下げるのもよいでしょう。

干す高さを調整することで、利用者のできることを増やす。

⑤衣服のたたみ方にも好みがあるので、利用者に確認します。施設では、ほかの人の洗濯物と混ざってしまうことがあります。利用者本人のものか確認します。

(3) 乾燥機の使い方

乾燥機に洗濯物を入れるときは、洗濯機から出した洗濯物を振りさばいてしわを伸ばします。洗濯機から出したままの状態で乾燥させると、丸まったままの状態ででき上がってしまいます。また、乾燥機に入れるとき、ウールなど毛の入ったものではないことを確認しましょう。乾燥機にかけると縮んだり、型くずれを起こす素材もあるので洗濯マークをよく確かめます。

表5－5　しみの種類に応じた処置

しみの種類		しみ抜きの方法
水溶性	しょうゆ、ソース、紅茶、果汁、コーヒー、茶、ジュース	水をつけた綿棒や歯ブラシで、しみの周辺から中心に向けてたたく。
	血液	台所用洗剤を水に溶かし、しみの周辺から中心に向けてたたく。
水油混合	ドレッシング、カレー、ミートソース、アイスクリーム、マヨネーズ、（焼肉用）たれ	
油性	えり垢、口紅、クレヨン、ボールペン、チョコレート	ベンジン※を使ったあと、洗剤を使う。
	朱肉	エタノールをつけたブラシでたたく。
不溶性	墨汁	歯みがき粉をつけてもみ洗いしたり、ご飯粒をすりこんでもよい。
	泥はね	まず、泥を乾かす。表面をたたいたり、もんだり、ブラシをかけたりしながら落とす。
その他	ガム	氷で冷やして、爪ではがす。

※：石油から精製された揮発性の薬品のこと。引火しやすいので取り扱いには注意が必要である。

表5－6　漂白剤

種　類		特　　徴
酸化漂白剤	塩素系	綿・麻・アクリル・レーヨン・ポリエステル・キュプラの白物衣料に使える。 酸性タイプのものと混ぜると有害な塩素ガスが発生するので危険である。
	酸素系	水洗いできる白物、色物、柄物の繊維製品（木綿、麻、毛、絹）。 また、冷水より温水のほうが早く効果が出る。 衣類の除菌・抗菌・除臭やしみ・部分汚れの漂白（食べこぼし、調味料、えり・袖口、血液など）。 赤ちゃんの衣料の漂白にも使える。 ※毛・絹の衣料の場合は、中性洗剤を使う。
還元漂白剤		すべての白物衣料に使える。 酸化型の漂白剤で落ちないしみが落とせる。

表5－7　おもな洗濯マーク

洗濯マーク		意味
～2016年11月	2016年12月～	
弱 40	40	液温は40℃を限度とし、洗濯機で弱い処理ができる
		家庭での洗濯禁止
		日陰のつり干しがよい
ドライ ドライクリーニングができる	P	パークロロエチレンおよび石油系溶剤によるドライクリーニングができる（溶剤に2％の水添加）
	P	パークロロエチレンおよび石油系溶剤による弱いドライクリーニングができる

3 そうじ・ごみ捨ての介護

（1）そうじ・ごみ捨ての意義

部屋のそうじをした結果、そうじ前と比べて、すっきりした気持ちになったという経験をした人も多いのではないでしょうか。清潔な生活環境は、精神的にも身体的にもプラスの影響をもたらします。しかし、身体機能の低下や障害により、そうじやごみ捨てができなくなる場合もあります。そうじやごみ捨てができなくなると、生活環境が悪化し、心身にも悪影響を及ぼします。近年では、**セルフネグレクト**❸からごみ屋敷化してしまう問題もあります。ごみ出しは、地域によって出し方のルー

❸セルフネグレクト
みずからの生活環境や栄養状態が悪化しているにもかかわらず、自分の意思や能力の低下によりそれらを放置すること。自己放任ともいう。

ルも異なるため、介護福祉職はその地域のルールを把握し、対応することが求められます。

（2）そうじ機の使い方

そうじ機のコードがひっかかってものを倒したり、床にあるものを吸いこんでしまわないように片づけておきます。どこに片づけておくのか利用者に聞きながら行います。利用者がそうじ機を引っ張って歩くことが困難ならば、介護福祉職が行います。可能であれば、利用者にはフローリングワイパーでそうじをしてもらったり、棚などをふいてもらったりします。

そうじ機は部屋の奥からかけます。手前からかけるとそうじ機をかけたところを通って汚すことになります。畳やフローリングは目にそって、絨毯は毛の流れに逆らってかけましょう。畳をそうじするときは、そうじ機よりもほうきが適している場合もあります。最近では、畳用のワイパーもあるので、畳を傷めない方法を選ぶようにします。そうじ機を使う場合は、巾木や壁にぶつけないように気をつけます。

（3）浴室のそうじ

利用者にとって浴室のそうじはからだをかがめて行わなければならず、つらいと感じる家事の1つです。洗い場の床はそうじがゆきとどかないとすべって転倒の危険も出てきます。ブラシなどで汚れやヌメリをこすり落とします。浴槽内も垢などが付着しているので、スポンジなどで洗っておきます。壁面もスポンジで洗い、よく水で流しておきます。排水口のごみや抜け毛などもそうじして取り除いておきます。

浴室のそうじでは柄の長いブラシを購入してもらい、利用者にこすってもらったり、壁面の手の届く範囲をふいてもらったり、できる範囲で利用者といっしょに行います。

（4）トイレそうじ・消毒

便座の表面をふき、便器の立ち上がり部分や便座の裏、縁をふいておきます。男性の場合は、尿が跳ねやすいので、便座まわりや床もしっかりふきましょう。便器の中はトイレブラシなどでこすります。便器の縁の裏にもよくブラシをかけておきます。

ノロウイルス[4]などで消毒が必要な場合は、次亜塩素酸ナトリウムと

4 ノロウイルス
おもにカキなどの二枚貝を原因とする食中毒のウイルス。ウイルスに汚染された二枚貝を十分に加熱処理せずに食べたり、感染した人の糞便や吐物に触った手指を介して経口感染することが多い。

使い捨ての布などを使い、ドアの取っ手や手すりをふきます。

トイレの取っ手や壁面は利用者にふいてもらうことを考えてみましょう。また、どこの汚れが気になるのかいっしょに見てもらったりするのもよいでしょう。

(5) ごみ捨て

ごみは自治体によって分別の仕方が違います。可燃ごみ、不燃ごみ、資源ごみくらいに分ければよいところもあれば、さらに細かく10種類以上に分別するところもあります。その地域でどのように分別するのか事前に確認しておきましょう。ごみ袋が色分けされていたりするので、利用者といっしょに行うのもよいでしょう。

ごみ袋は台所などに収集日まで置かれることもあるので、食品トレイやフードパックなどの付着物を洗い流して悪臭の発生を防ぎます。

利用者の歩行状態からごみ袋を運ぶことが困難なこともあります。ごみの収集の曜日や時間が決まっていて、家族や訪問介護員（ホームヘルパー）もごみ出しができないようなら、担当の介護支援専門員（ケアマネジャー）に相談し、近隣等への支援が頼めないか検討が必要です。自治体によっては玄関まで来て収集してくれる場合もあります。

どのようなごみが出ているかで、利用者の嗜好品や食べ物、服薬状況を知る手がかりをえることができます。また、ごみ捨ての介助をするなかで、見慣れない支払い請求書があることに気づき、利用者が**消費者被害**にあっていることが発覚することもあります。このように、ごみから利用者の生活状況を知ることができます。利用者のプライバシーに十分に配慮しつつ、単にごみを分別するのではなく、そういった視点をもちながら行うことが必要です。

4 裁縫（衣類の補修）の介護

もったいないという感覚をもって暮らしている人はたくさんいます。衣類もちょっとしたほつれであれば繕って着つづけたいと考えている利用者も数多くいるでしょう。ましてや気に入っていたり、思い出があったりする衣服なら、なおさらです。しかし、視力が低下したり、認知症などでほつれやボタンが取れていることに気づかない場合もあります。

衣類のボタンが取れたままでは、だらしなく見えるばかりではなく、ズボンが下がってきたりと着にくくなったり、開いたままの袖口が何かにひっかかり、危険なこともあります。とくにズボンの裾がほつれたままだと、ほつれた部分から裾の折り返し部分に足をひっかけたりして危険です。爪がひっかかることも考えられます。ボタンのつけ方や、簡単なほつれなおしの方法は覚えておくようにしましょう（**図5－4**、**図5－5**）。

本人ができるようであれば、もちろん本人にやってもらうのが一番ですが、視力の低下や指先の巧緻性の低下から糸を通せない場合は、糸通しなどの道具の使い方を教えたり、糸を通す介助をします。使い終わったら針が落ちていないか確認して、もとの位置に戻します。

（1）ボタンのつけ方

図5－4　ボタンのつけ方

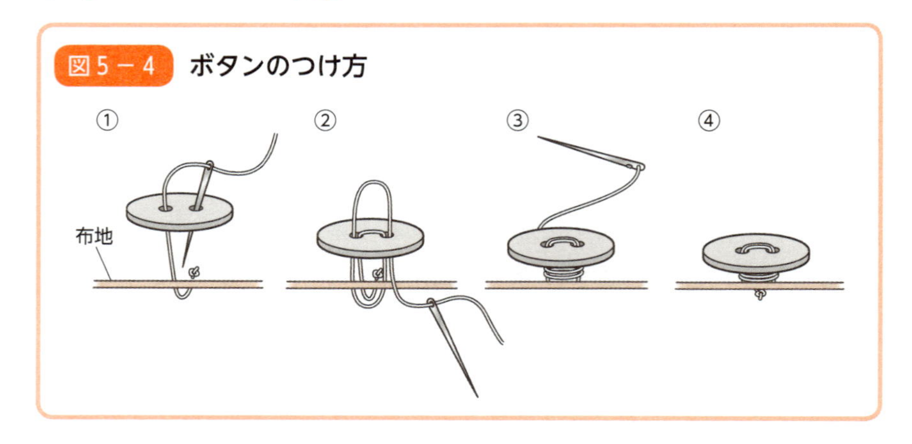

① ボタンをつける位置の布を表からすくい、ボタンの裏から針を通す。もう1つの穴に針を表から通す。
② 布の裏まで針を刺し、糸を引いて2、3mmボタンが浮くように4回前後、糸を通す。
③ ボタンと布のあいだの糸に3、4回糸を巻きつけて糸足をつくる。
④ 最後は糸の輪に針を通して糸を引きしめ、布の裏側に針を抜いて糸玉をつくる。

（2）裾のほつれなおし

裾や袖口などがほつれたら、まつり縫いなどでなおします。

縫い目がほつれたら、布の折り山をあわせて手前の布と向こうの布をコの字のようにすくいながら縫います。

図5－5　縫い方

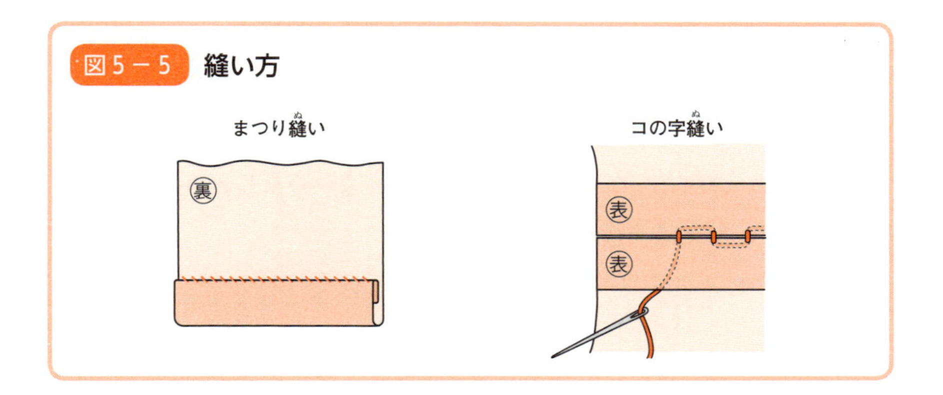

5 衣類・寝具の衛生管理の介護

(1) 衣類・寝具の衛生管理の意義

日本には四季があるため、季節ごとに衣類を替える必要があります。衣類の管理や保管方法は、素材や使用方法、季節などにあわせて行われます。管理の仕方が悪いと、不衛生となって感染などによる健康被害が起きたり、衣類を傷めて着られなくなるなどの不経済につながります。また、衣服のなかにはとても気に入っているもの、だれかにプレゼントされた思い出のものなど、心理的・精神的に大切なものもあるでしょう。そうした意味からも管理は大切です。次に着るとき、その衣類が果たすべき役割を損なわず、気持ちよく着られるように管理することが重要です。

寝具は毎日使われるものであり、免疫力を高めるといわれる睡眠に不可欠なものです。寝具の清潔を保つことは利用者の安全につながります。冬は布団に身体を入れたときに暖かく、夏は汗を吸いとり、さらっとした感触の寝具が日本の季節には合っています。その寝具が汗やほこりで汚れ、かびや細菌、ダニが発生しているような不衛生で、湿気を含んだままの保温性のないものであれば、安眠はえられず、かえって健康を害します。寝具は気持ちのよい睡眠を確保できるように、衛生的に管理する必要があります。

(2) 衣類の衛生管理

1 利用者・家族のやり方を尊重する

衣類の管理等については、利用者にとって慣れたやり方、わかりやすい整理の方法などが、長い人生のなかで確立していると考えられます。

家族のかかわりがあると、家族のやり方や考え方もあります。利用者といっしょに行う場合、その点を十分に配慮し、利用者・家族のやり方で健康被害が出たり、他人に迷惑になるようなものでない限り、介護福祉職側の考えややり方を押しつけるようなことはやめましょう。

2 衣類・リネン類の管理方法

衣類、リネン類は分類して保管します。肌着はパンツ、ズボン下、シャツ、タイツ、ソックスなどと分けて整理します。寝巻も分けて保管します。分けて保管することで取り出しやすくなります。

収納は引き出しの中をボール紙で仕切ったり、枚数が多いようなら引き出しを別にします。しわをつくらないようにたたみます。たたんで重ねるとよく見えない、同じものばかり着てしまうということであれば、引き出しの高さくらいに小さくたたむか、端から丸めて立てて保管する方法もあります。靴下は対にして折りたたむ、丸める、はき口のゴム編み部分をいっしょに折り返すなどの方法で、片方ずつばらばらにならないようにします。

多くの人は、衣類を日常的に着るものと、外出用のものとに分けていると考えられます。素材によっては肌着と同じようにたたんで引き出しなどに入れます。しわになりやすいようなものはたたまず、ハンガーなどでつるす方法で保管します。

タオルは大きさや用途などに分けて収納します。洗面用、身体の清拭用、陰部の清拭用などに分けて使用されることが多いので、保管においても棚や引き出しなどを別々にします。

3 整理整頓について

(1) 整理の視点

利用者が日常的に着ているものやよく使うものは、高いところに入れたりすると転倒などの危険も予測されます。利用者と相談しながら出し入れしやすい高さの引き出しや棚に収納しましょう。使う頻度が低いものはその下や上の引き出しにしまいます。利用者といっしょに考えて、引き出しに名札を貼っておくと何が入っているかわかりやすくなります。

排泄の失敗などを心配するあまり、手元に数組の下着を置きたいと考える利用者もいます。きれいに引き出しに収まっていれば利用者にとって暮らしやすいというわけではありません。ベッドのそばなどで、つまずく危険のない場所に置けるよう配慮する必要もあります。

表5－8　衣類のたたみ方

上着のたたみ方	①シャツだたみ 背中側に袖を折り、それを2つまたは3つに折りたたむ。 （前）（前）
	②袖だたみ 前または背中側に袖と両肩をあわせて折る。それを2つまたは3つに折りたたむ。くるくると丸める方法もある。
ズボンのたたみ方	前を中にして折り、それを2つまたは3つに折りたたむ。 （前）

日々着ているものや外出用の衣服で、すぐに洗濯しないようなものの整理整頓もあります。畳の上に脱いだままになっていたりすると、足をとられて転倒の原因になります。また、洗濯していないものを洗濯してある衣類と同じところに入れるとわからなくなりますので、混ざったりしないように整理します。

洗濯していないもののうち、しわになるものはハンガーでつるし、たためるものは箱やかごなどを用意して洗ってあるものとは別にしておきます。その際、汚れがないかを確認します。

(2)　衣替え

日本では昔から**衣替え**[5]という習慣があります。厳密に何月と決める必要はありませんが、気温を考慮しながら衣類を交換するとよいで

5 衣替え
季節にあわせて衣服を替えること。

しょう。大きく分ければ、夏物、冬物という分け方で衣類を分類し、季節に合わない衣服は次に着るときまで別にしまいます。

冬用の衣服はウールやアクリル、夏用の衣服は綿や麻素材が中心となります。

利用者によっては、体温調整がうまくいかない人や加齢のため、体感温度が一般の人と違ってくることもあります。そのため、夏・冬の衣類がきっぱり分けられていない人もいますが、暑いと感じずに厚手の衣類などを着たままでいると、**脱水**を起こす場合もありますので、介護福祉職は注意するようにします。

⑶　保管場所

衣類などを長期保管するためには箱やコンテナを利用します。箱などは湿気やほこりの侵入を防ぐことができるようなもので、予定している保管場所に収まる大きさのものを使います。何が入っているのかがわかるように名札をつけます。

洋服はハンガーにつるしたまま保管することも多くなりましたが、和服などは縫い目線にあわせて正しくたたんで保管します（**図5－6**参照）。

①　防虫について

絹や毛などの動物繊維を好んで食べる害虫がいます。

通常は防虫剤を使うことで、害虫による食害を防ぎます。衣装ケースの場合、防虫剤は衣類の上に置きます。洋服ダンスなどでは揮発した気体がいきわたるような場所につるします。防虫剤の揮発した気体は空気より重いので、下に沈んでいきます。衣類を詰めこみすぎていると効果は半減します。

②　かびの予防について

綿や麻、レーヨンなど吸湿性の高い繊維はかびが発生します。かびの色で衣服が着色され、においが発生し、繊維自体も弱くなります。

かびは湿度75％以上、温度20～30℃で発生しやすくなります。糊

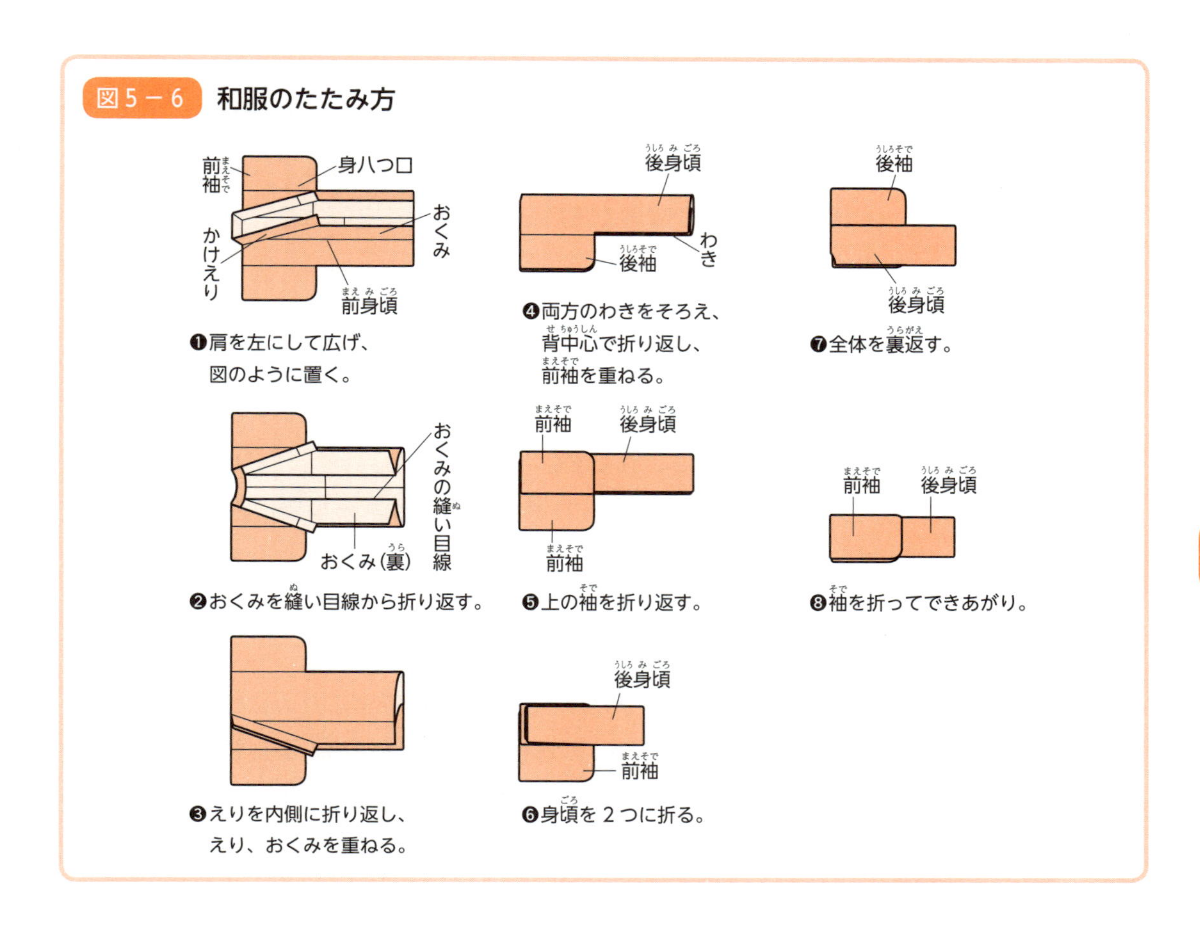

図５－６　和服のたたみ方

づけした衣服はかびの栄養源となるので、長期保管をする場合はでんぷん糊などは使用しないほうがよいでしょう。衣類をよく乾燥させて、容器や引き出しに防湿剤等を入れます。

(4)　衣類の廃棄

あまりにも汚れて洗濯ができないものや、布地が切れて修復できない衣類、利用者の現在の身体状況では着られない衣類などと現在着ているものが混在してしまうと、適切な衣類を選ぶのが困難になります。こうした場合、利用者や家族の了解をえながら廃棄するなどして整理する必要があります。

ただ、なかなか捨てることができない利用者や家族もいます。「もったいない」という思いを強くもっていたり、「思い出の品」であることもありますので、利用者の気持ちをよくくみとり、慎重に行わなくてはなりません。利用者に聞きながら、着られないものは別のところにしまうなどしていっしょに整理をしなおしましょう。

(5) 洗濯とクリーニング

衣類は目には見えないほこりや食べ物の汁などが付着していることも多いので、保管する前に洗濯をします。何もせずにしまってしまうと黄ばんだり、汗じみが変色して落ちなくなったり、虫に喰われる原因にもなります。

衣類についているタグをよく見て、家庭で洗濯するのか、クリーニングに出すのかを決めます。ウール製品でも洗えるものがありますが、さらに乾燥機を使うと、多くは縮んでしまいます。洗えると表示があっても注意が必要です。

クリーニングから戻ってきたものはビニール袋に入れたままにせず、袋から出して収納します。袋から出さないとクリーニング時の湿気がそのままになってしまうので、かびの原因になります。

(6) 靴の衛生管理

靴は安定した姿勢で立つ、安定して歩行するためには重要なものです。たとえ車いす利用の人でも、足の保護等のために靴は必要です。

麻痺等による歩行の癖や足の変形などで、靴のある部分だけがすり切れてしまう利用者がいます。靴の中にかびが生えてしまうこともあります。洗える素材であれば定期的に洗い、日に干すなどの手入れが必要です。

(3) 寝具の衛生管理

1 利用者と行う寝具の管理

介護や生活支援を必要としている利用者は、身体機能の低下や認知機能の低下により、毎日布団をたたんだり、布団を押入れに収納することができなくなっている場合があります。そのため、布団を敷いたまま生活している利用者も少なくありません。そうした環境では布団も不衛生になり、畳も通気性が悪くなり傷みます。また、布団に足をとられて転倒するなどの事故につながったりもします。

利用者が動けるのであれば、最初はそうじをしながらいっしょに布団をたたんで部屋の隅に重ねてもらったり、ベッドであればまわりを片づけてかけ物を整えてもらうなどをいっしょに行います。シーツ交換であれば、シーツや枕カバーなどを出してもらったり、シーツの反対側を持ってもらうなどしていっしょに行います。利用者が移動できないようならば、シーツや枕カバーを選んでもらう、ベッドまわりを片づけるなどをいっしょに行います。

2 寝具の日常の手入れ

布団は3日に1回程度は日に干します。人が夜間にかく汗は平均して200mlといわれ、寝具に湿気がたまります。干す時間は朝10時以降から昼2時くらいまでがよいでしょう。日光の熱と紫外線で湿気がとれ、ダニを死滅させ、殺菌効果が上がります。ただ前日が雨だったりすると湿度が高いので、晴れていても布団干しには適さない場合もあります。

布団を取りこむときに布団たたきなどで強くたたくと生地を傷め、綿の繊維が切れてほこりを発生させてしまいます。布団表面のほこりを払い落とす程度にしましょう。ダニ対策には布団表面にそうじ機をかけます。生地を吸引しないように、布団専用のノズルも販売されています。日干しができないときはベッドの天板にかけたり、布団乾燥機を使うとよいでしょう。

3 整理整頓について

① シーツの交換

睡眠中にかく汗などの**不感蒸泄**⑥や、身体の皮脂でシーツは汚れます。できれば3～4日に1回、少なくとも1週間に1回くらいは交換します。枕カバーも顔や頭の皮脂などで汚れますので、シーツと同じように交換します。タオルケットなど肌に直接かかっているものは月に1回交換します。

② 季節の手入れ

寝具はシーズンによって使うものが違います。次のシーズンまで収納する場合、洗濯するものは洗って、よく乾燥させてからしまいます。家庭での洗濯に向かないものはクリーニングに出します。

家庭で洗濯が可能なものはタオルケット、綿毛布、カバー類です。

③ 保管場所

長期間保管するときは通気性のよい布団専用の袋か、シーツ等で包んで押入れに入れます。押入れは湿気がこもりやすいところなので、すのこを敷いたり、除湿剤を置くとよいでしょう。夏だけでなく、冬も暖房などを使用することで押入れの中

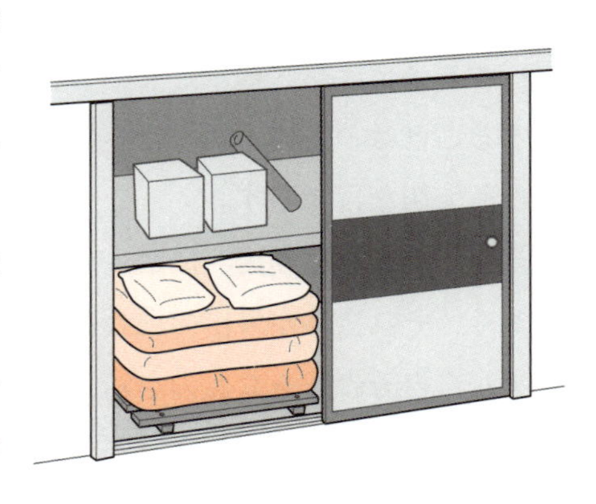

⑥**不感蒸泄**
身体から失われる水分のうち、呼吸や皮膚からの蒸発によって失われるもののこと。

に結露が生じることがありますので注意が必要です。

羽毛布団や羊毛布団は、よく乾燥させてから保管します。布団の汚れ具合によっては、クリーニングに出します。

（4）施設での衣類・寝具の衛生管理

施設では居室スペースがあまりないことから、自宅から多くの衣類や収納タンスなどは持ちこめないことが多くあります。そのため、とくに衣類については季節ごとの入れ替えが大切になってきます。

引き出しや戸棚にラベルをつけて、何がどこに入っているのかを整理しておけば、利用者が整理できなくなった場合でも、周囲にいる介護福祉職などが代わりに行うことができます。

寝具については、施設では寝具のリースを活用するなどして一律に衛生管理している場合も多いですが、衛生管理や寝具の好みといった利用者の意向などを随時くみとって反映していく姿勢は、介護福祉職として大切なことです。利用者が管理や整理ができなくなっても、介護福祉職は利用者に話しかけながら整理整頓を行うと、コミュニケーションのよい機会となり、利用者理解につながります。

6 買い物の介護

（1）買い物の意義

家庭生活を営むためには、必要な物品をそろえることが必要です。毎日の食事に欠かせない食材や調味料、日常生活に必要なトイレットペーパー、洗剤、石けんなどの日用品、電球や蛍光灯などの消耗品の購入など、利用者が暮らしていくなかで買い物の行為は欠かせないものです。

どのくらいの予算で、どのような物をどれだけ購入するのかを考え、実行することは家庭経営としても重要です。自分の生活を自分自身で管理することは、人の生活の営みの基礎であり、社会的交流、参加の観点からも大切な行為です。

また、買い物は利用者にとって生活をうるおす楽しい行為であることが多く、それ自体が外出の機会となります。品物を見て、いくつかを比べながら自分の好きなものを購入することは、だれにとっても楽しいものです。加齢や障害で移動に困難が生じ、買い物行為がむずかしくなった場合でも、介護福祉職は利用者のニーズをくみとりながら参加できる部分を見きわめて、利用者の買い物を支援していきます。

（2）買い物の方法と支援の仕方

利用者が「歩行はできるが荷物が持てない」「物品の購入（こうにゅう）について判断（はんだん）の低下がみられる」「買い物についての認識（にんしき）はあるが、歩行できず車いすを利用している」など、利用者の状態（じょうたい）によって買い物の支援方法も異（こと）なります。また、支援できる時間が無制限（むせいげん）にあるわけではないので、どの店に行きたいかを前もって確認（かくにん）し、距離（きょり）などに無理はないか、移動に危険（きけん）がないかなどを検討（けんとう）します。車いすで出かける場合は、車いすが入れる店なのかを確認（かくにん）します。利用者が外出先でトイレを利用することが考えられる場合は、どのようなトイレが設置（せっち）されているのかも確認（かくにん）しておく必要があります。

利用者といっしょに買い物に行くときは、あらかじめ何を購入（こうにゅう）しようとしているのかを聞きます。メモをつくっておいてもらうのもよいでしょう。無駄（むだ）な物を買わずにすみ、時間内に購入（こうにゅう）する手助けとなります。

店までの移動では、歩行時や道路横断（おうだん）時に見守りや手引き歩行介助を行うなど、利用者の状態（じょうたい）に応（おう）じて危険（きけん）のないように介助します（車いすでの移動は第3章第2節を参照してください）。

買い物を代行する場合、利用者や家族と相談できるのであれば、必要なものを相談します。訪問介護員などがまかされている場合は、予算を確認（かくにん）し、購入（こうにゅう）しなければならない物をメモします。購入（こうにゅう）する店は、利用者や家族の希望にそうことが基本です。ただし、訪問介護計画に決められている時間とサービス内容（ないよう）の実施（じっし）を勘案（かんあん）して、別の店で購入（こうにゅう）するような場合は利用者や家族に了解（りょうかい）をえます。そして、お金をいくら預（あず）かり、いくら使って残金はいくらなのか、レシートなどを貼（は）った記録を残します。

移動能力（のうりょく）が低下していたり、荷物を持てないなどの理由から外出による買い物ができない場合は、カタログなどを見て注文し届（とど）けてもらえるようなところを利用するのも1つの方法です。**消費生活協同組合**⑦や**通信販売（はんばい）**⑧などの上手な利用方法を検討（けんとう）してもらいま

⑦消費生活協同組合
職域（しょくいき）、地域を単位として、消費者がみずからの生活安定のため、また、文化・福祉等の地域活動を行うことを目的として自発的に出資（しゅっし）、運営（うんえい）する組織。

⑧通信販売（はんばい）
新聞・雑誌（ざっし）・テレビ等に掲載（けいさい）されている商品・サービスを電話や郵便（ゆうびん）、インターネット等から購入（こうにゅう）申し込（こ）みを受け付けて販売（はんばい）すること。

す。最近では、居住エリアによってはスーパーマーケットやコンビニエンスストアでも宅配してもらえます。

（3）施設における買い物の介助

施設の利用者の多くは、何かしらの障害によって1人で外出するのは困難な状態です。しかし、買い物行為を通じて地域のなかへ出かけることは気分転換となり、社会性を保つことにつながったり、自分で好きなものを選べることへの満足感など、生活を生き生きとさせる効果は大きいものです。

施設の職員は大勢の利用者に対応することが多く、日常的な業務の関係から、利用者の要望にそっていつでも買い物につきそえるわけではありませんが、利用者の外出する、商品を見る、選ぶ楽しみを支援していきたいものです。そこで、職員は買い物を希望する利用者とあらかじめ相談し、買い物に行く日を決めるなどして、外出の介助をします。行き先が決まれば、外出先への交通手段や店の中の通路、エスカレーター、エレベーター、トイレ（洋式トイレ、車いすが利用できるトイレがあるかなど）の確認をしておき、利用者が安心して買い物を楽しめるように配慮します。

最近では、施設に移動販売が来て、利用者が自分で選んで、お金を払う機会も多くなっています。

（4）利用者と買い物をする際の視点

1 在宅の場合

訪問介護員は、店に着いたら、予定している物が購入できるよう必要なアドバイスを行います。不必要であっても、目についたものをどんどん購入しようとする利用者もいますので、すでにあること、今は必要のないことなどを伝えます。ただし、買い物はだれにとっても楽しみの1つなので、予定していたものではないからといって止めればよいわけではありません。利用者の気持ちをくみながら支援しましょう。

歩けるのに買い物に出かけたくないという利用者もいます。理由は1人ひとり違いますが、自分の体調を過剰に心配する利用者もいます。買い物の習慣がない男性もいると考えられます。無理やり連れ出すことはよくありませんが、最初は何を購入するかいっしょに考えてもらったりすることで買い物に興味をもってもらい、意欲を引き出すようにします。

2 施設の場合

施設では、とかく自分で何かを選んだり、決めたりすることなく日常を過ごしがちになります。そのような状況のなかでも、自分の好みの柄や形の衣服を選んだり、食べたいものを選べるなどのちょっとした自由があれば、生活のはりや生きる意欲につながります。

買い物の支援は、何を購入するかを想像し考えることも楽しいものです。介護福祉職は利用者と相談し、あらかじめ購入するものをいっしょに考えるのもよいでしょう。実際に店に行くと、利用者は商品に目をうばわれて、危険に対しての認識が薄くなりがちです。介護福祉職は移動時や買い物中の安全に十分配慮しながら、利用者が購入するものを自分で選んだり、決めたりすることを援助します。お金を自分で支払うことも重要なことです。自分で財布からお金を出すことが困難な場合には援助します。

買い物行為は、買いたいものを買うという要求を満たすだけでなく、人に贈る、人と分けるなどという行為にも喜びを感じるものです。また、買いすぎてしまう利用者は、人にあげたいという思いだけでなく、なかなか買い物に来られないからあれもこれも買っておこうという心理がはたらいていることも考えられます。介護福祉職は、常日ごろから利用者の気持ちや希望を聴き、買い物についても臨機応変に介護計画に反映させていくことが大切です。

7 家庭経営、家計の管理の介護

1 家庭経営、家計管理の意味

家庭経営とは、家庭生活のなかで発生するさまざまな欲求を満たし、身体、精神両面における生命の再生産のために、人間関係、健康、時間などを管理したり、物や金を管理・運用することです。

生活や暮らしを「衣食住」などと表現しますが、暮らしを成立させている必要な物資としての衣服や食事、住まいをどのように整えていくかは大切なことです。

たとえば、衣服は単に肌をおおっていればよいというわけではなく、生活場面にふさわしく、季節に合ったもので、なおかつ着る人の好みに合ったものを用意します。それはいくらくらいの値段のもので、だれが買い求めるのか、どこで買うのかなどを決定し、実行します。食事においてもカロリーだけでなく、栄養を考え、献立を立て、食材をどこで手に入れ、どのように加工するのかを考えます。住まいは壁や屋根の修繕、庭の手入れ、居室などのそうじ、電球の取り替えなどの管理を要します。だれがそれらを行い、どれくらいお金をかけるのか、**生活設計の基礎**となるのが家計管理です。

家庭生活は利用者１人しかいない場合もあれば、ほかに家族がいる場合もあります。利用者が１人暮らしであったり、家族の支援が十分ではない場合は、第三者の何らかの支援が必要となることもあります。

2 金銭管理の進め方

（1）在宅の場合

認知症が進行しはじめると、お金の管理が困難になってきます。もちろんお金を預かることは介護福祉職や介護支援専門員にはできませんが、利用者に簡単な家計簿をつけることをすすめたり、不必要なものを購入しないように助言したり、節約についていっしょに考えることはできます。

利用者によっては、心配のあまり金銭をあちらこちらにしまっていることがあります。金額や保管場所を忘れてしまうことがありますので、できればいっしょに金額を確認したりします。金銭管理が困難な状況になっているときは、サービス提供責任者や介護支援専門員から、自治体やしかるべき機関へつないでもらうことになります。

また、最近は高齢者をねらった住宅リフォームや訪問販売などの**悪質商法**[9]が横行しています。介護福祉職は、家の中に入って利用者に継続的にかかわることができるため、ふだんの生活状況との変化に気づくことができる存在だといえます。たとえば、サービス提供時に、住宅のリフォームや布団の販売と名乗る悪質

[9] 悪質商法
高齢者等の消費者の不安をあおり、親切にして信用させ、大切な財産をねらって、商品やサービスを売りつける悪質な商法のことである。

な業者が訪ねてきたり、これまでには見かけなかった高価な商品が家の中にあるようなケースがあるかもしれません。これらについては、消費者保護の観点から**クーリングオフ制度**[10]もあります。利用者の様子を見ながらそれとなく見守り、助言をしたり、ほかの機関との連携も必要になる場合があるでしょう。

⑩**クーリングオフ制度**
p.258参照

(2) 施設の場合

施設等に入居している場合でも、利用者自身で自分のお金を管理できるよう援助することが基本です。通帳等は家族や施設が預かったとしても、いくらお金があって、それをどのように使うかは利用者自身で確認し、決定できるように支援します。そのため、施設等は預かっている通帳をいつでも利用者が確認できるようにしておきます。お金を引き出すときは、利用者もいっしょに銀行などに行く配慮が必要です。実際の手続きを施設側で代行するときでも、利用者も含めた複数の人間が確認しながら行うようにします。

利用者の手元にあるお金は、利用者自身で鍵のかかる引き出しにしまうなど、安全に混乱しないように管理できるような援助が必要です。

また、認知症が進行すると、現金を含めて、通帳や印鑑の管理もできなくなることも考えられます。そのときには、日常生活自立支援事業や成年後見制度などの利用を検討する必要があります。

3 生活時間の管理について

(1) 在宅の場合

しっかりしている高齢者でも、だんだんおっくうになって外出が少なくなり、地域の人とのつきあいも減り、家の中でテレビばかり見て過ごすようになる人がいます。まず家事への参加や、身のまわりのことを行うことからうながしてみます。小さなことでも利用者の生きがいにつながることがあります。季節や外の様子を利用者に話したりしながら、散歩や地域の集まりなどをすすめてみます。少なくとも規則正しい生活をすることで、体調や健康の維持ができることを忘れず、寝たいときに寝たいだけ寝る、食べたいときに食べたいだけ食べるという生活にならないようにします。

なぜ生活の乱れが起きるのか、原因を探ることも必要です。まずは介護福祉職の考えを押しつけるのではなく、利用者の気持ちや考えをよく聴き、利用者を理解することから始めます。

（2）施設の場合

施設の利用者は心身の状態の重度化から、自分の生活の日課や生活時間の管理は人まかせになっている場合が多いと思われます。介護計画のなかで生活時間まで決められていることもあります。このような状況で利用者が自分らしく暮らす、自分らしく日々を過ごせる援助をするためには、介護福祉職は利用者の気持ちや希望を聞きとり、言葉にならないことまで読みとることが必要です。適切な休養をとりながら、趣味活動、外出、行事への参加などの自己決定をうながします。

◆参考文献

- 亀高京子・仙波千代『家政学原論』光生館、1981年
- 牧野カツコ監修代表『家庭総合——自立・共生・創造』東京書籍、2003年
- 川添登・一番ヶ瀬康子編著『生活学原論』光生館、1993年
- 『介護職員基礎研修テキスト』編集委員会編『介護職員基礎研修テキスト 第6巻生活支援と家事援助技術』全国社会福祉協議会、2006年
- 日本糖尿病学会編著『糖尿病食事療法のための食品交換表 第6版』日本糖尿病協会、2002年
- 片山倫子編著『衣服管理の科学』建帛社、2002年
- 池田書店編集部編『洗濯・衣類のきほん』池田書店、2007年
- 松村祥子『現代生活論——新しい生活スタイルと生活支援』放送大学教育振興会、2000年
- 村尾勇之編著『生活経営学——21世紀における個人・家族の諸課題』家政教育社、1997年

第 3 節

家事の介護における多職種との連携

学習のポイント

- 家事の介護における多職種連携の必要性を理解する
- 家事の介護における他職種の役割を理解し、介護福祉職との連携のあり方を理解する

関連項目
① 『人間の理解』 ▶第 3 章「介護実践におけるチームマネジメント」
④ 『介護の基本Ⅱ』 ▶第 4 章「協働する多職種の機能と役割」

1 家事の介護における多職種連携の必要性

利用者の家族は、利用者への身体介護や身のまわりの世話、生活のためのさまざまな援助をになうことが多いでしょう。家事支援においては、介護保険サービスだけではにないきれない部分もあり、とくに同居家族がいる場合などは、その家族の役割も大きくなります。

しかし、家族の側にもさまざまな事情があります。疾病や障害があったり、遠方に在住していたり、経済的な問題からその役割を十分に果たせない場合もあります。利用者にかかわる介護福祉職は、利用者だけでなく家族の状態も把握し、双方に必要な支援を行う必要があります。

また、介護福祉職には、利用者の生活を支援し、生活全般を整えるという視点が必要です。ただし、介護の専門領域でないものについては、相応する専門職との連携が大事になってきます。他職種との連携がとれないと、必要なサービスが届かず、利用者の生活に支障が生じることになるからです。

在宅の場合、介護福祉職は見たこと、気づいたことなどを訪問介護事業所に報告・連絡します。サービス提供責任者は、必要があれば担当している介護支援専門員（ケアマネジャー）に連絡し、介護支援専門員が関係する各居宅サービス事業者と調整をはかるのが一般的です。緊急性

があり、一刻を争うような場合には、サービス提供責任者を通さず、直接各居宅サービス事業者に連絡をすることもあります。

2 在宅の場合

（1）かかりつけ医・訪問看護師

介護福祉職は、利用者のいつもと違う身体状況や状態を医療職に伝え、日々の暮らしの継続を支援します。

利用者に熱がある場合は、体温が何℃でいつから続いているのか、血圧を測定できるならばその値、咳や身体の震えの有無、頭痛、その他の痛み（部位はどこで、どのくらい続いているのか）、顔色、利用者自身が訴えていることなどもあわせて報告します。

一方、医療職からも、利用者の疾病で介護上注意することなどの情報をえるようにします。その際、介護福祉職として心配な点などをはっきりさせて質問しないと、必要な情報をえることができません。たとえばパーキンソン病の利用者について、歩行時の注意点（すくみ足や突進）やオン・オフ状態について、うつ状態への注意点など、家事支援をスムーズに進めるうえで質問したいことなどをまとめておきます。

疾病の状態や状況は生活に大きくかかわってきます。疾病が悪化すればADL（Activities of Daily Living：日常生活動作）が低下し、QOL（Quality of Life：生活の質）も低下してしまいます。医療職と双方向のやりとりを日々行うことで利用者の状態を把握し、健康管理に配慮します。

訪問介護員（ホームヘルパー）が治療食を利用者宅でつくるときなどは、入院していた病院の管理栄養士に注意点を聞くとともに、かかりつけ医や訪問看護師にも注意点を聞いて実施します。

（2）介護支援専門員（ケアマネジャー）

介護保険制度において、在宅サービスを利用する人には個々に担当の介護支援専門員がケアプラン（居宅サービス計画）を作成するので、サービス内容や時間もそれぞれ異なります。

介護保険では、日常的に行われる家事の範囲を超えている行為や、訪問介護員が行わなくても日常生活に支障がない行為は訪問介護（ホームヘルプサービス）として認められていません。たとえば、草むしりや花木の水やり、窓のガラスみがき、床のワックスがけ、ペットの世話、大そうじや洗車などです。

また、通院時の院内介助や散歩の同行、家族同居の利用者への援助については一律禁止というわけではありません。ケアプランに位置づけられていることや、保険者の個別の判断によって必要と認められれば、保険給付の対象になることもあります。

在宅サービスにおいては、訪問介護員が時間的にも、質的にももっとも利用者とかかわり、家庭状況を把握している場合が多いため、ケアプランの作成時には重要な情報源となります。何らかの変化があった場合などは、サービス提供責任者から介護支援専門員につないでもらい、利用者や家族の状況を詳しく知らせ、必要なサービスにつなげるようにします。

（3）理学療法士（PT）・作業療法士（OT）

利用者の身体機能や動作能力はさまざまです。そこに理学療法士や作業療法士がかかわることで、利用者の基本的・応用的な動作能力の回復が期待されます。

訪問介護（ホームヘルプサービス）と通所介護（デイサービス）を利用している要介護の利用者の事例で、本来は料理をすることが大好きでしたが、手に麻痺が生じたために調理に自信をなくしてしまい、やりたがらなくなってしまった人がいました。そこで訪問介護員が家庭での状態をデイサービスの作業療法士に伝え、調理のやり方などをデイサービスで訓練してもらったところ、家庭でも訪問介護員と調理を行うようになりました。料理を通じて自信をとり戻した結果、ほかのことにも意欲的になり、生き生きとした暮らしをとり戻すことができました。

介護福祉職だけで解決しようとせずに、まずは利用者の状況や、どのような生活を望んでいるのかについて、的確に専門職に伝えることが大切です。

（4）福祉用具事業者・住宅改修業者

自宅内の環境で利用者が暮らしにくいところや、転倒しそうな危険なところについて、介護福祉職はどこが、どのように不都合なのか、危険なのかをサービス提供責任者などに伝えます。

相談先として適しているのは、福祉用具事業者や住宅改修業者、福祉用具専門相談員、福祉住環境コーディネーター、作業療法士や理学療法士などの専門職です。

家の中での動きが安全に自立できれば、家事の役割をになおうとする意欲も生まれます。また外まで安全に出られれば、調理や買い物などの外出もしやすくなり、社会的な交流・参加も望めます。

(5) 地域包括支援センター

地域包括支援センターは、生活支援のボランティアなど必要に応じて社会資源を開発して、利用者の生活を支えます。

行政に相談するなどの連携のほか、事情のわかっている地域の民生委員に連絡・相談して、高齢者の見守りを続けてもらったり、いっしょに訪問するなどしながら課題を解決していきます。また、地域包括支援センターには自治体が行っているサービス等（たとえば寝具の洗濯や消毒、布団の乾燥、大そうじなど）の情報もあるので、相談して活用することもできます。

(6) 利用者の権利擁護のための相談窓口や制度

消費者を守るための機関や制度があります。これらについての知識をえて、必要なときには活用できるようにします。

1 国民生活センター

独立行政法人国民生活センター法にもとづいて設立される機関です。国民生活の安定・向上のため情報提供や調査研究を行います。消費生活センターと連携して、国民の健全な消費生活をめざして危害情報の収集・原因分析・評価、教育研修等を行っています。

2 消費生活センター

地方公共団体が設置している行政機関です。消費者安全法で都道府県には設置義務、市町村には設置の努力義務が課されました。消費者情報の提供、商品テスト、悪質商法等に関する苦情処理等にあたります。

3 クーリングオフ制度

訪問販売、通常の店舗以外での契約は、契約後一定期間内であれば、消費者側からの通知のみで無条件に解約できる制度です。

4 成年後見制度

判断能力が十分ではない認知症高齢者等の財産や権利を保護するため

の民法上の制度です。

5 日常生活自立支援事業

都道府県社会福祉協議会および指定都市社会福祉協議会が実施主体となっています。自分の判断で福祉サービスを適切に利用したり、金銭管理が困難になった人でも契約締結ができる程度の能力があれば利用できます。

実際には生活支援員が派遣され、支援を行います。支援内容は福祉サービス利用援助、日常的金銭管理、苦情解決制度の利用援助、書類等の預かりサービスなどです。

（7）地域サービスの利用

地域のなかには、電話で注文を受けて日用品やお弁当などを配達してくれる店や組織、家事や外出の支援をするボランティアなどがあるので、確認しておくとよいでしょう。

介護保険サービスでは適用されない調理やそうじ、その他の家事については、有償で**福祉公社**や**シルバー人材センター**に依頼することもできます。民間会社でも宅配サービスをはじめ、カロリー計算まで行ってくれるところもありますので、治療食づくりに役立てることができます。

また、地域密着の電気店のなかには、蛍光灯を買えば取り替えまでしてくれる店もあります。**コンビニエンスストア**では、日用品の配達を行うところもあります。

すべてを介護保険サービスでになおうと思っても限界のある部分があります。そんなときは自費になりますが、地域の公的サービスや民間サービスを上手に使うことも大切です。

3 施設の場合

施設に入所したとき、自宅での生活の仕方をすべてそのまま継続できるとは限らないため、生活を再構築する必要があります。本人が望む施設での暮らし方を考えて、ケアプランを作成し、設定された目標に向かって関係する各職種が連携・協力して利用者を支援します。医学的管理も含め、各職種の支援計画は利用者の目標にそって行われます。

施設には、相談員、医師、看護師、理学療法士、栄養関係職種などが働いているので、介護福祉職は、各専門職との連携が必要になります。介護福祉職が日々のケアで見たこと、気づいたことなどを、ミーティングの報告や記録によって、急ぐときには口頭でほかの介護福祉職や主任などの管理者、各専門職に伝えることが連携の第一歩となります。

ただし、一方通行の情報伝達や何かを行うように求めたりすることが連携ではありません。介護福祉職から各専門職に利用者の希望や気持ちを伝えたり、専門職としての視点や考えを述べるとともに、その専門職が目的を達成するために何をしようとしているのかを知り、協力し合いながら目標に向かっていくことが連携です。そのためには、各専門職の仕事の内容をよく知ることと、相手に介護福祉職の業務や考えを知ってもらうように努力する必要があります。

（1）相談員（生活相談員、支援相談員）

相談員は、利用者が入所する前にどのような環境でどのように家事をしていたかを情報収集します。その情報は、介護福祉職が利用者の介護をするうえで重要なものです。

生活環境が変わっても、調理や洗濯など自分でできる家事を続けることは、生活意欲につながります。また、すべての家事が自分でできなくても、できるだけこれまでの習慣にあわせて行うことで、満足度は高まります。日々の生活に欠かせない家事の情報を共有することは、利用者の生活の質を高めることにつながります。

（2）介護支援専門員

施設では、介護支援専門員が施設サービス計画を作成します。介護支援専門員は、相談員からの情報をもとに具体的な介護内容を施設サービス計画に盛りこむために、ケアカンファレンスを開きます。

介護福祉職は、利用者にもっとも近いところでかかわる職種であるという特性をいかし、利用者の希望や思いを介護支援専門員に伝えます。介護支援専門員は、介護福祉職やほかの職種からえた情報も含め、利用者・家族・多職種と相談しながら、利用者の希望を実現するために必要な支援を施設サービス計画に位置づけます。

（3）医師・看護師

両職種とも、施設内の利用者の健康管理がおもな仕事です。疾病を悪化させないことや病気を早く治すという役割があります。施設内でできない治療は、外部の医療機関につなげることになります。

介護福祉職は、利用者の状態がいつもと違うと気づいた場合、すみやかに医師や看護師に伝えます。このとき、体温や血圧などの数値や具合いが悪そうなどという漠然とした状態を伝えればよいわけではなく、その他の状態をよく観察して報告します。本人がどのように訴えているのか、顔色や表情、全身状態などとともに、必要に応じて食事や排泄について伝えます。

緊急時にはこのような対応が必要ですが、日常的には医療職にその利用者の1日の過ごし方、本人が望んでいる暮らし方など理解してもらえるように伝えます。病気にだけ着目するのではなく、生活全体や本人の希望を考えた健康管理につながるようにしてもらいます。

施設では利用者を介助する機会が増えますが、できることはやってもらうという支援が大事です。ただし、無理な行動は疾病の悪化などにつながることもあるので、作業をするための体力、活動の仕方などを医師・看護師に確認しておきます。

(4)理学療法士(PT)・作業療法士(OT)

両職種ともADL、IADL(Instrumental Activities of Daily Living:手段的日常生活動作)にかかわる職種であり、介護福祉職とともに連携しながら、利用者のよりよい状態へ向けて支援します。利用者の障害特性に合った介護技術の方法を相談することもあるでしょう。腰痛予防のためには、持ち上げない介護を考えることも重要です。また、車いすを利用しなければならない利用者には、姿勢がくずれないように快適に座っていられる方法をいっしょに考えます。

両職種とも1日中利用者の状態を見ているわけではないので、介護福祉職はその利用者の1日の過ごし方、本人が望んでいる暮らし方などを理解してもらえるように伝えます。どのようなことを大事にしているのか、どのような考え方をするのかなども伝えておくと、リハビリテーションへの意欲的な取り組みにつなげてもらうこともできます。

買い物に行きたい、自分の持ち物の整理をしたい、小物の洗濯をしてベランダに干したい、以前は得意だった縫物をしたいなどの希望をもっている利用者もいます。何が原因でできないのかをともに考え、できる方法やリハビリテーションなども、意見を出し合いながら考えます。

（5）管理栄養士

介護福祉職は、咀嚼や飲みこみの状態、食事・水分摂取量などを管理栄養士に伝えます。食事が進まなかったり、あまり水分をとっていない利用者がいる場合には、管理栄養士に利用者の好みを伝えるなどして好きな物を提供してもらう、食べやすいように食事の形状を変える、とろみをつける、ゼリー状にするなど、ともに利用者の栄養改善へ向けてはたらきかけます。また、咀嚼や飲みこみの状態については、歯科医師などにも報告します。口腔内の状態や咀嚼、嚥下を確認してもらい、義歯の調整をしてもらったり、口腔のケア、嚥下改善のための体操などについて助言をもらいます。このような連携でさまざまな面からアプローチし、利用者に合った調理法や食事形態を考えます。

食事は文化であり、その人の生活習慣なので、食べ物だけのことではありません。盛りつけやテーブルセッティングも食事の大事な要素です。利用者とともに献立や食器、ランチョンマットなどを考えたり、食事のときのセッティングなどを行ってもらうのも生活支援の1つであり、生活の豊かさにつながります。お好み焼きや白玉団子などの軽食を手づくりすることで昔を思い出すことにつながり、できることを引き出すよいきっかけになります。これらは、管理栄養士や利用者と相談しながら企画していきます。

◆参考図書

- 渡辺俊之『ケアの心理学――癒しとささえの心をさがして』ベストセラーズ、2001年
- 井上由起子『いえとまちのなかで老い衰える――これからの高齢者居住 そのシステムと器のかたち』中央法規出版、2006年

演習5－1　買い物に行く際の留意点

１人暮らしのＡさん（87歳、要介護１）は認知症があるものの、訪問介護（ホームヘルプサービス）を利用しながら自宅で暮らしている。下肢筋力の低下や排泄の失敗などが時々みられる。もの忘れはあるものの、その場その場はある程度判断もでき、会話も成立する。

近所の店までは１人で出かけるが、同じものを何度も購入したり、購入した物の管理ができないこともある。そのため、買い物は基本的に訪問介護員（ホームヘルパー）と行くことにしており、Ａさんは買い物をとても楽しみにしている。

今日は歩いて10分くらいかかる大きなスーパーマーケットに買い物に行くことになっている。どのようなことを準備したり、どのような点に配慮すればよいか、話し合ってみよう。

演習5－2　食事づくりにおける減塩方法

Ｂさんは病院で高血圧症と診断され、食事のときに「減塩」をするようにすすめられた。Ｂさんは若いころから塩辛や漬物などが大好きで、麺類の汁も残さずに飲んでいる。

Ｂさんに塩分が少なくてもおいしく食べてもらうために、食事づくりにおいて配慮すべき点についてグループで考えてみよう。

演習5－3　衣服のしみのとり方

利用者のCさん（要介護3）が、次のようなしみを衣服につけてしまった。応急処置としみ抜きの仕方を考えてみよう。

1 食事中に上着のシャツにしょうゆをこぼしてしまった。
2 着替え中にブラウスに口紅をつけてしまった。
3 雨に濡れて泥水でズボンのすそが汚れてしまった。

第6章

応急手当の知識と技術

第1節　応急手当について

第2節　応急手当の実際

第1節

応急手当について

学習のポイント

- 高齢者に起こりやすいおもな事故とその予防の視点を学ぶ
- 緊急時における連携のあり方を学ぶ

関連項目 ④『介護の基本Ⅱ』▶第3章「介護における安全の確保とリスクマネジメント」

1 想定される事故と予防の視点

（1）外傷

外傷は、転倒や転落といった事故、さらに、ぶつけたりひっかいたりすること等によって生じます。外傷には開放性のものと非開放性のものの2種類があります。開放性のおもなものは、切り傷、刺し傷、擦り傷等です。非開放性のおもなものは、凍傷、打撲傷、捻挫等があります。

成人では、出血により体内の血液の20%が急速に失われると出血性ショックという重症状態となり、30%以上を失うと生命に危険を及ぼすといわれています。出血には、**動脈性出血**❶、**静脈性出血**❷、**毛細血管性出血**❸などがあります。とくに、動脈からの出血の場合には迅速かつ適切な止血を行う必要があります。また、傷は、出血や痛みに加えて細菌感染するおそれがあるほか、出血性ショックにより臓器不全が発生して死にいたる場合があります。

（2）骨折

骨折とは、転倒や転落など強い外力を受けることにより骨が折れたり、ひびが入ることです。骨折には**皮下骨折（非開放性骨折）**❹と**開放性骨折**❺があります。症状は、腫れ、変形、皮膚の変色、痛み、動かない等です。

加齢にともない骨がもろくなるため、高齢者の場合は弱い外力でも骨

❶動脈性出血
動脈が破れたことによる出血で、鮮やかな紅い色の血液が勢いよく噴き出す。大きな血管が破れた場合、瞬間的に多量の血液を失い、失血死の危険がある。応急手当として、直接圧迫止血法を用いるが、出血が止まらず生命に危険を及ぼすおそれがある場合は止血帯法を用いる。

❷静脈性出血
静脈が破れたことによる出血で、暗赤色の血液がぽたぽたと垂れるように流出する。短時間に多量出血になることは少なく、応急手当として、直接圧迫止血法を用いる。

❸毛細血管性出血
毛細血管からの出血で、赤色の血液がにじみ出る。出血量は少なく、ふつうそのままにしておいても自然に出血は止まる。

折する可能性があるので注意が必要です。とくに転倒予防としては環境の整備をはかるとともに、歩きやすい服装や靴を用いる、杖など歩行補助具を活用するなど、十分な対策をとることが大切です。

（3）窒息

本来、食道に入るべき食物が誤って気管に入ると、むせや咳こみといった防御反応が起こります。気管に液状物や固形物がつまって呼吸ができなくなった状態を**窒息**といいます。

一般に喉につまりやすい食べ物としては、もち、豆類、固い肉片、こんにゃく等があります。窒息の予防としては、まず誤嚥を防ぐための正しい食事姿勢をとることです。そして、食べ物は味つけ、大きさ、固さなどを工夫して食べやすくし、よくかんで食べてもらえるようはたらきかけましょう。喉ごしがよく、むせにくいように調理することなども必要です。

（4）熱傷（やけど）

熱傷（やけど）は、熱湯、蒸気、炎、アイロン等の熱い物体に触れることによって起こるほか、湯たんぽや簡易カイロ等による**低温やけど**[6]を起こすこともあります。熱い物を取り扱う際には注意を払い、やけどを予防することが大切です。また、火災時に熱や煙の吸入により気道に生じた熱傷を**気道熱傷**といいます。気道熱傷の場合は、熱により気道粘膜が腫れ、気道がせまくなり呼吸困難を起こしたり、重症の場合、気道閉塞により窒息のおそれがあるため、早急に医師の診察を受けることが必要です。

熱傷の程度（**表6－1**）は、**深さ**と**広さ**から判断します。Ⅰ度の熱傷

表6－1　熱傷の程度

深度	傷害部位	外見	症状
Ⅰ度	表　皮	皮膚の色が赤くなる	ひりひりと痛む
Ⅱ度	真　皮	赤く腫れ、水ぶくれ（水疱）になる	強い痛みと灼熱感がある
Ⅲ度	皮下組織	乾いて、硬く、弾力性がなく、黒く壊死または蒼白になる	感覚がなくなり痛みを感じなくなる

❹**皮下骨折（非開放性骨折）**
骨折部の皮膚に傷がないか、骨折部が身体の表面の傷と直接つながっていない骨折（骨折部が見えない）。単純骨折ともいう。

❺**開放性骨折**
骨折部が身体の表面の傷と直接つながっている骨折（骨折部が見える）。複雑骨折ともいう。

❻**低温やけど**
皮膚の同一か所に低温熱源と圧迫が持続的に加えられることが原因で起こるやけど。カイロ、湯たんぽやこたつ、電気カーペット等の使用には注意が必要である。

図6－1　身体の体表面積の割合

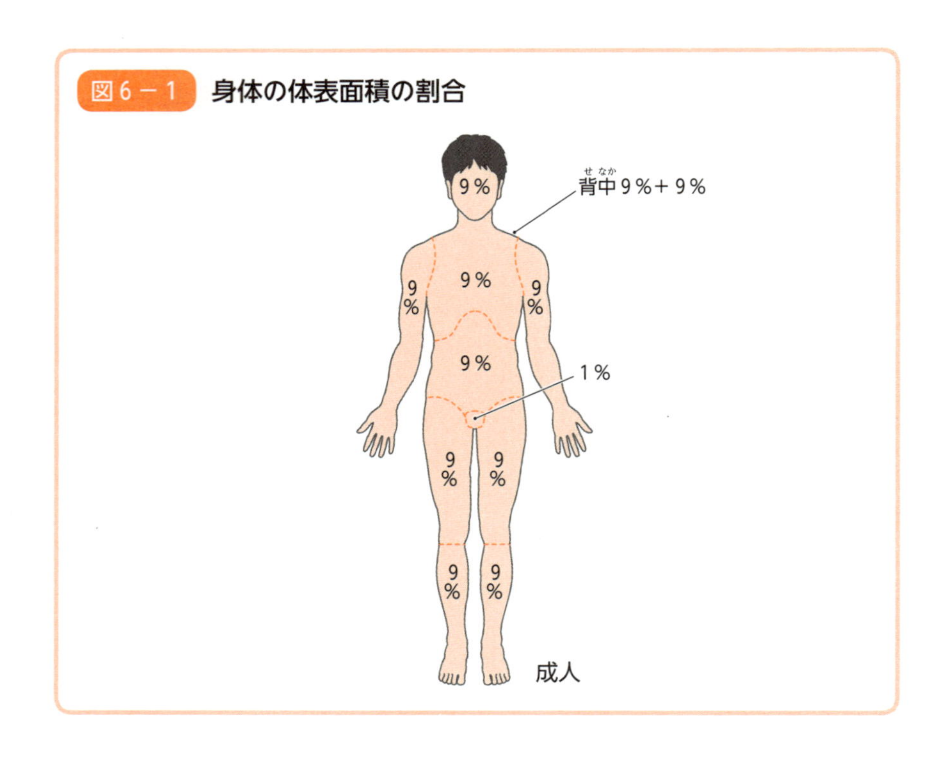

は治療をしなくても、跡が残らずに治ります。Ⅱ度の熱傷で体表面積（図6－1）の30％以上や、Ⅲ度の熱傷で体表面積の10％以上の場合は重症であり、治療を急ぐ必要があります。なお、高齢者や乳児は、熱傷の広さがせまいときでも重症の場合があります。気道熱傷が疑われる場合、口腔内・鼻腔内にすすが付着していないか、鼻毛がこげていないかをよく観察するようにします。

（5）呼吸困難

肺炎や喘息、肺気腫等の疾患や誤嚥により、通常の呼吸ができずに多大な努力をしなければ呼吸ができない状態を呼吸困難といいます。

自発呼吸が完全に停止した状態を**呼吸停止**といい、呼吸停止後、数分で血液の循環が悪くなり、さらにそこから数分経つと心臓が停止してしまいます。心停止と判断されたらただちに胸骨圧迫が必要となり、AEDを準備します。AEDの使い方は『医療的ケア』（第15巻）第1章第2節で学びます。

（6）熱中症

熱中症は、高温多湿の環境下で体温調節がうまくはたらかなくなることから起こります。炎天下の屋外だけでなく、湿度の高い（75％以上）

屋内にずっといると熱が体内にこもり、熱中症になる可能性が高くなります。軽度ではめまいやけいれん、中度になると吐き気や頭重感が生じ、さらに重度になれば意識障害やショック症状を起こし、命の危険にさらされます。

熱中症になったら衣類をゆるめ、屋外であれば風通しのよい日陰へ、屋内であればクーラーが効いている室内等の涼しい場所で休息します。氷や濡れたタオルで頸部、腋窩部（わきの下）、鼠径部（大腿の付け根の前面）を冷やして体温を下げます。意識がはっきりしていれば水分を少しずつ、数回に分けて補給します。大量の発汗があった場合には、汗で失われた水分・塩分をおぎなえる経口補水液やスポーツ飲料などが適しています。軽症でも大事をとり、医師に診断してもらいます。

意識障害がある場合は、ただちに救急車を要請します。

2 応急手当とは

呼吸停止、心停止、意識障害、大出血、ひどい熱傷等は、発見者がすみやかに手当をしないと生命にかかわる事態となります。対象者を救急隊にゆだねるまでに、症状を悪化させずに生命を維持するための手当を応急手当といいます。発見者の判断と手当の適否が対象者の生命に影響するため、緊急時において行うべき観察、対応、連絡について理解する必要があります。

（1）観察

対象者が安全な場所にいるかを確認します。発見者は落ち着いて、次の事項の観察を行います。

① 意識があるか

対象者の肩を軽くたたきながら、耳元で呼びかけて反応を見る。

② 呼吸しているか

胸腹部が上下に動いているか。

鼻や口元に頬を近づけ、息が感じられるか。

③ 顔色はどうか

顔色や口唇の色を確認する。

④ 出血があるか

出血の場所とその程度について確認する。

さらに、傷、打撲、捻挫、骨折、痛み等の有無や状態についても注意して観察します。

（2）対象者への対応

① 対象者へのはげまし

対象者のそばを離れず、やさしく安心できるような言葉かけをしてはげまします。

② 安静

対象者の状態や傷、痛みの程度にあわせて適切な体位を保ち、安静に努めます。また、身体的な安静だけでなく精神的な安静をはかるために、不必要な不安を与えないよう配慮します。

③ 保温

体温を保ち、寒くならないように努めます。

④ 協力者を求める

周囲にいる人たちに、手当、連絡、運搬などの協力を呼びかけます。

（3）連絡

1 主治医や利用している医療機関がある場合

直接、連絡をとり指示をあおぎます。

（連絡内容）

- 利用者の氏名と年齢
- 事故や症状変化の起こった時間・場所・原因とその状況
- 行った手当の内容と現在の症状

2 緊急を要する場合

緊急を要する場合は救急車を手配します（119番通報）。

（連絡内容）

- 事故の内容について5W1H[7]を用いてわかりやすく説明します。
- 行った手当の内容と現在の症状について伝え、さらに今後必要な手当の指示を受けます。
- 目標となる建物を明確にして、現在地を伝えます。

緊急時に備え、救急隊の呼び方のマニュアルや、家族の連絡先、かかりつけの病院、主治医等の電話番号を把握しておくとよいでしょう。

[7] 5W1H
When　いつ
Where　どこで
Who　だれが
What　何を
Why　なぜ
How　どのようにしたか

3 救急車の要請が必要な場合

・医療職の指示がある。
・意識がない、意識レベルが低下している。
・呼吸をしていない、脈がふれていない。
・手足に麻痺がみられる。
・ろれつが回らない。
・大量の出血がある。
・身体に激しい痛みがある。
・熱傷（やけど）が広範囲に及んでいる。
・窒息している。

救急車の到着を待っているあいだに、救急車から途中連絡がくる場合があります。今かけている電話番号（利用者の自宅の電話番号）や、連絡可能な携帯電話の番号を伝えられるようにしておくことが必要です。

4 判断に迷った場合

介護福祉職が、利用者の急な状態変化等に対してどのように対応するかは、事前に医療職を含めたチームで話し合い、確認されている場合がほとんどです。しかし、人の身体は予想を超える状態の変化をあらわす場合があります。

事前に行われていた話し合いでの状態ではない、この時間だと医療職に連絡するのも気が引ける、救急車を呼んだほうがよいか判断に迷う、という場合の対応方法（**表6－2**）も確認しておきましょう。

表6－2　#7119救急相談センターの活用（24時間年中無休）

救急車を呼んだほうがよいか判断に迷ったら、「#7119救急相談センター」に電話する。
・医療機関を探す場合「1」➡医療機関を案内してくれる
・救急相談を希望する場合「2」➡緊急相談看護師、緊急相談医が相談にのってくれる

第 2 節

応急手当の実際

学習のポイント

■ 応急手当のポイントを習得する

関連項目 ▶ ④『介護の基本Ⅱ』▶ 第 3 章「介護における安全の確保とリスクマネジメント」

1 外傷

(1) 傷

傷は感染を予防するために清潔を保つことが必要です。傷口周囲についた汚れを流水で洗い流します。むやみに消毒薬をつけず、傷口に清潔なガーゼ等を当て、すみやかに医師の手当を受けるようにします。

出血がある場合は止血処置を行います。出血している部位に直接清潔なガーゼ等を当て、その上から直接、手または包帯、布等で圧迫して止血をします（**直接圧迫止血法**）（図 6 − 2）。

(注意事項)

・感染を予防するために、汚れた指や消毒していないもので傷口に触れないようにします。

・細かい繊維が残る綿やティッシュペーパーは、直接傷口に当てないよ

図 6 − 2. 直接圧迫止血法

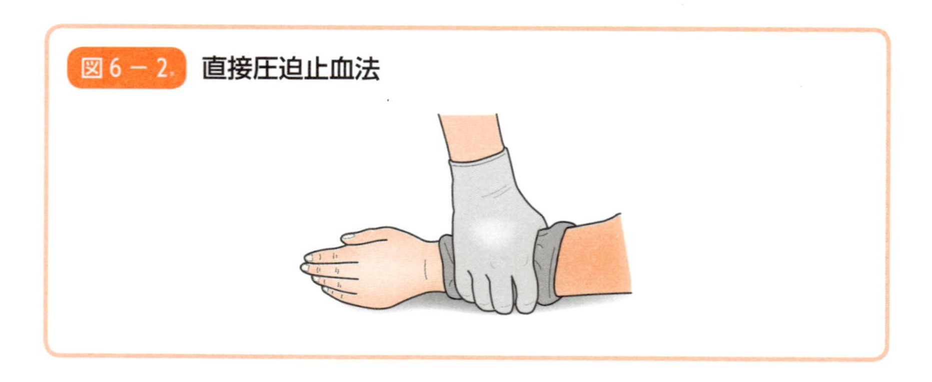

うにします。

・感染防止のため、使い捨ての手袋やビニール袋などを利用して、素手で対象者の血液や傷口に触れないように注意します。

止血は、直接圧迫止血法が基本となりますが、ガーゼ等の準備をすることができない場合など直接圧迫止血法をすぐに行えないときは、傷口より心臓側に近い動脈を手のひらや指で圧迫して止血する**間接圧迫止血法**もあります。

（2）捻挫・打撲

捻挫や打撲は患部を動かさないようにして、ビニール袋に入れた氷水や保冷剤をタオルで包んだものなどで冷やします。患部を圧迫し、腫れを防止します。患部を心臓より高い位置にすることで、痛みが軽くなります。

腫れや痛みが強く、患部が紫色になる場合は、骨折や関節内出血の可能性があるので、すみやかに医療機関を受診します。

2 骨折

全身の状態を観察し、骨折が疑われる症状があれば手当をします。

（1）皮下骨折（非開放性骨折）の場合

全身と骨折部を安静にし、患部を**副子**[1]等を用いて固定します。副子は骨折部の上下の関節を十分におおうことのできる長さ、強さ、幅のあるものが理想です（**図6－3**）。

❶副子
身体の局所の安静を保つために用いる「あて物」。古くは木製のものが多く、副木と呼ばれたが、現在は、金属、プラスチック、ギプスが主流である。副子の代用としてたたんだ新聞紙、雑誌、板、棒、杖、傘、座布団等を活用することもできる。

（2）開放性骨折の場合

止血を行い、傷の手当をしてから固定します。

感染を予防するために、傷口は清潔さを保つよう留意します。

（注意事項）

・骨折した手足の末梢の循環状態を観察できるよう、手袋や靴下は脱がせます。

・骨折部や変形を正常に戻そうとすると神経や血管を傷つけることがあるので、そのままの状態で、一番楽な体位に固定して医療機関へ搬送

図6－3　骨折の固定

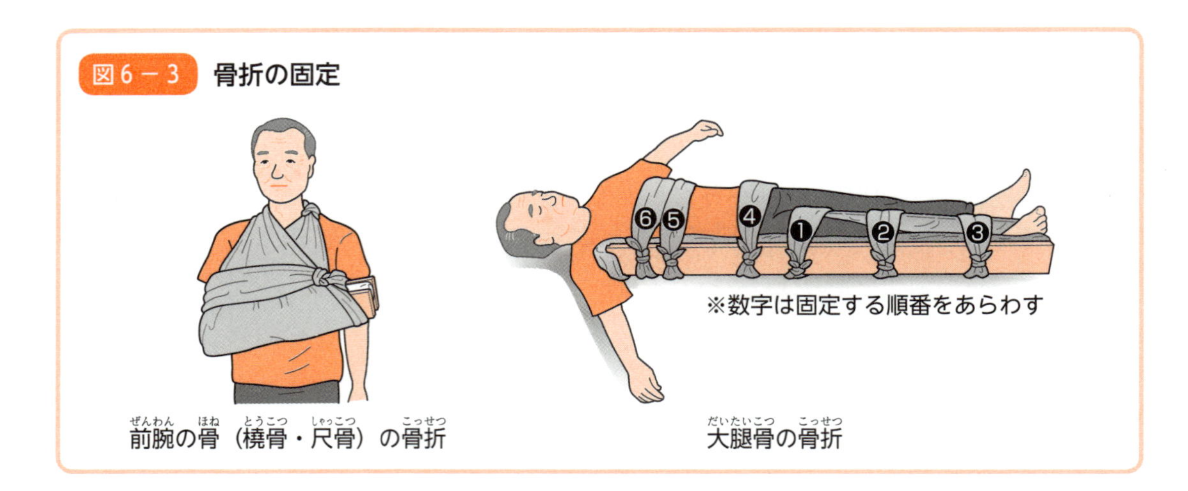

します。

・骨折による激痛や出血にともない、**ショック**[2]を起こすことがあるので、全身の観察をすることが大切です。

2ショック
事故の影響で末梢の循環不全が起こり、血圧が極端に低下した状態。おもな症状は顔面蒼白、虚脱、冷や汗、脈拍微弱、呼吸不全等である。

3 窒息

窒息した場合、すみやかに気道内異物を除去することが大切です。気道に異物がつまったときの特徴として、意識がある人の場合は喉をつかんだり、かきむしるような動作（**チョークサイン**）をします（**図6－4**）。対応としては、まず咳が出る場合は強く咳をするよううながします。咳が出ない場合や異物が除去できない場合は、次の方法をとります。

図6－4　チョークサイン

（１）背中をたたく（背部叩打法）

① 立位・座位の場合

対象者の胸を一方の手で支え、頭をできるだけ低くした姿勢をとらせます。他方の手のひらの根元（手掌基部）で肩甲骨のあいだを力強く、連続してたたきます（**図６－５**）。

② 臥位の場合

ひざまずいて対象者を自分のほうに向けて、側臥位にします。手のひらの根元（手掌基部）で肩甲骨のあいだを力強く、連続してたたきます（**図６－５**）。

（２）口の中の異物をかき出す（指拭法）

異物や分泌物が見える場合は、指で取り除く方法があります。対象者の顔を横にした状態で、一方の手の親指と人差し指を交差させる（がま口を開く要領）等で、口を開かせます。他方の手の人差し指にガーゼやハンカチなどを巻いて口の中に入れ、その指を頬の内側にそって進めて異物をかき出します。

（注意事項）

・気道内異物の除去にあたっては、１つの方法だけにとらわれずに、いくつかの方法を組み合わせて行ってみます。

・無理に指を突っこむと、かえって異物を喉の奥に押しこむおそれがあるので注意します。

図６－５　背部叩打法

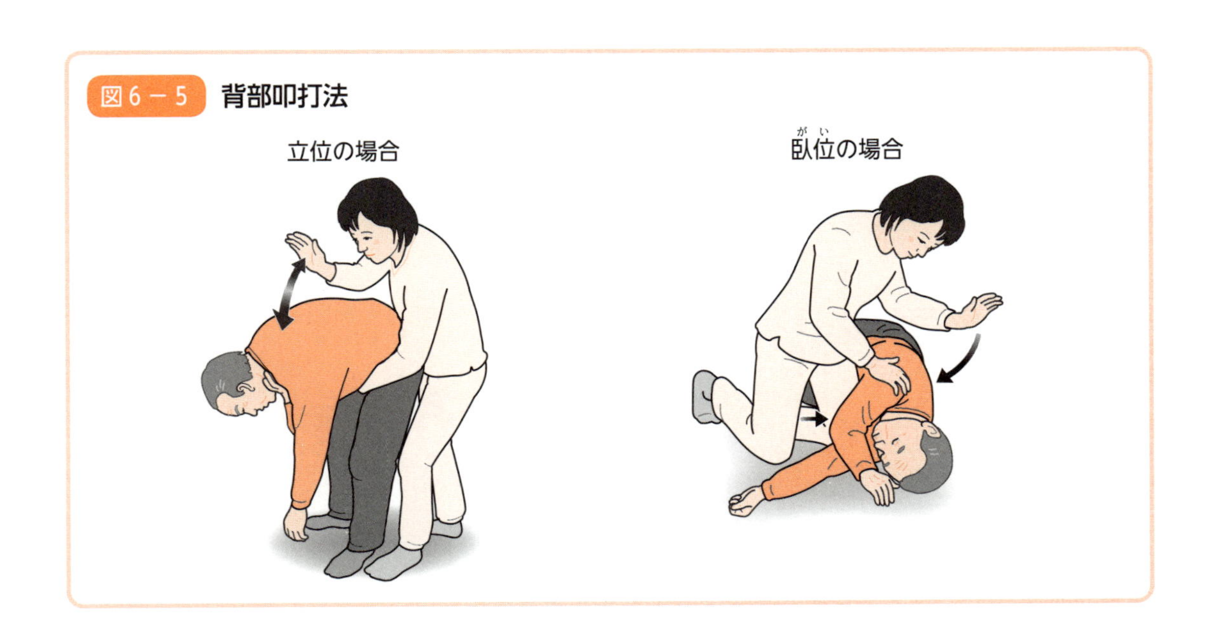

4 熱傷（やけど）

Ⅰ～Ⅱ度の熱傷で範囲がせまいときは、冷水で痛みがとれるまで、患部に直接水圧がかからないようにして冷やします。

Ⅰ～Ⅱ度の熱傷でも範囲が広い場合は、冷やしながら医療機関に搬送します。

（注意事項）

・着衣の上から熱湯を浴びたような場合は、安易に脱がせず、着衣の上から冷水をかけて冷やします（無理に脱がそうとすると、皮膚がはがれるおそれがあるため）。

・水ぶくれ（水疱）はつぶさないようにします（感染を予防するため）。

・消毒薬、軟膏、油などを塗らないようにします。

・長時間広範囲を冷やすと低体温になるため、患部以外は毛布などで保温に努めます。

演習6－1　救急車の手配

グループで、①倒れている人、②倒れている人を発見した人、③救急隊、の３つに役を分けて、救急車を手配する練習をしてみよう。

演習6－2　応急手当の理解

グループで、①けがをした人、②介護福祉士の２つに役を分けて、応急手当の方法を練習してみよう。

1 出血がある場合の応急手当

2 捻挫や打撲の応急手当

第 7 章

災害時における生活支援

第 1 節　災害時における介護福祉職の役割

第 2 節　災害時における生活支援の実際

第1節

災害時における介護福祉職の役割

学習のポイント

- 災害時における生活支援について理解する
- 災害時の介護福祉職の役割（ボランティアとしての活動）を理解する

関連項目 ③『介護の基本Ⅰ』▶第2章「介護福祉士の役割と機能」

介護福祉職が被災地に支援に行く場合、基本的には日本介護福祉士会といった職能団体のメンバーとして活動することになります。個人的にかかわることもできますが、災害直後の混乱したなかで相手に不信感を与えないようにするためにも、所属を明らかにできるよう団体に属して活動することがよいといえるでしょう。

ここでは、介護福祉職が被災地でボランティアとして活動する場合、事前に理解しておくべきことについて説明します。

1 被災地における「生活支援」の意義と目的

1 生活支援の重要性——災害時における生活支援とは

災害時は、人命をどう守るかが最重要課題となります。災害発生直後からDMAT（災害派遣医療チーム）[1]をはじめとする緊急災害医療の専門性が高い組織による救命等が、公的な体制として整備されています。しかし、東日本大震災時、支援の見きわめの遅れや避難生活の長期化などにより、2次的な被害が長期にわたり生まれました。DMATによる救命行為で「命」が助かったとしても、その後、必要となる適切な介護

❶DMAT（災害派遣医療チーム）
Disaster Medical Assistance Teamの略で「ディーマット」と呼ばれる。大地震や航空機・列車事故といった災害時に被災地に迅速に駆けつけ、救急治療を行うための専門的な訓練を受けた医療チーム。

や支援が受けられなければ、生活機能の低下を招き、助かった「命」は本来の、その人らしい個々人の「命の輝き」を失ってしまいます。

介護福祉職は生活支援の専門職です。災害という急激な環境の変化のなか、もとの生活に戻りたい、ふつうの生活に戻りたいと願う被災者に寄り添い、生活復興に向けてかかわっていくことが必要です。本来の生活を取り戻すためには、健康状態や心身機能のアセスメントに加え、ふだんの介護実践と同様の十分な説明と同意、そして協力し合う**インフォームド・コオペレーション**❷の実践など、生活意欲につながるための自己決定をうながす支援も大切です。介護福祉職は災害による環境変化にあわせて生活支援を行うことが重要です。

❷インフォームド・コオペレーション
説明と協力にもとづいた協働関係。専門的な立場から選択肢を提示してそれぞれに十分な説明を行い、そのなかから利用者・患者がみずから自己決定していくこと。

2 個別支援を心がける

被災地ではひとくくりに「被災者」と呼ばれることに強い抵抗感をもつ人もいます。生活の主役はその人自身です。支援者は、被災後の避難所等のふだんと違う新しいコミュニティにおける集団生活のなかでも、１人ひとり、その人自身が主役となり、新たな役割をもち、個々の潜在能力が発揮できるような個別支援的かかわりを心がけることが必要です。介護福祉職には、被災者の生活を地元の地域で支え合っていく共助関係をつくっていくことが求められます。そして、そのようなかかわりを、ほかの一般ボランティアや専門職ボランティアと共有し、多職種が連携して支援する姿勢が必要です。

ただし、被災者の心理的特徴として「遠慮」というものがあることを知っておきましょう。「遠慮」と「意欲がない」ことをとり違えないよう注意が必要です。

3 活動の「終了」を見すえて対応する

支援を受ける介護施設も、施設の機能維持をはかりながらも、一方では施設の再興、建てなおし、介護福祉職の日常生活の回復をめざしていきます。人員不足をボランティアでおぎないつづけるということがないよう、フロア単位やユニット単位で、どういう状況になればボランティアが離れても自分たちで運営していけるのかを、互いの信頼関係のうえ、定期的に現状を評価して、ともに考え決めていきます。

被災地の状況は、時期によって変わっていきます。「今」どうかかわり、「将来」どうなるか、短期的なボランティア活動であっても、今後も福祉施設で生活を続ける利用者や働きつづける職員のためにも、「長期的展望」をもって臨機応変に対応することが大切です。

コラム　遠慮

家族を失い独りになってしまった中年男性がいました。避難所では覇気のない表情で座っていましたが、なにげない会話を続けるなかで、ぽつぽつと自身のことを語りはじめました。しかし、その会話は「…こんな状況だからね」とか「仕方ないね」という『がまん』の言葉で占められていました。そのときはそこで話を終えたのですが、しばらく経ってから、避難所内の奥まった場所で偶然出会ったときに声をかけられ、「決められたせまい居住スペースの決定基準への不満」「隣近所への思い」「ボランティアや慰問への気づかい、実は言いたいことも言えない思い」など、堰を切ったように話し出しました。途中で、知人が衣類の差し入れを持ってきたので話は終了したのですが、この知人に対しても、実は自分の趣味ではない衣類を持ってくるのだが、申しわけなくて言えないとも訴えていました。

避難所は、生活スペースは仕切られているとはいえ、声は筒抜けです。それこそ「知られたくない思い」や「こんなときだから言ってはいけない思い（愚痴）」という、他者への大きな『遠慮』があったのでしょう。それが放出されたのだと思います。密集した避難所スペースでは『遠慮』を発散する場もありません。そして、それが大きなストレスにつながります。傾聴ボランティアのように、感情表出を助ける共感的態度も専門性の高い重要なスキルとなり、そのような場所（パブリックスペースや面会休憩スペース等）をつくって対応することも必要となるでしょう。

有効なストレスコーピングの１つに空想、泣く、笑うなどがあります。しかし、むしろ泣けない人に注意を払う必要があるといわれます。ボランティア実践の際には、専門性をいかし、配慮と工夫、そして実践をしたいものです。

2 被災地で安全に活動するために

1 現場の状況を把握する

通常、被災地で支援活動をする際は、現地の活動団体等から一定の情報をえることができます。ただし、現地の活動団体等も被災者です。たとえば被災時の介護現場は、介護福祉職の減少、介護福祉職自身も被災者であることから、心身への多大な疲労感からくる情緒不安定、発熱や不眠といった体調不良、使命感からくる介護福祉職の働きすぎなどの状況が見受けられます。また、避難所は多くの人でごった返し、寝るスペースを確保するのもむずかしい状況です。

そのような混乱した状況では、提供された情報がすべて正しいとも言い切れません。自分自身でも情報収集を行うようにしましょう。

1つひとつの情報に振り回されることなく、客観的な視点で、情報が錯綜する実態を含めて、全体で理解することが必要です。そうすることでしか、実際の被災地や避難所、避難者の状況を正しく理解することはできません。情報のなかから何が起きているのかを考え、どのように対応すべきか、冷静な判断力が求められます。

2 自分の身を守るための準備

被災地で支援活動をするときは、事前に現地の状況にあわせた必需品を準備していくことが必要になります。

一般的には、水、飲料水、活動に必要な機材（懐中電灯、ラジオ、携帯電話、充電器など）、自身を証明するもの、保険証の写し、場合によっては宿泊用テントや寝袋などを確保し、自活できるように準備します。長期間の活動になる際は、自身の**ストレスコーピング**[3]になるような趣味や娯楽用品も、活動の支障にならない程度での持参が必要となります。

災害の種類によって、**インフラストラクチャー**[4]の残存状況や整備状況も異なります。それらが必需品の準備にも影響することに留意する必要があります。被災地に行くときの手段だけでなく、帰りの交通手段、

③ストレスコーピング
ストレスを評価し対処すること。ガス抜き。

④インフラストラクチャー
道路、鉄道、港湾や学校、病院、公園などの公共施設。

活動中の移動手段、連絡方法を確認しておくことも重要です。

また、あらかじめその地域の**ハザードマップ**⑤を確認しておくことも大切です。ハザードマップを確認し、避難場所や避難経路などを把握しておくことで、災害が起きてもすぐに避難することができます。

⑤ハザードマップ
自然災害による被害の軽減や防災対策に使用する目的で、被災想定区域や避難場所・避難経路などの防災関係施設の位置などを表示した地図。

3 「支援者」としてのあり方

介護福祉職にとって、災害時における専門性の高い役割はいろいろとありますが、「自分が行って何とかせねば」という気負いは、あせる気持ちや無力感といった自分自身へのストレスとなり、**燃え尽き症候群（バーンアウト症候群）**⑥を起こしたり、現地で依頼された活動に不満を抱きコミュニティを乱したりする結果になることもあります。「まずは自分が出会った、その人のケアができればいい」といったように、あまり気負わず、１人ひとりの支援を考えることが大切です。

⑥燃え尽き症候群（バーンアウト症候群）
熱心に物事に取り組んでいた人が、突然、燃え尽きたように無気力な状態になってしまうこと。

介護福祉職としてできること、できないこと、してはならないことを考えて、無理のない活動をすることが必要です。活動自体が被災者の自立を阻害したり、みずからが危険におちいったりしないよう心がけます。支援に行ったのに、自分自身が危険におちいり、２次災害を引き起こしてしまっては本末転倒です。「まずは自分の身を守ってこそ」と考え、事前にどこまで活動するかを考えていくことが重要です。

けがや病気、事故に十分注意するとともに、過労や睡眠不足にならないように健康管理に注意します。避難所等は感染しやすい環境になりがちです。**スタンダードプリコーション**⑦の実践を心がけ、同時に避難所の衛生管理に努めましょう。万が一、事故にあったときのことを考えて、ボランティア活動保険に加入しておくとよいでしょう。

⑦スタンダードプリコーション
「すべての患者の血液、体液（汗を除く）、分泌物、排泄物、粘膜、損傷した皮膚には感染の可能性がある」とみなし、患者や医療従事者による感染を予防するための予防策（標準予防策）のこと。感染症の有無を問わず、すべての患者を対象に実施される。

4 自身が被災した場合の対応

介護福祉職自身が被災した場合、必要以上の責任感で無理な活動をしたり、無理に支援を行ったりする必要はありません。「利用者を守らねば」という使命に駆り立てられ自分のことは二の次で職務をまっとうしようとする人がいます。それは介護福祉職として立派なことですが、自分の命あってこそのことです。自分自身を守ることも大切です。自分が自立してこそ、自分の専門性が発揮できます。介護福祉職として働くときには、自分の身を守りながら、どこまで介入すべきか、何を優先すべきか状況に応じた判断力が求められます。所属事業所や施設のスタッフ全員で話し合い、共通認識をもっておく必要があります。

コラム　被災地の声

被災者となった私たちのために日本各地からさまざまなボランティアの人々が支援に来てくださり、ありがたい気持ちでいっぱいでした。

そんななか、自身の職場を退職してきた介護福祉士のボランティアがいました。その強く、熱い気持ちは本当にうれしく思い、こころの支えになったことは間違いありません。ただ、その人から「私はテレビを見てあなたたちが悲惨でかわいそうで……。地元で仕事をしている場合じゃないと感じ、仕事を辞めてきました！　この地で骨をうずめるつもりです。いっしょにがんばりましょう！」と言われたとき、言葉を失ってしまいました。そして、「私はあなたの人生までかかえることはできません」という気持ちが生まれました。自分自身の将来の生活すら見えない時期で、精神状態が不安定だったことも影響しているとは思いますが、その発言を「親切の押し売り」と感じてしまいました。決して私たちは被災者になりたかったわけでもなく、ボランティアを受ける状態になりたかったわけではありません。そして、かわいそうと哀れに思われ、同情されたいわけでもありません。ふつうの生活に戻りたいだけなのです。このボランティアの人を否定するわけではありません。ただ、そんな私たちの気持ちを知ってほしいのです。

第2節

災害時における生活支援の実際

学習のポイント

- 災害時に介護福祉職が活動する場所について学ぶ
- 災害時における生活支援の具体的な内容について学ぶ
- 災害時の多職種協働の必要性について理解する

関連項目
②『社会の理解』 ▶第２章第１節「地域福祉の発展」
③『介護の基本Ⅰ』▶第２章「介護福祉士の役割と機能」

1 被災地における活動場所

介護福祉職が活動する場所として、一般避難所、福祉避難所、その他が考えられます。それぞれで活動内容が多少変わるので、簡単に整理しておきましょう。

（1）一般避難所

一般避難所とは、学校や体育館、公民館など宿泊や食事も含めた仮の生活ができる一時的な避難所をいいます。学校や体育館が避難所となるため、基本的には同じ地域の人が集まってきます。多くの人が集まってくるので、生活支援や見守りはもちろん、他職種との連携体制の構築なども必要となります。

（2）福祉避難所

福祉避難所とは、支援が必要な人（障害者や認知症のある高齢者、妊産婦など）が入る避難所をさします。介護福祉施設や福祉センターなどがこれにあてはまります。ふだんは施設ですが、災害時には避難所として、被災者を受け入れることもあります。そのため、ふだんからある程度の食糧や防災グッズが備蓄されています。

(3) 仮設住宅など

仮設住宅の場合、避難所に比べればプライバシーが保たれます。一方で、仮設住宅への移住は公平性を期するために抽選で行われるため、それまで日常的に交流していた近所の人とのかかわりが断たれ、その結果、ひきこもりの状況を引き起こす要因にもなりえます。また、自宅が被害を免れた人であっても、家の中は大変な状況となっています。「自宅が残った」という事実から、満足に支援を受けにくい状況になっている人もいます。介護福祉職は、生活に支援が必要な人に対して、優先順位を考えながら公平に支援していくことが求められます。

2 災害時における生活支援

災害はいつどこで起こるかわかりません。また、災害の種類や規模によっては、**ライフライン**[1]や物資が止まってしまうこともあります。一般避難所であろうと、福祉避難所であろうと、介護福祉職として行うことは生活支援であり、ふだん行っていることと変わりません。

ただ、物資がないなかでどう支援するか、また、ある物でどう工夫するかといった視点が大事になります。阪神・淡路大震災の際には、紙おむつがなく布おむつの代替としてバスタオルでしのいだという話や、東日本大震災の際には、清拭で使うタオルを濡らす水がなく、夜露を使用したという話も実際にあります。ただし、その物資がないなかでの工夫がふつうではないことも理解しておかなくてはなりません。

その意味では、「準備しておく」という防災備蓄が重要になってきます。自身の施設が福祉避難所指定を受けている、いないにかかわらず、通常使用の余分とは別に生活における必要物品を最低3日分は備蓄しておくことが大切になってきます。そして、その備蓄をいかに有効活用していくかが重要になります。そのときにこそ、効率性と効果性の高い介護の実践ができる介護福祉職の能力がいきるときです。

そして、被災時の何も物資がない状況のときにこそ、臨機応変に柔軟に変化させられるのは人のかかわり方を中心とした対応です。介護福祉職が常に環境をよいほうに促進する因子となり、よいかかわりを意識して実践を重ねていくことが介護福祉職の責務となります。

[1] ライフライン
電気、水道、ガス、通信、交通など、生活するのに必要不可欠なシステムのこと。

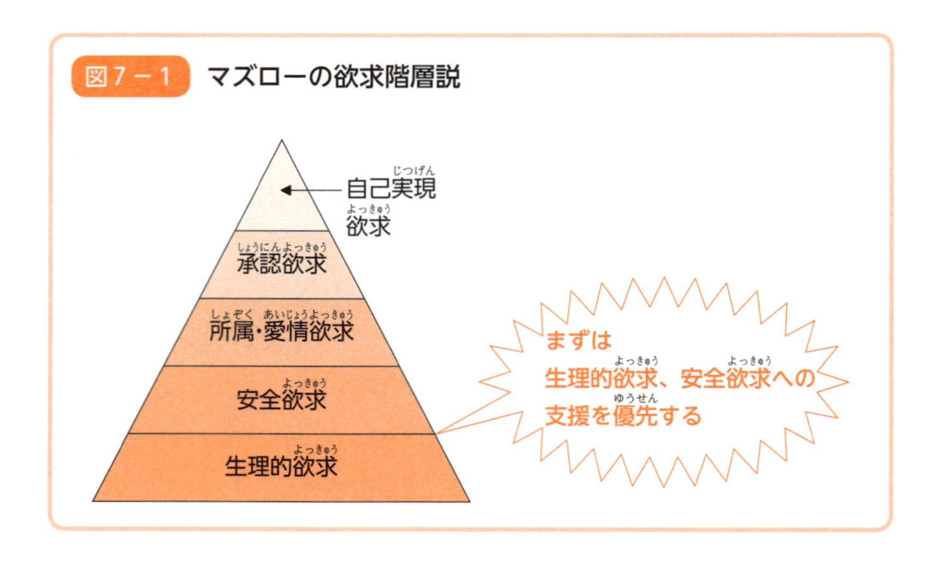

図7－1　マズローの欲求階層説

1 災害直後の支援

災害時には、ふだんのあたりまえの日常が一瞬で崩壊します。非日常に追いやられた状況では、何から支援すればよいのかもわからないような混乱状態となります。**マズローの欲求階層説**❷（図7－1）では、人間の欲求は下の層の欲求が満たされることで上の層の欲求があらわれるとされています。したがって、まずは生理的欲求（食事、排泄、睡眠）、続いて安全欲求（居住環境）に対する支援を優先しながら、横断的にかかわっていきましょう。ここでは、一般避難所を例に考えていきます。

❷マズローの欲求階層説
アメリカの心理学者マズロー（Maslow,A.H.）が提唱した。人間の欲求は5つの階層からなり、下の層の欲求が満たされることで、上の層の欲求があらわれるというもの。

（1）食事の支援

福祉避難所の場合は、ふだんから**非常食**が備蓄されているので、数日はそれを食べてしのぐことになります。しかし、学校や体育館、公民館などの一般避難所には備蓄がない場合もあります。そうなると、避難してきた人が持参した食べ物や周囲の人が差し入れてくれた食べ物が主になります。食べ物が足りない状況になることが想定されるので、公平に分配されるように配慮する必要があります。

（2）排泄の支援

災害直後は**簡易トイレ**が設置されますが、全体的に数が足りず行列ができます。その結果、トイレに並ぶのを避けるために水を飲むことをひかえ、脱水症になる人もいます。便秘により健康を害することもあるので、早いうちにトイレ環境を整える必要があります。近年では、**マンホールトイレ**[3]というものもあり（**図7－2**）、東日本大震災や熊本地震の際にも使用されました。すばやくトイレ機能を確保できるため、介護福祉職として知っておくとよいでしょう。

トイレには、早めにサニタリーボックスやおむつ用のごみ箱を置くようにします。ごみ箱が用意できない場合は、不透明な袋でもかまいません。ただし、大きな袋にすると、袋がいっぱいになるまでごみが捨てられず、悪臭の原因になるため、小さめの袋でこまめに処分するようにします。

トイレの水が流せなかったり、トイレの数が足りない場合は、簡易トイレをつくることも考えます（**図7－3**）。

トイレは不衛生になりやすい場所です。きれいなトイレであれば自然ときれいに使われますが、ごみが落ちていたり汚れがそのままになっていたりすると、使う人も汚しても大丈夫、という感覚におちいりがちになります。ふだんからこまめにそうじすることが大切です。

❸マンホールトイレ
下水道管路にあるマンホールの上に簡易便座を設け、災害時にすばやくトイレ機能を確保するもの。そのまま下水に流れるため、水不足でもトイレとして使うことができる。

図7－2　マンホールトイレ

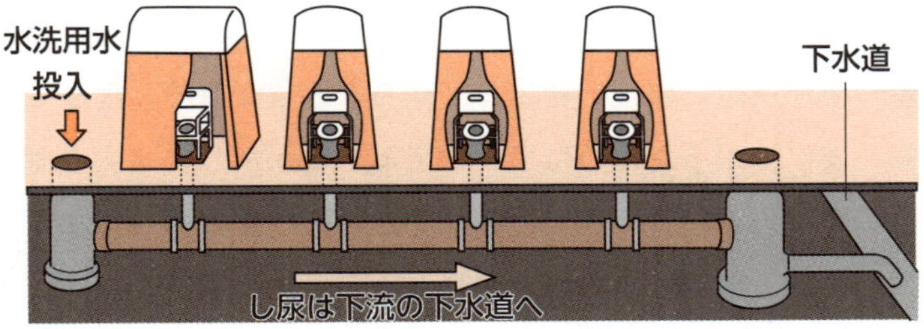

図7－3　簡易トイレのつくり方

【必要物品】
ポリ袋2枚、新聞紙
① 便座を上げ、便器の開口部をおおうようにポリ袋をかぶせる。
② 便座を下ろし、もう1枚のポリ袋を便座をおおうように重ねる。
③ ②のポリ袋の中に新聞紙やキッチンペーパーなど水分を吸収するものを入れる。
→用を足したら、上の袋の口を閉じて所定の場所に捨てる。
トイレがない場合は、バケツなどで代用することもできる。

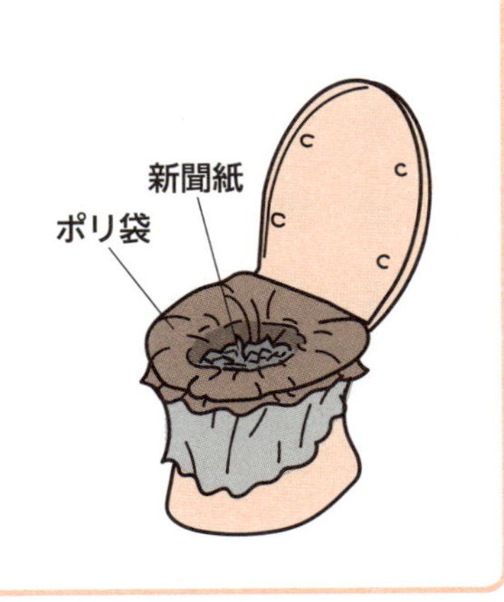

表7－1　安眠のポイントと取り組み例

安眠のポイント	取り組み例
プライバシーの確保	乳児がいる場合は授乳の必要性に配慮し、集団エリアから離れたところに授乳スペースをつくる。
室温	とくに冬場は、体育館などは通風孔や隙間風により冷たい外気が入ってくるため、ガムテープなどで隙間をうめる。
換気	感染対策のためにも換気が必要。冬場は寒いので、人が少ない時間帯や日中など、時間を決めて窓を開けるようにする。換気をすることが外に出るきっかけにもなる。
明るさ	夜間は非常灯にバスタオルをかけたり、カバーをするなどして、明るさを調整する。
音	乳児がいる場合は夜泣きなどに配慮し、夜間は集団エリアから離れたところに落ち着けるスペースをつくる。移動ルートの上には物を置かない（移動時にぶつかって危険なだけでなく、衝撃音が安眠をさまたげることになる）。
寝具	布団がない場合は、ダンボールなどクッション性、断熱性のあるものを床に敷く。ただし、ダンボールはもともと再生紙ということもあり、濡れると悪臭のもとになるので、濡らさないよう気をつける。

（3）睡眠の支援

被災後の精神状態、環境の変化などからなかなか眠ることができなくなります。まずは眠るための環境を整える必要があります。安眠のポイント（**表7－1**）を参考に、できる部分から取り組んでいきます。

簡易ベッドは、床からの立ち上がりが困難な人にも有効です。災害用のダンボールベッドなどもあるので、知識として知っておきましょう。簡易ベッドがない場合は、畳を重ねたり、ビールケースをあわせたり、ある物で工夫することもできます。しかし、いずれの場合も必ずくずれないよう固定し、あくまでも一時的に使用するものと考えておく必要があります。

（4）居住環境への支援

たとえば避難所の場合、壁ぞいのスペースで生活する人と、中央スペースで四方をほかの人たちに囲まれて生活する人とでは、緊張の度合いも変わってきます。また、移動に時間がかかる人の場合は、トイレに近い場所を生活エリアにしたほうがよいでしょう。とはいえ、入り口に近いと外に出やすい反面、外からの風が入ってきたり、外の音が気になったりします（図7－4）。

このように、場所によって環境も異なるので、利用者の状況を見て、その人に合った場所を考える必要があります。一度生活スペースが決まってしまうと「自分の場所」という思いが芽生え、その場所を交代するのがむずかしくなることもあります。早い段階で調整することが求められます。また、感染防止対策として、必要に応じてゾーニング（病原体によって汚染されている汚染区域と、汚染されていない清潔区域を区分けする）を実施することも重要となります。

図7－4　生活スペースによる違い

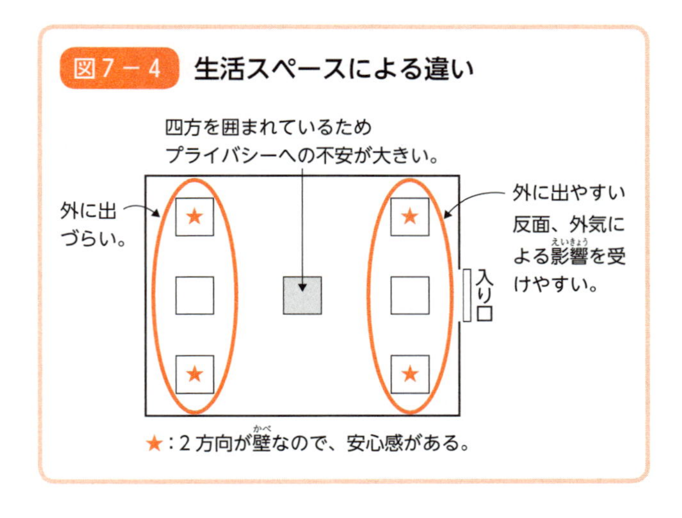

2　支援体制が整ってきたあとの支援

災害から3日ほど経つと、支援体制が整ってきて、必要な物資が届きはじめます。その段階になると、災害直後とはまた違う支援が必要になってきます。

（1）居住環境への支援

プライバシーの確保は大事ですが、特別な配慮が必要な人たちがひきこもり状態になり、心身の変化に気づきにくくなるおそれもあります。支援が必要な人をスムーズに福祉避難所へつなぐためにも、「特別な配慮が必要な人たちがいるのではないか」という意識をもつことが大切です。ただし、決して強制的に外へ引っ張り出すのではなく、自然にコミュニケーションをとり、健康状態と生活面の観察をしながらその必要性を発見していくアセスメント能力が求められます。あくまでも本人みずから外へ出て、ひきこもりを回避できるような支援が必要です。

避難所では「こんなときだから……」と楽しむことを遠慮してしまう雰囲気になりがちです。一般避難所は体育館が使用されることが多く、スポーツ用具が使用できるケースもあります。もし、デッドスペースが使用でき、スポーツ用具も使用できるようであれば、避難所のリーダー

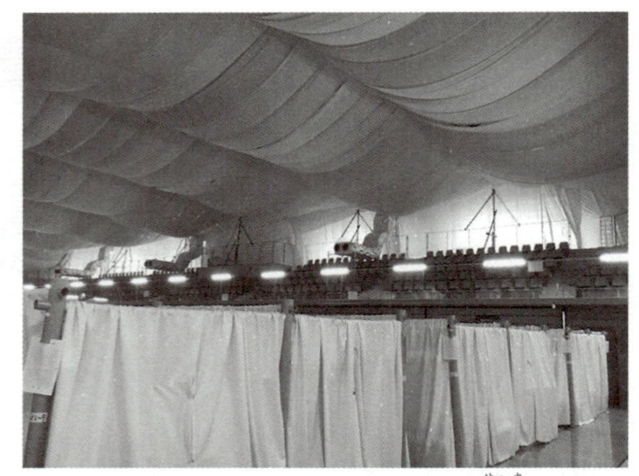

集団生活のなかでもプライバシーがある程度確保できるよう、ダンボールや布によるパーティションを設置するのが常になってきている。

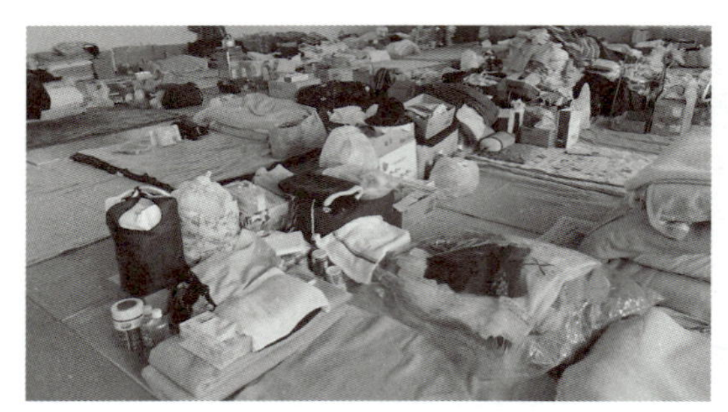

歩行スペースがないと、ほかの人の生活スペースに立ち入ることになるため、移動自体が困難になる。

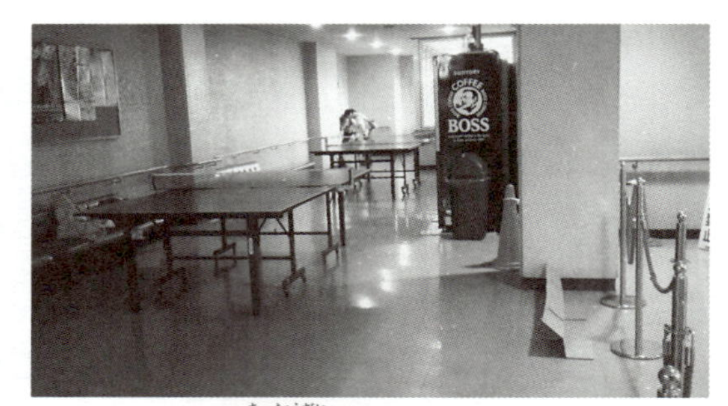

デッドスペースに卓球台を置いたところ。

レベルの人たちとしっかり相談しながらスポーツを楽しめる環境を設定することも１つの手段です。デッドスペースは死角となりやすく、性的トラブルの温床になる可能性もあるので、その予防対策にもなります。

（２）移動の支援

移動に時間がかかる人には、スムーズに安全に移動できるように環境を整えることが大切です。動きやすい環境にするためにも、歩行スペースを確保し、布団や毛布は、朝起きたら片づけるよううながします。夜間は足元が暗くなるので、つまずきやすい場所や段差がある場所を確認し、日中のうちに整えておきます。トイレ付近で懐中電灯などを持って歩行の介護をするのも１つの方法です。

また、外へ出る機会をつくるためにも、パブリックスペースを設置したり、いすを設置するのもよいでしょう。広いスペースにテレビを置いて、そこにいすを置くだけでも人が出てきてくれます。「外に出てみよう」「ここで過ごそう」と思ってもらえるような場所をつくることが求

図7－5　いすを使って床から立ち上がる方法

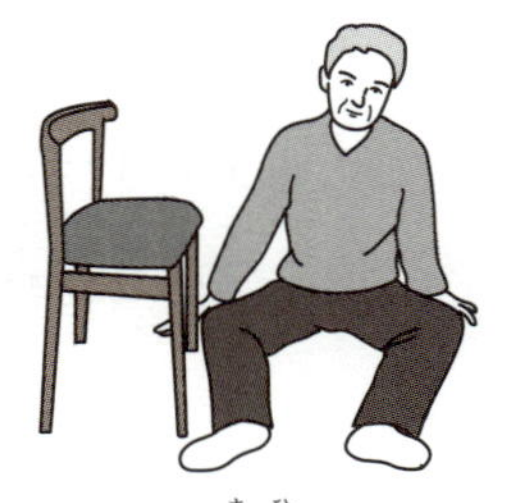

①利き手側（麻痺がある場合は健側）にいすを置く

②利き手（健側の手）で身体を支え、片膝立ちになる

③いすに利き手（健側の手）をのせ、力を入れて立ち上がる
※いすがない場合は、片膝立ちした介助者の大腿部をいすの代わりにしてもよい

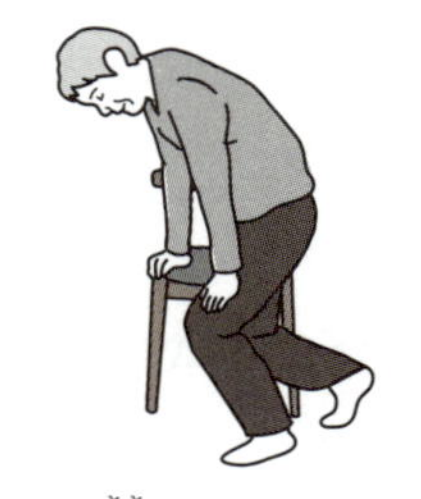

④手で支えて立ち上がる

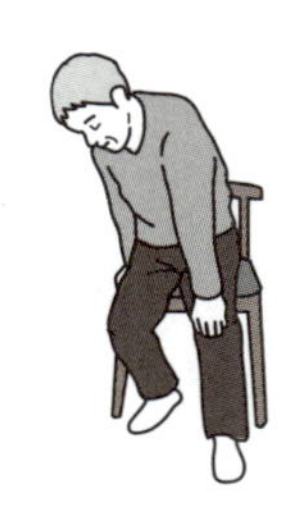

⑤いすに座る

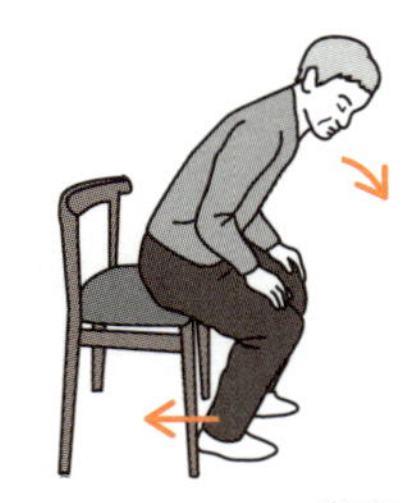

⑥足を引き、上体を前傾して立ち上がる

められます。

床から１人で立ち上がれない人の場合、すぐに手伝ってしまうと生活機能の低下につながることもあるため、まずは、どうすれば安全・安楽に立ち上がることができるかを考えます。そばに安定した台やいすを置くことで、人の手を借りずに自分で立ち上がることができる場合もあります（**図7－5**）。

（3）家事の支援

避難所では、配食エリアが不潔になりがちです。残飯などによる異臭や感染のリスクがあるほか、床の汚染は転倒リスクにつながります。積極的にそうじをし、被災者が自然と自発的に行うような、巻きこむ形で活動にかかわることが大切です。

図7－6　ラップをかぶせた食器

配食の準備や実施、片づけなども、安易に「みんなのため」とやってしまっては役割の損失につながります。支援する側がするのではなく、被災者が継続してやりやすいような環境設定を工夫します。

災害時は水が貴重になるので、食器が洗えないこともあります。食器にラップをかぶせて使用すれば、汚れたラップを捨てるだけでよいので、水の節約になります（**図７－６**）。

（４）身じたくの支援

阪神・淡路大震災の際の震災関連死のうち、４分の１近くが肺炎と報告されています。口腔ケアは、口腔内をきれいにし、虫歯や歯周病を予防するだけでなく、感染症や誤嚥性肺炎の予防にもなります。つまり、災害時における口腔ケアは命を守るケアともいえます。災害時は、水や物品が十分にないため、口腔ケアにも工夫が必要です。

歯ブラシがない場合は、濡らしたハンカチやウェットティッシュ（ノンアルコール）を指に巻きつけ、歯や歯茎、義歯の汚れを取ります（**図７－７**）。ガムも有効な手段の１つです。かむことで唾液の分泌がうながされ、その唾液が口腔内の汚れを洗い流してくれます。気分転換や空腹をまぎらわせてくれる効果も期待できます。また、食事のときによくかんで食べることも唾液の分泌を促進するので、意識するよううながします。

義歯の管理については、乾燥に弱いプラスチック製のものもあるので、水に保管できない状況であれば、汚れを取った状態で装着しておくほうがよい場合もあります。義歯洗浄剤がない場合は、食器用中性洗剤を使う方法もあります。

うがい用薬液の備蓄がある場合はそれを使います。水がなくてうがいができない場合は、お茶での「クチュクチュうがい」をすすめます。た

図７－７　指で歯をみがく方法

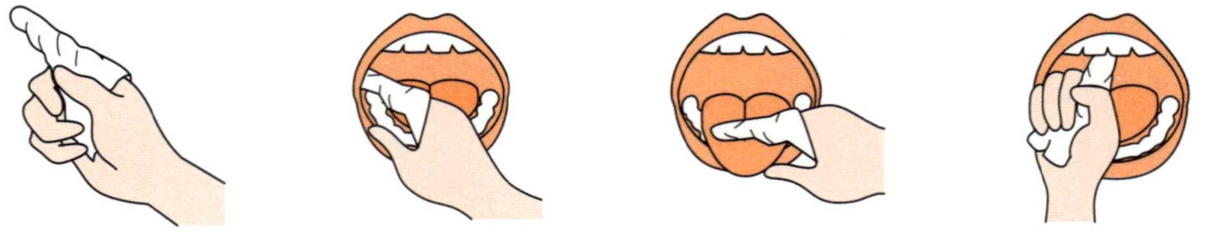

1 ウェットティッシュを指に巻きつける

2 歯と歯茎、頬の内側をふく

3 舌は、奥から手前に向かってふく

4 上顎も奥から手前に向かってふく

だし、お茶自体も貴重になります。うがい効果のためにも、一度に多く含み行うのではなく、少量ずつ口に含み、しっかり複数回に分けて行うほうが効果的です。歯みがき粉はうがいの回数も増えてしまうので、状況によっては災害時はひかえることも必要でしょう。

水まわりは汚れやすいので、衛生管理が必要になります。ふだんからきれいに使ってもらえるよう、洗面所で使うコップやタオル等の物品、ごみ箱を置くスペースを確保することが大切です。

（5）食事の支援

食欲がない人や水分をうまくとれていない人は、注意して観察します。コップでうまく飲めない人や、一度に多くの水分を飲めない人には、ペットボトルストローキャップを準備し、少しずつ飲めるような工夫をします（図7－8）。また、医療職との連携も忘れずに行う必要があります。

図7－8　ペットボトルストローキャップ

嚥下障害がある人には、レトルト保存食のペースト食が有効です。これは、ふだんから備蓄しておきます。食事関係の備蓄は「味」が合わない可能性もあるので、試食も兼ね、ふだんからその「味」に慣れるためにも定期的に摂取の機会をつくり、消費した分、新たなものを備蓄するローリングストックが有効です。賞味期限切れの防止にもなります。

備蓄がない場合はトロミ剤、片栗粉、代替として小麦粉やコーンスターチも使えますが、その場合、トロミが弱いので調節が必要です。食事に配慮が必要な人の場合は、ふだんから非常時に備えて備蓄をしておくことをすすめます。

（6）入浴・清潔保持の支援

災害時は水不足の状況が続くため、湯船に入ることはむずかしくなります。多くは、汗ふきシートやウェットティッシュ、用意できるようであればホットタオルでからだをふくだけの清拭になります。汗ふきシートだと冷たく感じる場合は、１つひとつ小分けにして小さな袋に入れ、しばらく人肌で温めます。

図7－9　リラックス効果がある清拭方法の例

① ホットタオルを用意する。

② 腕にタオルを2重、3重に巻く。
→心臓に近い部分を温めることで、温まった血液の循環をうながす。

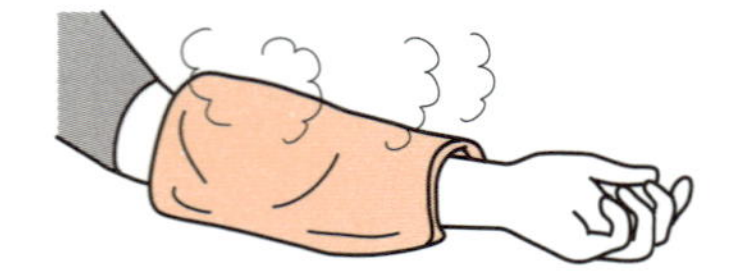

③ タオルの上から手で押さえる。
→圧をかけることで、血行を促進する。

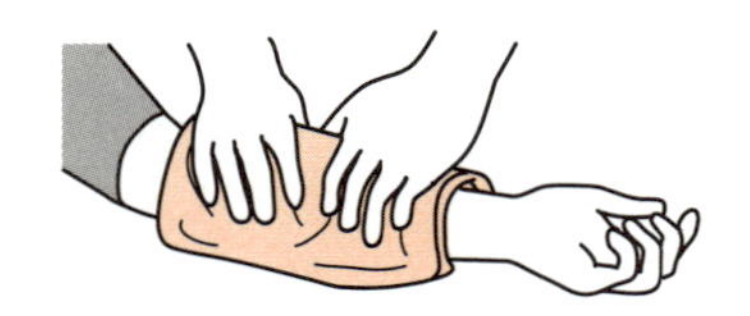

ウェットティッシュは、洗髪にも使えます。頭皮をウェットティッシュでふくだけでも洗髪に近い効果があります。

（7）排泄の支援

排泄に関しては、とくに環境の整備が重要です。**機能性尿失禁**[4]のある人にも配慮し、わかりやすい表示をすることも必要です。

おむつ交換が必要な人がいる場合は、プライバシーに配慮した環境を確保したり、おむつ交換のタイミングでトイレや交換できるスペースに移動する支援を行うのもプライバシーの確保に有効な手段の1つです。

避難所にポータブルトイレを置く場合には、置き場所が重要です。生活スペースに置くのは、プライバシーが保たれないばかりか、においや音が周囲の人にも影響を与えます。また、感染症対策としての手洗い場の清潔確保や環境整備も同時進行で考える必要があります。

大きな避難所ではトイレが混むことも多くなります。トイレ付近で座って一時的に待てるよう、いすを設置します。

④機能性尿失禁
排泄機能に問題はないものの、認知症のためにトイレがどこかわからない、歩行障害などによりトイレに間に合わない、などの理由で排尿動作が適切に行われず漏れてしまうこと。

（8）睡眠の支援

睡眠に関しては、災害直後から支援内容が大きく変わるとは考えにくいでしょう。睡眠環境をよりよくするにはどうすればよいのかを考え、被災者の状況に応じて問題点を解決していくことが求められます。

実際の活動に関しては、場所や物が確保できないということも往々にしてでてきます。そんなときこそ、被災者といっしょに相談し、解決に導いていくプロセスをより多くもつようにしましょう。そのことが、コミュニティの再建と創造にもつながり、自己解決能力の向上にもなり、ひいては被災者主体の大きな復興支援になるでしょう。

たとえば、専門職やボランティア団体だけで会議や情報共有をするのではなく、それぞれの避難所で被災者といっしょに朝夕のミーティングをするのもよい例です。避難所ごとに問題点は違います。実際に生活している人の声を聞いてこそ真のニーズがみえてきます。自分たちのことは自分たちが考える。だからこそ自発的動機にもつながり、生活意欲にもつながる1つの方法です。

いずれにしても、災害ボランティアは、各自治体や保健福祉団体、ほかのボランティア団体、そして、何よりそこで生活する人たちと相談しながら、自己決定を導くようなインフォームド・コオペレーションのもとに活動を行う必要があるということは忘れてはいけません。

3 その他の支援

(1) 人々の役割をつくる

災害時は、急激な環境の変化にともない「することがなくなる」ことが多く見受けられます。そして、それが生活不活発の要因となります。集団生活のなかだからこその役割として、そうじや配食などを、被災者が自分たちで行っていけるような

犬の世話をきっかけに生活不活発の改善がみられた。

コラム　介護福祉士養成校の学生ボランティアのかかわり(熊本地震の実例)

介護福祉士養成校の学生が熊本にボランティアに行ったときのことです。最初、学生たちは緊張した様子でしたが、避難所で高齢者に接するうちに、少しずつなじんでいきました。

そのなかで、高齢者に新聞の読み聞かせをし、最新の情報を伝えている学生がいました。ところが、むずかしい漢字にぶつかると、しどろもどろになってしまいます。そんな学生に高齢者は、「どんな漢字だい?」「それは○○と読むんだよ」とやさしく教え、まるで学生の祖父母のようにとてもおだやかな空気に包まれていました。「学生に教える」という役割が高齢者の生きがいにもつながったのではないでしょうか。

雰囲気づくりやきっかけづくりが必要です。また、そんななかでも個別性を大切にして、1人ひとりがやりたいことができるような環境づくりにも配慮しましょう。

（2）自然と足を運びたくなるような環境をつくる

避難所の外や空きスペースにコミュニティスペースを設置します。談話できる空間や、外部からの訪問者との面会場に、または簡単な作業スペースにしたりそこでお茶をふるまったりもできます。そこに行けば「話し相手がいる」「気晴らしになる」「何かが飲める」「何かができる」そんな楽しみをえられる場所につなげることで、自然と足を運ぶような仕掛けづくりをします。

屋外に設置されたコミュニティスペース

人が自由に集まる場所ができれば、コミュニケーションの場やストレス発散の場、情報共有の場にもなります。また、そこに支援者が参加することで、その避難所におけるコミュニティの特徴を知ることもできます。ただし、使用方法に関しては、被災者といっしょに、被災者主体で考えていくことが大切です。ボランティア活動で自分たちがやりすぎてしまうことは、過介護と同じです。被災者と相談・協力していくことで、自己決定の場面をなるべく多くつくり、自立に導くことが重要です。

ただ、「起きましょう！」「体操しましょう！」「じっとしているとエコノミークラス症候群になりますよ！」と指示したり命令したりするようなかかわりでは、関係性の悪化につながるだけでなく、被災者に「ボランティアに来てもらっているのだから……」と気をつかわせ、無理強いにつながる可能性もあります。無理に行った行為は、自発的な行動につながらず、そのボランティアメンバーがいなくなれば継続されないでしょう。継続できるようなかかわり方が必要です。

（3）支援する側の勤務の工夫

福祉避難所など施設での交代制勤務の場合は、昼間はボランティアが勤務し、施設のしくみや利用者の経過がよくわかっているスタッフが夜勤にあたるのがよいでしょう。状態が見え、施設が落ち着いてくれば勤務を逆にし、災害ボランティアが夜勤につき、昼間はスタッフが勤務するようにします。そうすることで、スタッフが心身の疲労を家庭でいやしたり、生活の再建に目を向けられたりするようにもなります。

災害ボランティアが施設に慣れるまでは、スタッフとボランティアが2人1組で勤務につくのもよいでしょう。ペアで勤務することで仕事に早く慣れ、介護に要する時間も有効に使えます。早めの情報共有にもなりますし、1人で判断して利用者のリスクにつながってしまうことへの防止にもなります。災害ボランティア同士でシフトを組み、申し送りや情報交換を行ってもらうのも1つの手段です。次の災害ボランティアが到着したときのスムーズなひきつぎにもつながります。

その他にも、通常の業務より増えた部分の介護を災害ボランティアが担当する、支援期間中は同一利用者を担当するというのも災害時の支援として有効です。

4　災害時の多職種協働

（1）災害時における多職種協働の必要性

ふだんの生活でも多職種協働の視点は大事ですが、災害時においてとくに注意する必要があるのは、「継続性を保つこと」です。被災地には、さまざまな地域からさまざまな職種の人が支援にやってきます。しかし、それらの人は被災地にいられる時間が限られており、いつかは帰っていきます。そして、その人たちと入れ替わりでほかの人たちが支援にやってきます。メンバーが変わったからといって、それまで行われていた支援が途切れてしまっては意味がありません。メンバーが変わっても、いつどのメンバーがいなくなっても支援の方針や内容が継続される必要があります。そのため、記録はもちろんのこと、ミーティング等でも客観的に情報提供や情報交換をしていくことが求められます。

（2）多職種協働の際の注意点

1　災害時における体系的対応

災害時は、事前に医療チームの活動目的をしぼって現場にのぞむことは困難です。その先々にいる人々の要求を分析し、適切に対応することが求められます。そのときに重要なのが**CSCA**です（**表7－2**）。

CSCAとは、災害の直後にとるべき行動を示したもので、多職種協働の際に用いられる共通言語です。それにもとづき、生活支援の専門職として行動する必要があります（図7－10）。

表7－2　CSCA

Command & control（指揮・統制）	災害現場では各職種、各機関で指揮官（commander）が任命される。また災害現場の総括指揮は単一の機関が担当し、この機関が現場の統制（control）にあたる。災害現場では、医師および医療チームは医療指揮官の指示に従い、おのおの独自の考えでの行動はつつしまなければならない。
Safety（安全）	災害時には救助者自身、災害現場、傷病者（生存者）の安全が考慮、確保されなければならない。救助者自身の安全が最重要であり、そのために個人装備・防護具の条件は大切である。また、救助者自身の安全が確保できない状況であれば、たとえ要介護者がいようとも災害現場に入るべきではなく、状況によっては退避を行う。
Communication（情報伝達）	医療指揮官は他機関の指揮官と密に情報交換を行い、災害発生場所、規模、種類、危険性から傷病者と重症度を把握あるいは予測し、それに見合う現場対応を立案する。情報を共有し、各機関および他機関で確認、指揮官あるいは統制機関が調整することで、効果的な災害対応が実践される。
Assessment（評価）	情報をもとに災害対応が決定されるが、この評価は完全に正確である必要はなく、経時的に評価、修正されればよい。

図7－10　CSCAにもとづく医療と介護の連携

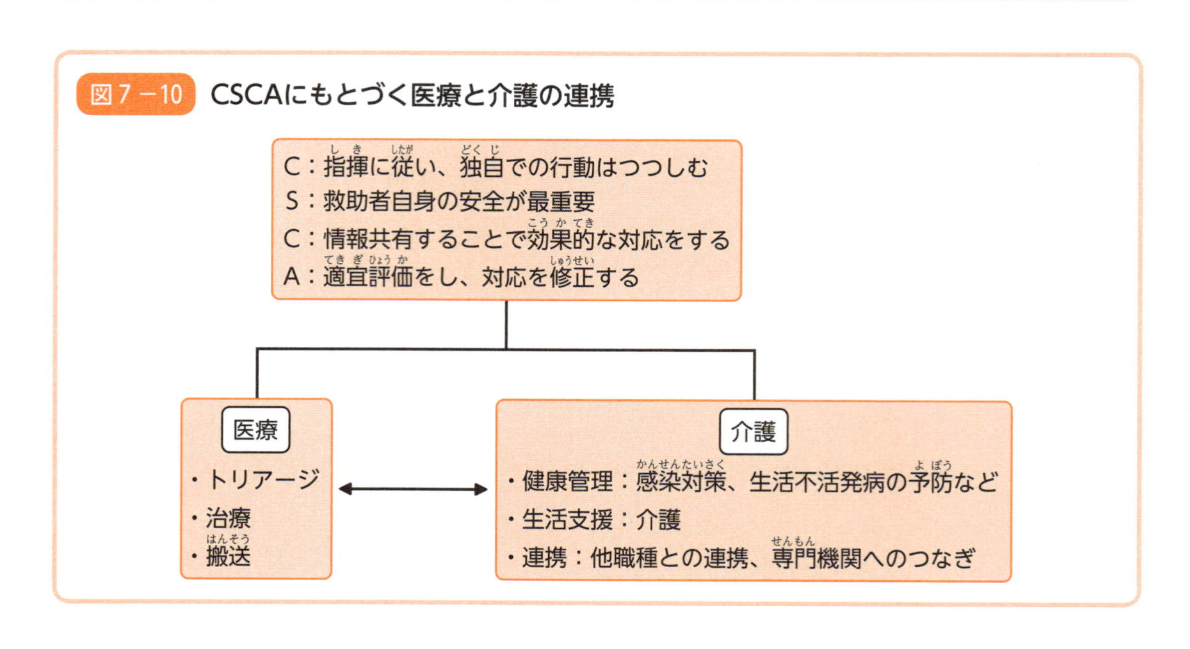

表7－3　SBAR

Situation（状況）	利用者の状態、その場所を簡潔に伝える。
Background（背景）	利用者の既往歴や病気の経過など、S（状況）を補足する内容を伝える。
Assessment（評価）	先述のS（状況）とB（背景）をふまえ、そこから導き出した自分の考え（何が問題か）を伝える。※診断ではない
Recommendation（提言）	以上のことをふまえ、何をしてほしいのか（どうしたいのか）をはっきり伝える。

2 情報を伝達する際の留意点

多職種協働の必要性がわかっていても、コミュニケーション不足やお互いの知識不足により、連携がうまくいかないことが多々あります。災害という非常事態でもあるため、いつも以上に「報告・連絡・相談」を心がけ、簡潔に情報を伝えるようにしましょう。そのときに意識しておくとよいのが、**SBAR**です（**表7－3**）。SBARは、先述のCSCAの「C：情報伝達」の際に、とくに重要となります。

いざというとき、あせってうまく伝えられないことがないよう、ふだんからSBARを意識して報告するようにしましょう。

（3）おもな連携内容

1 地域住民との連携

避難所には、基本的にはその地域の人が集まります。もともとその地域にいた人なので顔見知りの場合もありますが、避難所という新たな場所でコミュニティを再構築・創造することが必要となります。

そのときに重要なのが、その地域の自治会長など影響力のある人の協力をえることです。地域にはその地域独自の「輪」があります。支援者は、ずっとその場所にいるわけではなく、いつかはいなくなる存在です。もともとあった地域の輪を乱さずに支援し、自分たちがいなくなってもその地域が生き生きとし、できれば、もとよりもよい状況にすることが望まれます。地域で影響力のある人の協力がえられれば、情報伝達や必要な物資の手配などがスムーズにいくこともあります。地域に合った支援を展開していくことが求められます。

また、専門職やボランティアといった支援者だけで会議や情報共有を行うのではなく、それぞれの避難所で被災者といっしょに朝夕のミーティングをするのもよいでしょう。実際にそこにいる人の声を聞いてこそ、そこで必要な支援がみえてきます。自分たちのことは自分たちで考える。だからこそ自発的に動き、生活意欲が高まるのです。

2 医療・保健機関との連携

⑤DMAT
p.280参照

災害直後は、DMAT⑤が中心となって人命救助などにあたりますが、時間が経つと、各避難所に保健師が配置され、健康に関する相談にあたります。介護福祉職は、ふだん接している被災者の様子を見て、必要な情報を保健師に伝える役割があります。そのためにも、医療職のいる場所や時間、連絡方法、情報共有の仕方などは、早期に確認することが大切です。

また、避難所は感染症が流行しやすい環境にもなります。介護福祉職は人々の生活支援をするなかで、ふだんとの様子の違いにいち早く気づける立場にあります。「いつもと違う」と気づいたら早急に医療職につなげる必要があります。

3 公共機関、事業所等との連携

避難所やマンホールトイレの設置などは、行政機関が行うこととなります。行方不明者を捜す場合は、警察への届け出や情報提供が必要となります。火事や救急の場合は消防への連絡が必要です。また、事業所との連携としては、福祉避難所にどの程度の人を避難させるかという取り決めをあらかじめ行い、それを共通認識としてもっておく必要があります。災害が起きてから「この人はうちの避難所ではない」とたらい回しにされることがないよう、ある程度の決め事をしておくことも必要です。

4 医療機器が必要な人の支援における連携

人工呼吸器を使っている人の場合、電力会社にあらかじめ伝えておくことで、停電の情報を事前に提供してもらえたり、いち早く電気を復旧してもらえたりします。また、搬送が必要な場合に備えて、消防署に伝えておくことも必要です。

在宅酸素療法を行っている人の場合は、緊急時に酸素ボンベの切り替えができるように、取り扱い業者等から在宅酸素療法に関する研修を受けておくことが必要です。

人工透析を行っている人の場合、災害時はかかりつけの病院で透析を受けられないこともあります。ほかの病院でも透析を受けられるよう、ふだんから自分の透析情報を医師に確認してメモを持ち歩いたり、災害時の食事の管理について、医師や栄養士と相談しておくことが必要です。

事例　一般避難所における医療・保健チームとの多職種協働——感染対策活動の例

1　感染対策

100人以上の被災者が生活する体育館の一般避難所でのことです。4月とはいえまだ寒い時期ということもあり、インフルエンザの感染者が増加傾向にありました。そこで、飛沫感染および接触感染による感染拡大を防止するために、医療・保健チームが啓蒙活動として1人ひとりに声をかけるほか、ポスターの掲示やうがい薬の設置などを行っていました。

そのような状況のなか情報共有の場面で、ある保健師から「声かけやポスターによる啓蒙活動は続けているし、うがい薬の設置も欠かさず行っているのですが、思ったほどうがいが実践されていません。今後のインフルエンザの感染拡大が心配です」との発言がありました。

そのころ、福祉チームとしては、生活の場が体育館ということもあり、「寒さ対策」を中心に過ごしやすい環境づくりの活動を進めていましたが、この保健師の発言を受けて、早速洗面所の環境を確認しました。

正面に手洗い・うがいをうながすポスターが貼られ、右端には2*l*のペットボトルに入ったうがい薬が置かれている。

2　状況の確認と課題の検討

保健師の発言のとおり、洗面台の正面には手洗い・うがいをうながすポスターが貼られ、2*l*のペットボトルに入ったうがい薬が置かれていましたが、そのうがい薬はほとんど減っていませんでした。この状況から、福祉チームのメンバーは、次のような仮説を立てました。

① うがい薬の容器が大きすぎる

一般避難所には高齢者や子ども、女性など、力の弱い人も多く生活していました。2lのペットボトルに、たっぷり入ったうがい薬の重さは、約1.5～2kgになります。これでは容器を持ちにくかったり、持ち上げられなかったりする可能性が高いため、適切な量を負担なくコップに入れるには、もっと小さい容器のほうがよいのではないかと考えました。また、中身のうがい薬が減らない状況を見て、うがい薬が適切に交換されているのか判断できず、衛生的でないとして「使用したくない」と思う人もいるのではないかとも考えました。

② 紙コップがない

洗面所には、紙コップが置いてありませんでした。被災の状況から、個人のコップを持っていない人もいるため、避難所には紙コップも用意してあったのですが、それは洗面所とは別の場所に置いてありました。コップを持っていない人にとっては、毎回、別の場所に紙コップを取りに行くことに負担を感じていることも考えられました。

③ 物を置く場所が不十分で、ゴミ箱がない

体育館の洗面所ということもあり、物を一時的に置くスペースが少なく、使いづらい環境であることは仕方ありません。その結果、せまいスペースにコップを乱雑に置くような状況がありました。また、近くにゴミ箱がないため、使い終わった紙コップをそのままにしている状況もあり、全体的に「あまり衛生的でない」環境となっていました。そのため、ここでうがいをするという行為につながりにくくなっていることも考えられました。

3 環境改善への取り組み

これらの仮説をもとに、避難所のスタッフとともに、環境整備を進めながら被災者へのリサーチをしたところ、おおむね仮説どおりの回答がえられました。そこで、医療・保健チームとも話し合い、医療・保健チームはうがい薬の容器を500mlサイズに変更し、紙コップを洗面所付近に設置しました。福祉チームは物を置くスペースを整え、使用後の紙コップを捨てられるようにゴミ箱を設置しました。

この効果は、環境改善の翌日からみられました。被災者からも「便利になったね」と言われ、医療・保健チームの保健師からは、「うがい

薬の使用が格段に増えました。本当によかったです」との情報が寄せられました。

洗面台の横に物を一時的に置ける場所を設置したり、ごみ箱を設置したりすることで、清潔な環境を維持できるようになった。

4　まとめ

この事例のように、「できる（しやすい）環境」を整えることで、他人が必要以上にかかわることなく、自立支援をうながすことができることが多数あります。この点は、福祉のボランティア活動における視点としても重要です。

介護福祉職は、多職種協働においても、多角的な観察に努め、生活の継続性を意識し、対象となる人の自立を導き、自律を引き出す専門性の高い活動を実践することが望まれます。

◆参考文献

- 内閣府防災担当「防災ボランティアの『お作法』集～活動に参加するあなたへ、みんなでまもりたいこと～」2005年
- 日本介護福祉士会編『災害時における介護のボランティア入門——介護福祉士の専門性をいかして』中央法規出版、2018年

演習7－1 ハザードマップ

自分が住んでいるエリアのハザードマップを見てみよう。

1 地震、水害など災害の種類によって、影響を受ける地域の違いを把握しよう。

2 一般避難所や福祉避難所の数や場所を確認してみよう。

演習7－2 防災に関する図記号

防災に関する図記号にはどのようなものがあるか、身のまわりで探してみよう。

索引

欧文

CSCA 299
DMAT 280、302
ICF 17、18、38
ICT 199
IoT 201
ISO 196
JIS 58
L型手すり 68
SBAR 301
TAIS 202
T字杖 144
WHO 18、38

あ

アームサポート 146
悪質商法 252
圧抜き 101
安楽な姿勢 124
安楽な体位 124
安楽な体位を保持する介助（起座位） 132
…（仰臥位） 128
…（側臥位） 129
…（半座位（ファーラー位）） 131
医師（移動） 190
…（家事） 260
…（居住環境） 74
移乗機器 185、187
移乗器具 187
イス座 45
一般避難所 286
移動 84
移動可能式・水洗式 206
移動用リフト 167、173、185、205
…のつり具の部分 206
居間 53
衣類の衛生管理の介護 241
衣類のたたみ方 243
インフォームド・コオペレーション 281
インフラストラクチャー 283
ウェルシュ菌 232
ウォーカーケイン 145
ウォーターベッド 134
動き出し 23、24
エアマット 134
遠居 40
嚥下食 230
応急手当 269
オーバーベッドテーブル 184
オープン・クエスチョン 94
オノマトペ 94
折れ戸 69

か

介護過程 17
介護・訓練支援用具 209
介護支援専門員（移動） 192
…（家事） 256、260
…（居住環境） 75
介護保険制度 29、70、198、211、221
介護保険法 204、211
介護予防・日常生活支援総合事業 42
介護ロボット 199
外傷 266、272
回転移動盤 187
回転式移乗器具 187
開放性骨折 266
買い物の介護 248
かかりつけ医（家事） 256
…（居住環境） 74
核家族化 40
家計管理 251
家事 220
家事空間 44
仮設住宅 287
家族周期 39
片手駆動型 186
活動 19、39
家庭経営 251
簡易移乗機 187
簡易スロープ 188
簡易トイレ 288
簡易浴槽 206
換気 56
環境因子 19、38
看護師（移動） 190
…（家事） 260
…（居住環境） 74
観察 15
慣性の法則 90
慣性モーメント 90
関節可動域 98
関節拘縮 98
管理栄養士（家事） 262
機械換気 57
義眼 207
起居動作 96
起居様式 45
義肢 207
義肢装具士（移動） 191
キットウッド,T. 7
気道熱傷 267
機能性尿失禁 296
キャスタ 146
ギャッチベッド 183
居宅生活動作補助用具 209
起立保持具 207
気流 55
近居 40
クーリングオフ制度 258
駆動輪 146
グラブバー 68
クランクハンドル 183
グリップ 146

車いす…… 146、185、205、207
…の構造…… 146
…のたたみ方…… 149
…の点検内容…… 147
…の広げ方…… 150
車いすの介助（エレベーター）…… 181
…（車いすからベッド）…… 158
…（坂道）…… 180
…（段差）…… 177
…（福祉用具使用）…… 163
…（ベッドから車いす）…… 151
車いす付属品…… 205
クローズド・クエスチョン…… 94
蹴上げ…… 67
ケアプラン…… 26、29
ケアマネジャー（移動）…… 192
…（家事）…… 256、260
…（居住環境）…… 75
結露…… 56
健康寿命…… 40
健康状態…… 19
言語的コミュニケーション…… 93
建築関係者（居住環境）…… 76
建築基準法…… 67
建築士（移動）…… 191
交互式歩行器…… 144
公的空間…… 44
高齢者保健福祉推進十か年戦略…… 197
声かけ…… 26
ゴールドプラン…… 197
呼吸困難…… 268
呼吸停止…… 268
国際生活機能分類…… 18、38
国際標準化機構…… 196
国民生活センター…… 258
腰掛便座…… 206
個人因子…… 19、39
個人空間…… 40
骨折…… 266、273
固定式歩行器…… 143
個別ケア…… 8
衣替え…… 243
根拠…… 16

さ

災害派遣医療チーム…… 280
細菌感染…… 266
採光…… 57
在宅療養等支援用具…… 209
サイドガード…… 146
サイドケイン…… 145
サイドレール…… 184
裁縫の介護…… 239
座位保持いす…… 207
座位保持装置…… 207
作業療法士（移動）…… 191
…（家事）…… 257、261
…（居住環境）…… 74
サルコペニア…… 135
参加…… 19、39
三世代同居…… 40
3動作歩行…… 136
シート…… 146
支援相談員（家事）…… 260
視覚障害者安全杖…… 207
市区町村職員（居住環境）…… 76
支持基底面積…… 90、91
指拭法…… 275
姿勢…… 97
自然換気…… 56
シックハウス症候群…… 57
実行機能障害…… 224
私的空間…… 44
自動排泄処理装置…… 205
…の交換可能部品…… 206
しみの処置…… 236
社会参加…… 10
社会福祉士及び介護福祉士法…… 2
住居…… 38
重心…… 90、91
重心線…… 90
住宅改修…… 70、211
住宅改修業者（家事）…… 257
住宅改修費…… 209
住宅内事故…… 64
重度障害者用意思伝達装置… 207
住要求…… 39
障害者総合支援法…… 207
障害者の日常生活及び社会生活を総合的に支援するための法律…… 207
償還払い方式…… 206
昇降便座…… 206
少子高齢化…… 40
消費期限…… 231
消費生活協同組合…… 249
消費生活センター…… 258
情報・意思疎通支援用具…… 209
情報通信技術…… 199
賞味期限…… 231
静脈性出血…… 266
照明…… 58
食材の切り方…… 231
食事室…… 53
褥瘡…… 97、125
…の原因…… 125
…の好発部位…… 125
…の予防…… 126
褥瘡予防マット…… 134
食中毒の予防…… 232
ショック…… 274
自立支援…… 25
自立生活支援用具…… 209
シルバーカー…… 145
寝具の衛生管理の介護…… 241
人工内耳…… 207
寝室…… 47
心身機能…… 19、39
身体介護…… 221
身体構造…… 19、39
据置式リフト…… 187
スタンダードプリコーション…… 284
ストレスコーピング…… 283
ストレングス…… 4
住まい…… 38
スライディングシート…… 185
スライディングボード…… 163、184
スライディングマット…… 185
スリングシート…… 167、206
スロープ…… 205
生活援助…… 221

生活機能……19、39
生活支援……2
…（災害時）……287
生活支援技術……13
生活周期……39
生活相談員（家事）……260
生活の質……4
生活の豊かさ……5
生活不活発病……88
成年後見制度……253、258
生理的空間……44
世界保健機関……18、38
折衷型……45
背抜き……131
セミファーラー位……131
セルフネグレクト……237
全館空調システム……57
洗濯の介護……233
洗濯マーク……237
全天空照度……58
洗面脱衣室……51
前腕支持式歩行器……143
騒音……59
装具……207
そうじ・ごみ捨ての介護……237
ゾーニング……45

た

体位……97
体位変換……97、125
体位変換器……205
体位変換の介助（起き上がりから端座位）……116
…（仰臥位から側臥位）……107
…（上方移動）……99
…（水平移動）……105
…（端座位から立位）……122
対人距離……93
台所……52
対面法側臥位……102
多脚杖……144
多職種連携（移動）……189
…（家事）……255
…（居住環境）……73
…（災害時）……299
…（生活支援）……31
縦手すり……68
多点杖……144
段差解消機……188
地域サービス……259
地域包括ケア……41、73
地域包括支援センター……258
チームアプローチ……31、190
窒息……267、274
調理の介護……227
チョークサイン……274
直接圧迫止血法……272
直系家族制……40
治療食……230
通信販売……249
通風……56
杖型歩行器……145
低温やけど……267
ティッピングレバー……146
ティルト・リクライニング式……186
てこ……91
…の原理……92
手すり……143、205
デッドスペース……291
手まわし棒……183
デマンド……212、225
テリトリー……40
天井走行式リフト……185
電動車いす……186、207
トイレ……48
同居……40
動線……45、52、93
頭部保持具……207
動脈性出血……266
特殊寝台……183、205
特殊寝台付属品……205
特定福祉用具……71
特定福祉用具販売……204、206
…の対象項目……206
床ずれ防止用具……205
閉じられた質問……94
トランスファーボード……163、184
トルク……91

な

波型手すり……68
ニーズ……212、225
24時間換気システム……57
二世帯住宅……40
日常生活自立支援事業……253、259
日常生活用具給付等事業……207、208
…の対象項目……209
2動作歩行……136
日本産業規格……58
入浴台……206
入浴補助用具……206
入浴用いす……206
入浴用介助ベルト……206
認知症老人徘徊感知機器……205
熱環境……55
熱傷……267、276
熱中症……268
ノーリフティングケア……163
ノロウイルス……238

は

パーソナルスペース……40、93
パーソン・センタード・ケア……7
バーンアウト症候群……284
背景因子……19、38
排泄管理支援用具……209
背部叩打法……275
排便補助具……207
廃用症候群……88
掃き出し窓……48
ハザードマップ……284
バックサポート……146
パブリックスペース……44
バリアフリー……66
ハンドリム……146
ハンドル型電動車いす……186
ハンドレール……68
ビーズマット……134
ヒートショック……49、51、56
非開放性骨折……266、273
皮下骨折……266、273

引き戸 …… 69
非言語的コミュニケーション …… 93
非常食 …… 288
漂白剤 …… 236
開かれた質問 …… 94
開き戸 …… 69
ファミリーライフサイクル …… 39
不感蒸泄 …… 247
複合手すり …… 68
副子 …… 273
福祉住環境コーディネーター（移動） …… 191
福祉避難所 …… 286
輻射熱 …… 55
福祉用具 …… 143、196
…の種類 …… 202
福祉用具サービス（介護保険法） …… 204
…（障害者総合支援法） …… 207
福祉用具サービス計画書 …… 211
福祉用具事業者（家事） …… 257
福祉用具情報システム …… 202
福祉用具専門相談員（移動） …… 192
福祉用具貸与 …… 204、206
…の対象品目 …… 205
福祉用具の研究開発及び普及の促進に関する法律 …… 196
福祉用具プランナー（移動） …… 192
福祉用具法 …… 196
フットサポート …… 146
踏面 …… 67
プライベートスペース …… 44
フレイル …… 135
ブレーキ …… 146
平均寿命 …… 33
ベクトル …… 90
ベッド用手すり …… 184
ベンジン …… 236
防災備蓄 …… 287
訪問看護師（家事） …… 256
歩行器 …… 143、205、207
歩行車 …… 145
歩行の介助（階段） …… 140
…（3動作歩行） …… 138
…（障害物） …… 139
補高便座 …… 206
歩行補助杖 …… 144、205、207
ポジショニング …… 98、133
補装具 …… 196
補装具費給付の対象項目 …… 207
補装具費支給制度 …… 207、208
補聴器 …… 207
ボディメカニクス …… 91

ま

摩擦力 …… 91
マズロー,A.H. …… 288
麻痺側 …… 95
マンホールトイレ …… 289
身だしなみ …… 95
ムートン …… 134
眼鏡 …… 207
毛細血管性出血 …… 266
燃え尽き症候群 …… 284
モジュール型 …… 186
モジュラー型 …… 186
モニタリング …… 214

や

薬剤師（移動） …… 190
やけど …… 267、276
ユカ座 …… 45
床走行式リフト …… 187
ユニバーサルデザイン …… 66
指で歯をみがく方法 …… 294
浴室 …… 49
浴室内・浴槽内すのこ …… 206
浴槽内いす …… 206
浴槽用手すり …… 206
横手すり …… 68
欲求階層説 …… 288

ら

ライフサイクル …… 5、39
ライフステージ …… 29、33
ライフヒストリー …… 5、9
ライフライン …… 287
理学療法士（移動） …… 191
…（家事） …… 257、261
…（居住環境） …… 74
リフト型移乗機器 …… 187
良肢位 …… 98
利用者主体 …… 15、22
隣居 …… 40
倫理観 …… 15
ルーバー …… 55、58
ルクス …… 57
レッグサポート …… 146
老人日常生活用具給付等事業 …… 197
ロコモティブシンドローム …… 135
ロフストランド・クラッチ …… 144

わ

ワークトップ …… 52
和式便器腰掛式 …… 206
和服のたたみ方 …… 245

『最新 介護福祉士養成講座』編集代表（五十音順）

秋山 昌江（あきやま まさえ）
聖カタリナ大学人間健康福祉学部教授

上原 千寿子（うえはら ちずこ）
元・広島国際大学教授

川井 太加子（かわい たかこ）
桃山学院大学社会学部教授

白井 孝子（しらい たかこ）
東京福祉専門学校副学校長

「6 生活支援技術Ⅰ（第2版）」編集委員・執筆者一覧

編集委員（五十音順）

浦尾 和江（うらお かずえ）
田園調布学園大学人間福祉学部教授

櫻井 恵美（さくらい えみ）
東京福祉大学社会福祉学部講師

柴山 志穂美（しばやま しおみ）
神奈川県立保健福祉大学保健福祉学部准教授

白井 孝子（しらい たかこ）
東京福祉専門学校副学校長

執筆者（五十音順）

内田 千恵子（うちだ ちえこ）……第5章
公益社団法人東京都介護福祉士会常務理事

浦尾 和江（うらお かずえ）……第2章第5節
田園調布学園大学人間福祉学部教授

大島 千帆（おおしま ちほ）……第4章
埼玉県立大学保健医療福祉学部准教授

大堀 具視（おおほり ともみ）……第1章第2節3
日本医療大学保健医療学部教授

是枝 祥子（これえだ さちこ）……第1章第1節3
大妻女子大学名誉教授

櫻井 恵美（さくらい えみ）……………………………………………第1章第1節1・2・第3節
東京福祉大学社会福祉学部講師

白井 孝子（しらい たかこ）……………………………………………………第1章第2節1・2
東京福祉専門学校副学校長

竹田 幸司（たけだ こうじ）…………………………………………第3章第1節・第3節、第6章
田園調布学園大学人間福祉学部准教授

舟田 伸司（ふなだ しんじ）……………………………………………………………………第7章
一般社団法人富山県介護福祉士会会長

茂木 高利（もてぎ たかとし）……………………………………………………………第3章第2節
田園調布学園大学人間福祉学部非常勤講師

山崎 さゆり（やまざき さゆり）……………………………………………第2章第1節～4節
田園調布学園大学人間福祉学部教授

最新 介護福祉士養成講座 6
生活支援技術Ⅰ　第2版

2019年3月31日　初版発行
2022年2月1日　第2版発行
2025年2月1日　第2版第4刷発行

編集　介護福祉士養成講座編集委員会
発行者　荘村 明彦
発行所　中央法規出版株式会社
〒110-0016　東京都台東区台東3-29-1　中央法規ビル
TEL 03-6387-3196
https://www.chuohoki.co.jp/

印刷・製本　サンメッセ株式会社

装幀・本文デザイン　澤田かおり（トシキ・ファーブル）
カバーイラスト　のだよしこ
本文イラスト　小牧良次・藤田侑巳
口絵デザイン　株式会社ジャパンマテリアル

定価はカバーに表示してあります。
ISBN978-4-8058-8395-2

MEMO

MEMO

MEMO